國立中央圖書館出版品預行編目資料

白居易研究 / 朱金城著. -- 初版 -- 臺北市：
文史哲，民８１
面； 公分. -- (文史哲學集成；267)
ISBN 957-547-180-6(平裝)

1. (唐) 白居易 - 傳記 2. 中國文學 - 歷史與批評 - 唐(618-907)

782.8418 81005785

(267) 文史哲學集成

白居易研究

著　者：朱　金　城
出版者：文　史　哲　出　版　社
登記證字號：行政院新聞局局版臺業字五三三七號
發行人：彭　正　雄
發行所：文　史　哲　出　版　社
台北市羅斯福路一段七十二巷四號
郵撥〇五一二八八一二彭正雄帳戶
電話：三　五　一　一　〇　二　八
印刷者：文　史　哲　出　版　社

實價新台幣四八〇元

中華民國八十一年十二月初版

ISBN 957-547-138-5

文史哲學集成

朱金城著

白居易研究

文史哲出版社印行

自序

我接觸白居易的作品，最先始於初中時誦讀《長恨歌》與《琵琶行》，從此便被它的巨大的藝術魅力所吸引，雖然那時只不過停留在欣賞階段，但已對白居易這個名字產生了興趣。五十年代初，我在上海與金陵伍仲文（崇學）爲忘年交。崇文丈是魯迅先生礦路學堂時的同班同學，他倆同被保送赴日本留學，後來又是同在北京教育部任職的摯友，《魯迅日記》中曾有不少兩人交往的記載。崇文丈詩學香山，頗得香山眞髓，他十分推崇白居易的作品，並鼓勵我從事白居易及其作品的研究。在他的影響下，我開始研讀《白氏長慶集》，後來又接觸到陳寅恪先生、岑仲勉先生有關白集的著作，深感白氏作品在唐代文學中的地位和影響不可估量，前人對白氏作品的整理和研究已經做了不少工作，但迄今仍未有一部完全的注本，於是，我萌發了完成這項工作的願望。

香山詩文對我的吸引，終於迫使我下了決心。不久，在瞿蛻園師的指導下，開始著手箋校白居易的全部作品，並於一九六五年完成初稿。十年動亂中，手稿、書籍全被劫走，粉碎「四人幫」後幸慶珠還。可惜蛻園師與我同時完成的《劉禹錫集箋校》一稿被弄丟了好多卷，他本人也在一九七三年被迫害含冤去世，只留下脫稿時贈我的八首七絕中的一聯斷句：「四海聲名白與劉，居然分席占千秋。」當這本論文集編竣的時候，我的《白居易集箋校》也即將付梓，這更加深了我對蛻園師的懷念。

在長時間箋校白居易集的過程中，我寫成了《白居易年譜》一書，已於一九八二年出版。此外，還陸續寫過不少研究、考證白氏生平和作品的文章，這本集子共收錄了十四篇。其中《白居易交遊考》、《白居易交遊續考》、及《白居易交遊三考》是根據白氏詩文所提供的第一手資料，對詩人生平和交遊作了比較系統的考訂，糾補了唐史及歷來有關典籍的缺誤，希望能爲研究白氏作品以及同時代的詩人提供一些便利。《〈白居易詩選〉編年注釋質疑》一文寫於二十年前，是所輯錄的文字中時間最早的一篇。還有《白居易寫景詩初探》及《讀白居易詩札記》的一部分則是由我女兒易安執筆寫成的。

像白居易這樣偉大的詩人，他的作品和生平以及他的影響，需要研究的問題實在太多了，這裡收錄的文章，僅不過是前人研究的基礎上，作一點小小的補充，實在是微不足道的，況且其中也必定存在著不少錯誤。然陸士衡有言：「每自屬文，尤見其情。恆患意不稱物，文不逮意。」可是，即使像這樣「不稱物」、「不逮意」的東西，也總是「敝帚自珍」，將它們編印出來，以冀對研究者多少有一些用處，聊以自慰。感謝陝西人民出版社的同志督促並鼓勵我將這個願望變成了現實。此外，這本集子能迅速編成，還依靠了女兒易安的辛勤勞動，一並附識於此。

一九八四年十二月於上海雙白簃

白居易研究 目次

白居易交遊考

小　引

《白氏長慶集》七十一卷，凡詩文三千六百餘篇，數量浩繁爲唐集之冠。因系白居易生前所自編，其中除極少篇章亡佚外，首尾最爲完整，非但具有較高之文學價値，而且保存豐富之第一手唐代史料。惟千餘年來，治白集者則殊爲鮮見。清汪立名所編《白香山詩集》，雖略有徵引，而簡陋特甚。近人陳寅恪《元白詩箋證稿》，考證精博，頗多發明，惜僅及《新樂府》、《長恨歌》等數十篇。竊以白居易之一生，與唐代貞元至會昌間之文學史事及政治集團鬥爭均有牽連，其間如文學上之古文運動及新樂府運動，政治上王叔文集團與宦官之對立，李紳元稹與李逢吉之對立，李德裕與李宗閔牛僧孺之對立，以及宋申錫漳王之獄，李訓鄭注甘露之變，凡屬重要之政治及文學人物，莫不與居易相涉或交遊往還，故探索白氏人事關係及交遊動向，實爲研究白集重點工作之一。年來既於白氏詩文分爲箋釋，然猶苦頭緒紛繁，未易疏通，乃復以人爲綱，分別論次，寫成《白居易交遊考》、《續考》、《三考》，凡得八十餘人。所引白氏詩文則以影印宋紹興本《白氏長慶集》（明馬元調刊本卷次同）爲主，不獨可供研究白氏作品之旁證，亦足糾補唐史及有關典籍之缺漏焉。

元稹

白氏《贈元稹》（卷一）、《酬元九對新栽竹有懷見寄》（卷一）、《常樂里閒居偶題十六韻兼寄劉十五公輿王十一起呂二炅呂四穎崔十八玄亮元九稹劉三十二敦質張十五仲方時爲校書郎》（卷五）、《昔與微之在朝同蓄休退之心迨今十年淪落老大追尋前約且結後期》（卷七）、《西明寺牡丹花時憶元九》（卷九）、《權攝昭應早秋書事寄元拾遺兼呈李司錄》（卷九）、《別元九後詠所懷》（卷九）、《寄元九》（卷九）、《春暮寄元九》（卷九）、《勸酒寄元九》（卷九）、《立秋日曲江憶元九》（卷九）、《初與元九別後忽夢見之及寤而書適至兼寄桐花詩悵然感懷因以此寄》（卷九）、《和元九悼往》（卷九）、《寄元九》（卷十）、《寄元九》（卷十）、《寄微之三首》（卷十）、《春晚寄微之》（卷十）、《感秋懷微之》（卷十）、《夢與李七庾三十三同訪元九》（卷十）、《山石榴寄元九》（卷十二）、《代書詩一百韻寄微之》（卷十三）、《秋雨中贈元九》（卷十三）、《曲江憶元九》（卷十三）、《同李十一醉憶元九》（卷十四）、《見元九悼亡詩因以此寄》（卷十四）、《禁中夜作書與元九》（卷十四）、《八月十五日夜禁中對月憶元九》（卷十四）、

《雨雪放朝因憶微之》（卷十四）、《聞微之江陵臥病以大痛中散碧腴垂云膏寄之因題四韻》（卷十四）、《獨酌憶微之》（卷十四）、《微之宅殘牡丹》（卷十四）、《酬和元九東川路詩十二首》（卷十四）、《答謝家最小偏憐女》（卷十四）、《答騎馬入空台》（卷十四）、《答山驛夢》（卷十四）、《和元九與呂二同宿話舊感贈》（卷十四）、《憶元九》（卷十四）、《嘆元九》（卷十四）、《感化寺見元九劉三十二題名處》（卷十四）、《開元九詩書卷》（卷十四）、《和夢遊春詩一百韻》（卷十四）、《遊城南留元九李二十晚歸》（卷十五）、《重到城絕句》七首之一《見元九》（卷十五）、《醉後卻寄元九》（卷十五）、《雨夜憶元九》（卷十五）、《雨中攜元九詩訪元八侍御》（卷十五）、《寄生衣與微之因題封上》（卷十五）、《微之到通州後授館未安……其詩乃是十五年前初第時贈長安妓人阿軟絕句……》（卷十五）、《得微之到官後書備知通州之事悵然有感因成四章》（卷十五）、《藍橋驛見元九詩》（卷十五）、《韓公堆寄元九》（卷十五）、《武關南見元九題山石榴花見寄》（卷十五）、《舟中讀元九詩》（卷十五）、《東南行一百韻寄通州元九侍御……》（卷十六）、《見紫薇花憶微之》（卷十六）、《憶微之傷仲遠》（卷十六）、《寄蘄州簟與元九因題六韻》（卷十六）、《憶微之》（卷十六）、《山中與元九書因題書後》（卷十六）、《編集拙詩成一十五卷因題卷末戲贈元九李二十》（卷十六）、《江樓夜吟元九律詩成三十韻》（卷十七）、《元九以綠絲布白輕褣見寄制成衣服以詩報之》（卷十七）、《答微之》（卷十七）、《聞李尚書拜相因以長句寄賀微之》（卷十七）、《寄微之》（卷十七）、《三月十三日懷微之》（卷十七）、《十年三月三十日別微之於澧上十四年三月十一日夜遇微之於峽中……》（卷十七）、《即事寄微之》（卷十八）、《寄微之》（卷十八）、《商山路驛桐樹昔與微之前後題名處》（卷十八）、《初除主客郎中知制誥與王十一李七元九三舍人中書同宿話感懷》（卷十九）、《中書連直寒食不歸因懷元九》（卷十九）、《待漏入閤書事奉贈元九學士閣老》（卷十九）、《初著緋戲贈元九》（卷十九）、《和微之四月一日作》（卷二一）、《和微之詩二十三首》（卷二二）、《元微之除浙東觀察使喜得杭越鄰州先贈長句》（卷二三）、《席上答微之》（卷二三）、《答微之上船後留別》（卷二三）、《答微之泊西陵驛見寄》（卷二三）、《答微之夸越州州宅》（卷二三）、《微之重夸州居其落句有西州羅刹之謔因嘲茲石聊以寄懷》（卷二三）、《張十八員外以新詩二十五首見寄郡樓月下吟玩通夕因題卷後封寄微之》（卷二三）、《酬微之》（卷二三）、《餘思未盡加爲六韻重寄微之》（卷二三）、《酬微之夸鏡湖》（卷二三）、《雪中即事寄微之》（卷二三）、醉封詩筒寄微之》（卷二三）、《除夜寄微之》（卷二三）、《蘇州李中丞以元日郡齋感懷詩寄微之及予……兼呈微之》（卷二三）、《早春西湖閒遊悵然興懷憶與微之同賞因思在越官重事殷……偶成十八韻寄微之》（卷二三）、《答微之見寄》（卷二三）、《早春憶微之》（卷二三）、《得湖州崔十八使君書喜於杭越鄰郡因成長句代賀兼寄微之》（卷二三）、《與微之唱和來去常以竹筒貯詩陳協律美而成篇因以此答》（卷二三）、《除官赴闕偶贈微之》（卷二三），《重寄別微之》（卷二三）、《河陰夜泊憶微之》（卷二三），《晚春寄微之並崔湖州》（卷二三），《吟前篇因寄微之》（卷二四），《秋寄微之十二韻》（卷二四），《泛太湖書事寄微之》（卷二四），《歲暮寄微之三首》（卷二四），《郡中閒獨寄微之及崔湖州》（卷二四），《酬微之開拆新樓初畢相報末聯見戲之作》（卷二四），《重題小舫贈周從事兼戲微之》（卷二四），《仲夏齋偶題八韻寄微之及崔湖州》（卷二四），《九日寄微之》（卷二四），《留別微之》（卷二四），《寫新詩寄微之偶題卷後》（卷二四），《微之就拜尚書居易復除刑部因書賀意兼詠懷》（卷二五），《和微之春日投簡陽明洞天五十韻》（卷二六），《元相公挽歌詞三首》（卷二六），《哭微之》二首（卷二七），《嘗黃醅新酎憶微之》（卷二八），《醉別微之》（卷二八），《予與微之老而無子發於詠嘆著在詩篇今年冬各有一子戲作二什一以相賀一以自嘲》（卷二八），《戲和微之答竇七行軍之作》（卷二八），《和微之任校書郎日過三》（卷二八），《和微之十七與君別及朧月花枝之詠》（卷二八），《和微之嘆槿花》（卷二八），《和微之道保生三日》（卷二八）、《初喪崔兒報微之晦叔》（卷二八）、《微之敦詩晦叔相次長逝巋然自傷因成二絕》（卷三二），《夢微之》（卷三五），《城西別元九》（《全唐詩卷八八二），《哭微之》（據《文苑英華》中白氏《祭微之文》轉錄）等詩中之「元九」、「微之」、「元九侍御」、「元九舍人」、「元九學士閣老」、「元相公」均指元稹。城按：元稹，字微之。河南人。年十五，明經擢第。貞元十九年，與白居易應書判拔萃科同登第，並同授校書郎，二人訂交約始於是年之前。元和元年，應制舉才識兼茂明於體用科，以第一人登第，除左拾遺。後爲執政所忌，出爲河南縣尉。丁母憂，服除拜監察御史。以屬舉劾故劍南東川節度使嚴礪、河南尹房式等不法事，被貶爲江陵士曹參軍。後因荆南監軍崔潭峻荐及宰相段文昌等提拔，獲穆宗恩顧，長慶二年拜平章事。大和五年七月二十二日暴卒於武昌軍節度使任所，年五十三。贈尚書右僕射。稹聰警絕人，少有才名，與白居易友善，工爲詩，善狀詠風態物色，宮中稱爲「元才子」，當時言詩者稱「元白」焉。自閭閻下俚，悉傳諷之，號爲「元和體」。見《舊唐書》卷一六六、《新唐書》卷一七四本傳、白氏

《元稹墓誌銘》（卷七〇）。

白氏《贈元稹》詩云：「自我從宦遊，七年在長安。」居易貞元十五年冬至長安應進士試，至元和元年適爲七年，據此可知此詩作於元和元年。元稹有《種竹》詩，即和此篇。白氏又有《酬元九對新栽竹有懷見寄》（卷一），和篇作於元和五年，其中有「昔我十年前，與君始相識」之句，則元白相識於貞元十八年前。白氏又有《秋雨中贈元九》詩，作於貞元十八年，詩云：「莫怪獨吟秋思苦，比君校近二毛年。」時年三十一歲，可證元白訂交於授校書郎前，與白氏《贈元稹》詩所記時間正合。白氏《代書詩一百韻寄微之》詩云：「憶在貞元歲，初登典校司。身名同日授，心事一言知。」自注云：「貞元中，與微之同登科第，俱授秘書省校書郎，始相識也。」揆諸上述白氏各詩，《代書詩一百韻寄微之》詩自注所記之時間亦未見精確。陳振孫《白文公年譜》據以謂元白訂交於貞元十九年，非也。

白氏《常樂里閒居偶題十六韻兼寄劉十五公輿王十一起呂二炅呂四潁崔十八玄亮元九稹劉三十二敦質張十五仲方時爲校書郎》詩作於貞元十九年。常樂里在長安朱雀門街東第三街，見《兩京城坊考》卷三。白氏《養竹記》（卷四三）云：「貞元十九年春，居易以拔萃選及第，授校書郎，始於長安求假居處。得常樂里故關相國私第之東亭而處之。明日，履及於亭之東南隅，見叢竹於斯。」《兩京城坊考》卷三：「樂天始至長安，與周諒等同居永崇里之華陽觀，至選授校書郎，乃居常樂里，蓋此爲卜宅之始也。」考白氏永貞元年作《春中與盧四周諒華陽觀同居》詩（卷十三）云：「杏壇住僻雖宜病，芸閣官微不救貧。」則白氏居華陽觀在常樂里後，徐氏失考。

《西明寺牡丹花時憶元九》詩作於永貞元年。蓋居易貞元十九年拔萃科登第，授秘書省校書郎，至永貞元年適爲三年，故詩云：「一作芸香吏，三見牡丹開。」元稹貞元二十年曾旅歸洛陽，故詩云：「何況尋花伴，東都去未回。」汪立名《白香山年譜》系於元和三年，非是。元稹元和元年九月十日（城按：卞孝萱《元稹年譜》誤引作九月十三日）自左拾遺出爲河南尉，白氏《權攝昭應早秋書事寄元拾遺兼呈李司錄》詩作於元和元年九月以前，元稹《酬樂天》詩自注云：「時樂天攝尉，予爲拾遺。」即和白氏此篇。元和四年二月，元稹除監察御史，乃出於宰相裴垍之提拔。三月，出使劍南東川，往來途中，賦詩三十二首，白行簡寫爲《東川卷》，今《元集》中存二十二首（元稹《使東川》詩序）。白居易有《酬和元九東川路詩十二首》，現列表對照於下：

元　稹	白　居　易
《使東川》二十二首：	《酬和元九東川路詩十二首》：
《駱口驛二首》	《駱口驛舊題詩》
《清明日》	
《亞枝紅》	《亞枝花》
《梁州夢》	
《南秦雪》	《南秦雪》
《江樓月》	《江樓月》

《慚問囚》	
《江上行》	
《漢江上笛》	《江上笛》
《郵亭月》	
《嘉陵驛二首》	《嘉陵夜有懷二首》
《百牢關》	
《江花落》	《江岸梨花》
《嘉陵江二首》	
《西縣驛》	
《望喜驛》	
《好時節》	
《夜深行》	《夜深行》
《望驛台》	《望驛台》
	《山枇杷花二首》

同年八月，元稹分司東都。故白氏元和四年作《寄元九》（卷九）詩云：「今春除御史，前月之東洛。……秋意一蕭條，離容兩寂寞。」至元和五年三月，貶稹爲江陵士曹參軍，白氏《春暮寄元九》、《勸酒寄元九》、《立秋日曲江憶元九》、《初與元九別後忽夢見之及寤而書適至兼寄桐花詩悵然感懷因以

此寄》等詩，均係是年酬贈元稹之作，元稹和作則有《酬樂天早春見情懷》、《酬樂天勸酒》、《三月二十四日宿曾峰館夜對桐花寄樂天》、《酬樂天書懷見寄》等詩。

元和四年七月九日，元稹妻韋叢卒於長安靖安里第。韓愈《監察御史元君妻京兆韋氏夫人墓誌銘》：「夫人諱叢，字茂之（城按：《元白詩箋證稿》引作「成之」，據馬通伯《韓文校注》，「茂」或作「成」，以名義推之，當作「茂」，《雲溪友議》作「韋蕙叢」，非是），姓韋氏。……夫人於僕射（韋夏卿）爲季女，愛之，選婿得今御史河南元稹，稹時始以選校書秘書省中。……年二十七，以元和四年七月九日卒。卒三月，得其年之十月三日葬咸陽，從先舅姑兆。」元稹於元和四年末或五年初賦悼亡詩《三遣悲懷》三首，其一云：「謝公最小偏憐女，自嫁黔婁百事乖。顧我無衣搜蓋篋，泥他沽酒拔金釵。野蔬充膳甘長藿，落葉添薪仰古槐。今日俸錢過十萬，與君營奠復營齋。」其二云：「昔日戲言身後意，今朝皆到眼前來。衣裳已施行看盡，針線猶存未忍開。尚想舊情憐婢僕，也曾因夢送錢財。誠知此恨人人有，貧賤夫妻百事哀。」其三云：「閒坐悲君亦自悲，百年都是幾多時。鄧攸無子尋知命，潘岳悼亡猶費詞。同穴窅冥何所望？他生緣會更難期。唯將終夜常開眼，報答平生未展眉。」此三詩之寫作時間，據陳寅恪《元微之遺悲懷詩之原題及其次序》（一九三六年《清華學報》）考定，第一首作於元和十二年元稹以通州司馬權知州務時，第二首作於任江陵府士曹參軍時，第三首作於元稹任監察御史分司東台時。卞孝萱《元稹年譜》謂陳氏所考未諦，《遣悲懷三首》俱爲元稹任監察御史分司東台時所作，其「謝公最小偏憐女」一首亦無作於通州司馬時之可能。今依白氏《答謝家最小偏憐女》詩自注云：「感元九悼亡詩，因爲代答三首。」則知此詩及《答騎馬入空台》俱作於元和四年十月三日韋叢葬於咸陽之後，而《答山驛夢》爲元和五年和元稹《感夢》詩所作。元稹《感夢》詩云：「行吟坐嘆知何極？影絶魂銷動隔年。今夜商出館中夢，分明同在後堂前。」乃行至商山途中所作，猶未抵達江陵也。元稹抵江陵後，感念韋氏，作有《張舊蚊幬》詩，白氏和詩《和元九悼往（感舊蚊幬作）》作於元和五年，故詩云：「舍此隔年恨，發爲中夜吟。」《白集》第十卷中《寄元九》詩凡兩見：其一云：「君年雖校少，憔悴謫南國。三年不放歸，炎瘴銷顔色。」則必作於元稹貶江陵士曹（元和五年）之第三年，即元和七年，汪立名《白香山年譜》誤系白氏此詩於元和六年。另一首《寄元九》詩云：「一病經四年，親朋書信斷。」則此詩作於元和九年。山石榴花即杜鵑花，白氏詩中屢見題詠，蓋與元稹前後貶官時，山路常見此花，觸緒生悲，見物懷人也。其《山石榴寄元九》、《題山石榴花》、《戲問山石榴》三詩俱作於江州，《山石榴寄元九》詩作於元和十一年到江州後，詩云：「花中此物是西施，芙蓉芍藥皆嫫母。奇芳絶艶別者誰？通州遷客元拾遺。拾遺初貶江陵去，去時正值青春暮。商山秦嶺愁殺君，山石榴花紅夾路。題詩報我何所云？苦云色似石榴裙。當時叢畔唯思我，今日欄前只憶君。憶君不見坐銷落，日西風起紅紛紛。」前一年（元和十年），白氏貶江州途中作《武關南見元九題山石榴花見寄》詩（卷十五）云：「往來同路不同時，前後相思兩不知。行過關門三四里，榴花不見見君詩。」即白氏《山石榴寄元九》詩中「題詩報我何所云」所指，元詩今已佚。元稹《夢遊春七十韻》詩亦作於江陵，白氏《和夢遊春詩一百韻》詩作於元和五年，其序云：「微之……又以《夢遊春七十韻》寄予，且題其序曰：『斯言也，不可使不知吾者知，知吾者亦不可使不知，樂天知吾也，吾不敢不使吾子知。』」元稹《夢遊春七十韻》之原序全文已佚。元和十年正月，元稹自唐州召還，月末抵長安。元白即在此時相見，而是年與元稹同時召還者尚有劉禹錫、柳宗元等人，後再貶通州司馬復與劉、柳之出刺連、柳二州同時，由此可知元和九年末之征還遷客而復斥者，不止王韋黨人也。元稹停留長安時間極短暫，是年三月二十五日再出爲通州司馬。此一時期兩人酬唱之詩：白氏有《遊城南留元九李二十晚歸》、《重到城七絕句》之一《見元九》、《重到城七絕句》之二《高相宅》、《重到城七絕句》之三《張十八》、《重到城七絕句》之四《劉家花》、《重到城七絕句》之五《裴五》、《重到城七絕句》之六《仇家仇》、《重到城七絕句》之七《恆寂師》，元稹有《和樂天高相宅》、《和樂天劉家花》、《和樂天贈云寂師》等詩。

白氏《醉後卻寄元九》詩云：「蒲池村里匆匆別，澧水橋邊兀兀回。行到城門殘酒醒，萬重離恨一時來！」元稹《酬樂天東南行詩一百韻序》云：「元和十年三月二十五日，予司馬通州。二十九日，與樂天於鄠東蒲池村別，各賦一絕。」後白氏元和十四年作《十年三月三十日別微之於澧上十四年三月十一日夜遇微之於峽中停舟夷陵三宿而別言不盡者從詩終之因賦七言十七韻以贈且欲寄所遇之地與相見之時爲他年會話張本也》詩（卷十七）云：「澧水店頭春盡日，送君馬上謫通川。」元稹又有《澧西別樂天博載樊宗憲李景信兩秀才侄谷三月三十日相餞送》詩云：「今朝相送自同遊，酒語詩情替別愁。忽到澧西總回去，一身騎馬向通州。」白氏復有《城西別元九》詩（《全唐詩》卷八八二）云：「城西三月三十日，別友辭春兩恨多。帝里卻歸猶寂寞，通州獨去又如何？」元稹赴通州，乃取道澧鄠通向巴蜀之陸路，蒲池村居澧水橋邊西岸，綜合元稹、白居易前後酬答諸詩，可知元稹三月二十九日自長安首途，居易等人相送至澧水兩岸橋邊蒲池村，天色已晚，依依惜別不捨，同在澧水橋邊旅店內借宿一宵，至次日復於蒲池村分別，居易等人再渡過澧水橋返回長安城。白氏詩：「浦池村里匆匆別，澧水橋邊兀兀回。行到城門殘酒醒，萬重離恨一時來。」乃自遠及近之倒寫手法，而爲研究元、白此次分別日期提供極有用之資料。今人卞孝萱《元稹年譜》未涉及此一問題，顧肇昌、周汝昌《白居易詩選》附錄《白居易年譜簡編》、顧學頡《白居易年譜簡編》，日本花房英樹《元稹年譜》俱系元稹、白居易三月二十九日別於鄠東蒲池村，疑非是。又拙著《白居易年譜》第六八頁云：「則知白居易等元和十年三月二十九日送稹至鄠東蒲池村，不忍離去，復送至澧水，至三十日始於澧水西岸橋邊分手。」此蓋誤以蒲池村與澧水西岸橋邊爲兩處，附考更正於此。

白氏《微之到通州日授館未安見塵壁間有數行字讀之即僕舊詩其落句云淥水紅蓮一朵開千花百草無顏色然不知題者何人也微之吟嘆不足因綴一章兼錄僕詩本同寄省其詩乃十五年前初及第時贈長安妓人阿軟絕句緬思往事杳若夢中懷舊感今因酬長句》，此詩所和即元稹《見樂天詩》，元詩云：「通州到日日平西，江館無人虎印泥。忽向破檐殘漏處，見君詩在柱心題。」又白氏《與元九書》云：「又足下書云：到通州日，見江館柱間，有題僕詩者。」即指居易「贈長安妓人阿軟絕句」。又元稹《酬樂天東南行詩一百韻詩序》云：「到通州後，予又寄一篇，尋而樂天貺予八首。」即指其《見樂天詩》。又白氏詩中之「阿軟」乃與秋娘同時之長安名倡。韋縠《才調集》卷一載白氏《江南喜逢蕭九徹因話長安舊遊戲贈五十韻》云：「多情推阿軟，巧語屬秋娘。」汪立名《白香山詩集》補遺卷上及《全唐詩》卷四六二俱作「名情推阿軌，巧語許秋娘。」證以白氏此詩，「軌」字顯係「軟」字之譌文。又任半塘《唐戲弄》中《劇錄》及《初盛中唐優伶》兩章引此詩亦誤作「阿軌」。元稹元和十三年作《酬樂天東南行詩一百韻》詩序云：「(元和)十三年，予以赦當遷，簡省書籍，得是八篇，吟嘆方極。適崔果州使至，爲予致樂天去年十二月二日書，書中寄予百韻至兩韻，凡二十四章。」則白氏《東南行一百韻寄通州元九侍御……》詩作於元和十二年，《汪譜》繫於元和十三年，誤。李顧言卒於元和十年春，白氏《憶微之傷仲遠》詩作於元和十一年，元稹有《酬樂天見憶兼傷仲遠》詩自注云：「李三仲遠，去年春喪。」此詩亦當作於元和十一年。《汪譜》系白氏《憶微之傷仲遠》詩於元和十年，誤。

白氏元和十一年初作《寄蘄州簟與元九因題六韻》云：「笛竹出蘄春，霜刀劈翠筠。織成雙人簟，寄與獨眠人。卷作筒中信，舒爲席上珍。滑如鋪薤葉，冷似卧龍鱗。清潤宜乘露，鮮華不受塵。通州炎瘴地，此物最關身。」此詩題下自注云：「時元九鰥居。」元稹《酬樂天寄蘄州簟》詩云：「蘄簟未經春，君先拭翠筠。知爲熱時物，預與瘴中人。」元和十年閏六月，元稹至通州。元和十年冬初，居易始抵達江州。元詩中稱「預與」，知未到熱時，知白詩之作不得早於元和十一年初，可證此時元稹猶未續娶裴淑也。考蘄州舊爲蘄春郡。唐時所轄有蘄春縣。《施注蘇詩》卷二二引《蘄春地誌》云：「蘄水縣，漢蘄春地也。宋永嘉中立浠水縣。唐改爲蘭溪縣，又改曰蘄水。蘭溪源出苦竹山，笛竹生羅田縣山中，蘄竹亦生於此，用以爲簟。」《方輿勝覽》卷四九《蘄州》：「土產蘄席。」白氏《寄李蘄州》詩（卷三四）「笛愁春盡梅花裡，簟冷秋生薤葉中」句自注云：「蘄州出好笛並薤葉簟。」則蘄州簟馳名天下，元、白外屢見唐人吟詠，如韓愈《鄭群贈簟》詩云：「蘄州笛竹天下知，鄭君所寶尤瑰奇。攜來當晝不得臥，一府傳看黃琉璃。」劉禹錫《武昌老人說笛歌》：「往年鎮戍到蘄州，楚山蕭蕭笛竹秋。……古苔蒼蒼封老節，石山孤生飽風雪。」俱爲極珍貴之唐代社會經濟史料。

白氏《元九以綠絲布白輕褣見寄製成衣服以詩報知》詩作於元和十三年，元稹有《酬樂天得稹所寄紵絲布白輕庸製成衣服以詩報之》詩。考輕褣乃無花薄紗。周密《齊東野語》卷十：「《紗之至輕者有所謂輕容，出《唐類苑》，云：輕容，無花薄紗也。王建《宮詞》：『嫌羅不著愛輕容。』元微之有《寄白樂天白輕容樂天製而爲衣》，而詩中『容』字乃爲流俗妄改爲『庸』，又作『榕』，蓋不知其所出。《元豐九域志》『越中歲貢輕容紗五尺』是也。」宋長白《柳亭詩話》卷十一：「《香山集》有《元九以綠絲布白輕褣見寄》詩，所謂『綠絲文布素輕褣，珍重京華手自封』是也。然考之前人，多作『輕容』，紗名，與方空異。張睿父曰：輕容、方空、吹綸，皆紗名。」白詩「綠絲文布素輕褣」句中之「褣」字，汪立名本作「容」，蓋據《齊東野語》而改也。

白氏《送客春遊嶺南二十韻》詩作於元和十三年，此詩題下自注云：「因敘南方物以諭之，並擬微之送崔二十二之作。」此注中之「崔二十二」，宋紹興本作「崔二十一」，時崔二十二韶方爲果州刺史，安能遠遊嶺南？疑各本《白集》中此詩之「崔二十二」、「崔二十一」俱爲「崔二十」之訛。由此可知元稹《和樂天送客遊嶺南二十韻》一詩亦必爲元和十三年所作，卞孝萱《元稹年譜》系於元稹貶江陵士曹時，非是。詳見本書《白居易交遊三考·崔韶》。元和十三年三月，御史大夫李夷簡爲門下侍郎、同平章事，白氏作《聞李尚書拜相因以長句寄賀微之》詩云：「憐君不久在通川，知已新提造化權。」元稹作《酬樂天聞李尚書拜相以詩見賀》詩云：「尚書入用雖旬月，司馬銜冤已十年。若待更遭秋瘴後，便愁平地有重泉。」蓋夷簡曾以劍南西川節度使檢校戶部尚書，元稹爲監察御史時夷簡爲御史中丞，其《貽蜀五首》詩中即稱之爲「李尚書」。王拾遺《白居易》（上海人民出版社一九五七年版）、花房英樹《白氏文集の批判的研究》謂此「李尚書」指李鄘，失考。又白氏詩云：「知已新提造化權」，蓋元稹及李夷簡友情契洽，故此詩謂夷簡入相，元稹必得志。唐自中葉以後，親知在相位，必得其左右，乃常人意中所有之事耳。又唐人常以「造化權」等詞語稱宰相，殊不以爲嫌，如劉禹錫《和東川王相公新漲驛池八韻》詩云：「今日池塘上，初移造化權。」亦此意也。

元和十四年十月，元稹自虢州長史入爲膳部員外郎。次年（元和十五年）正月，憲宗爲宦官陳弘志所殺，穆宗即位。蕭俛、段文昌同平章事。同年五月，元稹爲祠部郎中、知制誥。史稱稹之《連昌宮詞》因宦官崔潭峻之荐，受知穆宗而致高位，然細考之，此種說法蓋始於《舊唐書·元稹傳》，殊不能使人置信。《舊傳》云：「穆宗皇帝在東宮，有妃嬪左右嘗誦稹歌詩以爲樂曲者，知稹所爲，嘗稱其善，宮中呼爲『元才子』。荆南參軍崔潭峻甚禮接稹，不以掾吏遇之，常徵其詩什諷誦之。長慶初，潭峻歸朝，出稹《連昌宮詞》等百餘篇奏御，穆宗大悅，問稹安在，對曰：『今爲南宮散郎。』即日轉祠部郎中、知制誥。」《新唐書·元稹傳》所載略同，僅云崔潭峻「以稹歌詞數十篇奏御」，而未涉及《連昌宮詞》。《通鑑》卷二四一《唐紀》元和十五年則云：「初，膳部員外郎元稹爲江陵士曹，與監軍崔潭峻善。上在東宮，聞宮人誦稹歌詩而善之。及即位，潭峻歸朝，獻稹歌詩百餘篇。上問稹安在？對曰：『今爲散郎。』夏，五月庚戌，以稹爲祠部郎中、知制誥，朝論鄙之。」其中亦未載《連昌宮詞》，而將崔潭峻歸朝之期改置於元和末，或因覺察兩《唐書·元稹傳》記載失實而改書。考元稹《制誥序》云：「元和十五年，余始以祠部郎中知制誥，初約束不暇，及後累月，輒以古道干丞相，丞相信然之。又明年，召入禁林，專掌內命。」白居易長慶元年作《元稹除中書舍人翰林學士賜紫金魚袋制》云：「尚書祠部郎中、知制誥、賜緋魚袋元稹，去夏拔自祠曹員外、試知制誥。」元稹自撰之《敘奏》云：「穆宗初，宰相更用事，丞相段公一日獨得對，因請亟用兵部郎中薛存慶、考功員外郎牛僧孺，予亦在請中，上然之。不數十日，次用爲給舍。」可知元和十五年五月元稹已爲祠部郎中、知制誥，在此之前曾爲膳部員外郎（據《通鑑》胡注，散郎爲員外郎之通稱）、試知制誥，其升任知制誥，乃出於宰相段文昌之提名（城按：段文昌與元稹早年俱受知於裴垍，見《舊唐書·段文昌傳》），似與崔潭峻無關。段文昌之所以提名元稹並獲穆宗之許可，不外以下三點原因：一、元稹被召回長安前，其詩名早爲穆宗所知。二、元稹在《連昌宮詞》中所提及「努力廟謨休用兵」之「銷兵」主張正迎合穆宗之意圖及宰相段文昌、蕭俛之政見。三、穆宗即位，殺反對擁立之宦官頭目吐突承璀，罷皇甫鎛、令狐楚相位，用段文昌爲相，元稹之朋輩若崔群、李絳、李德裕、李紳、白居易、庾敬休、李景儉、韓愈等，曩時多因反對吐突承璀而受貶謫，此時均相繼起用。元稹既因受吐突承璀宦宮集團打擊而兩度貶斥，自應受穆宗之寵信而擢用。故歷來沿襲《舊傳》對元稹不公正之評價，誠如岑仲勉《隋唐史》所云：「唐末留下之記事，多屬小人秉筆，史家不精別擇，便昧是非。」凡治唐代文史者，實有重新研究之必要。

元和十五年夏，白氏自忠州刺史召還，除尚書司門員外郎（按：《陳譜》、《汪譜》俱誤繫於元和十五年冬）。同年十二月二十八日遷主客郎中、知制誥。長慶元年十月十九日遷中書舍人。元稹長慶元年二月除中書舍人、翰林承旨學士。元稹《白居易授尚書主客郎中知制誥》云：「朝議郎行尚書司門員外郎白居易……由是召自南賓，序補郎位。會牛僧孺以御史中丞解制誥職，嗣掌書命，人推爾先。予亦飽其風猷，爾宜副茲超異，可守尚書主客郎中，知制誥。餘如故。」稹除中書舍人、翰林學士，居易亦撰《元稹除中書舍人翰林學士賜紫金魚袋制》，故其《余思未盡加爲六韻重寄微之》詩（卷二三）「除官遞互掌絲綸」自注云：「予除中書舍人，微之撰制。微之除翰林學士，予撰制詞。」此一期間相酬唱之詩，白氏有《王十一李七元九三舍人中書同宿話舊感懷》、《中書連直寒夜不歸因憶元九》、《待漏入閤書事奉贈元九學士閣老》等詩，元稹有《酬樂天待漏入閤》等詩。唐制章服依散階論，五品得服緋，居易長慶元年夏，與元宗簡同制加朝散大夫，始著緋，故是年所作《初著緋戲贈元九》詩云：「晚遇緣才拙，先衰被病牽。那知垂白日，始是著緋年！身外名徒爾，人間事偶然。我朱君紫綬，猶未得差肩。」又有《酬元郎中同制加朝散大夫書懷見贈》詩（卷十九）云：「五品足爲婚嫁主，緋袍著了好歸田。」此「元郎中」乃元宗簡，足見唐人對朝散著緋之重視。長慶二年二月，元稹以工部侍郎同中書門下平章事。三月，裴度以司空同平章事。裴度與元稹爭相，李逢吉令人誣告元稹欲遣人刺裴度，無佐驗。六月，裴度、元稹俱罷相，元稹出同州刺史。白氏《元微之除浙東觀察使，喜得杭越鄰州，先贈長句》詩云：「稽山鏡水歡遊地，犀帶金章榮貴身。官職比君雖校小，封疆與我且爲鄰。郡樓對玩千峰月，江界平分兩岸春。杭越風光詩酒主，相看更合是何人？」元稹有《酬樂天喜鄰郡》云：「蹇驢瘦馬塵中伴，紫綬朱衣夢裡身。符竹偶因成對岸，文章虛被配爲鄰。湖翻白浪常看雪，火照紅妝不待春。老大那能更爭競，任君投募醉鄉人。」考元稹長慶二年六月罷相出爲同州刺史，乃由於裴度與稹之嫌隙，構於于方一獄，其事皆李逢吉之黨爲之。《舊唐書·李德裕傳》：「時德裕與李紳、元稹俱在翰林，以學識才名相類，情頗款密，而逢吉之黨深惡之，……裴度自太原復輔政，是月李逢吉亦自襄陽入朝，乃密賂纖人構成于方獄。六月，元稹、裴度俱罷相。」頗能曲傳其中隱微。又《會稽掇英總集》卷十八《唐太守題名記》：「元稹，長慶三年八月自同州防御使授，大和三年九月除尚書左丞。」《汪譜》長慶三年癸卯：「是年冬，微之移浙東觀察，越州刺史。」顧學頡《白居易詩年譜簡編》長慶三年癸卯（八二三）：「冬，元稹自同州刺史遷越州刺史，浙東觀察使。十月，經杭州，與居易會，數日而別。」據《會稽掇英總集》所載，元稹除浙東在是年八月無疑，汪、顧兩譜所考俱誤。白氏任杭州刺史期間，與元稹酬唱之詩至夥，茲將長慶三年至四年唱和之詩，列表如下。（見下頁）

元稹	白居易
《別後西陵晚眺》	《答微之泊西陵驛見寄》
《以州宅誇於樂天》	《答微之誇越州州宅》
《重誇州宅旦暮景色兼酬前篇末句》	《微之重誇州居其落句有西州羅刹之謔因嘲茲石聊以寄懷》
《酬樂天吟張員外詩見寄因思上京每與樂天於敬兄升平里詠張新詩》	《張十八員外以新詩二十五首見寄郡樓月下吟玩通夕因題卷後封寄微之》
《寄樂天》	《答微之詠懷見寄》
《戲贈樂天複言》	《酬微之誇鏡湖》
《重酬樂天》	
《郡務稍簡因得整比舊詩並連綴焚削封章繁委篋笥僅逾百軸因寄樂天》	《酬微之》
《酬樂天餘思不盡加爲六韻之作》	《餘思未盡加爲六韻重寄微之》
《寄樂天》	《答微之見寄》
《酬樂天雪中見寄》	《雪中即事寄微之》
《和樂天早春見寄》	《早春憶微之》
《代郡齋神答樂天》	《留題郡齋》
《酬樂天重寄別》	《重寄別微之》
《和樂天重題別東樓》	《重題別東樓》

白氏《和微之詩二十三首》詩作於大和三年及四年，元氏原詩已佚。其中《和微之詩二十三首》之

一《和晨霞》、之二《和送劉道士遊天台》、之三《和櫛沐寄道友》、之四《和祝蒼華》、之五至七《和我年三首》、之八《和三月三十日四十韻》、之九《和寄樂天》、之十《和寄問劉白》、之十一《和新樓北園偶集從孫公度周巡宮韓秀才盧秀才範處士小飲鄭侍御判官周劉二從事皆先歸》、之二十《和晨興因報問龜兒》十二首作於大和二年，《和微之詩二十三首》之十二《和除夜作》、之十三《和知非》、之十四《和望曉》、之十五《和李勢女》、之十六《和酬鄭侍御東陽春悶放懷追越遊見寄》、之十七至十八《和自勸二首》、之十九《和雨中花》、之二十三《和順之琴者》九首俱作於大和三年，《和微之詩二十三首》之二十一《和朝回與王煉師遊南山下》、《和微之詩二十三首》之二十二《和嘗新酒》約作於大和二年至三年。白氏《和微之詩二十三首序》云：「微之又以近作四十三首寄來，命僕繼和，其間瘀絮四百字，車斜二十篇者流，皆韻劇辭殫，瑰奇怪譎。又題云奉煩只此一度，乞不見辭。意欲定霸取威，置僕於窮地耳。……近來《因繼》已十六卷，凡千餘首矣。其爲敵也，當今不見；其爲多也，從古未聞；所謂天下英雄唯使君與操耳。戲及此者，亦欲三千里外一破愁顏，勿示他人以取笑誚。」按：宋張表臣《珊瑚鉤詩話》云：「前人作詩，未始和韻。自唐白樂天爲杭州刺史，元微之爲浙東觀察，往來置郵筒，倡和始依韻。而多至千言，少或百數十言，篇章甚富。其自耀云：曹公謂劉玄德曰：天下英雄，唯使君與操耳。予於微之亦云。豈詩人豪氣例愛矜夸邪？安知後世士有異論。」表臣所記時地均有誤。陳友琴《白居易詩評述匯編》云：「白居易與元微之在杭、越兩地唱和，據汪立名所編《白香山年譜》，乃長慶三年至四年間事，居易年正五十二至五十三。至引用『天下英雄唯使君與操耳』等語，實見於《和微之詩二十三首》詩小序中。作此序時，居易已在洛，年五十七歲，和詩中有『我年五十七』三章，可以證明。」陳氏所考良是，惟白氏《和微之詩二十三首》作於長安任刑部侍郎時，並不在洛陽，陳氏亦微誤。又岑仲勉《論白氏長慶集源流並評東洋本白集》云：「《和微之詩二十三首》之序云：『微之又以近作四十三首寄來，命僕繼和。……四十二章麾掃並畢，不知大敵以爲如何，……況曩者唱酬，近來《因繼》已十六卷，凡千餘首矣。』《全詩》七函五冊同。然前云四十三首，後云四十二章，大敵當前，居易未必示弱，則疑任一數目有誤。且今存二十三首，尤與卌三、卌二相差太遠，非白氏自行刪汰，即傳本有闕矣。」盧文弨《群書拾補》云：「四十二章當依前作二十三章。」考白氏此文並無脫誤，盧、岑兩氏均失考。馬本及汪本「四十三首」俱誤作「二十三首。」詩序中所言「車斜二十篇者流」，蓋指《白集》卷二六《和春深二十首》而言，元稹《春深二十首》已佚，劉禹錫《同樂天和微之深春二十首》題下自注云：「同用家花車斜四韻」。（卞孝萱《劉禹錫年譜》謂《同樂天和微之深春好二十首》爲元稹《生春二十首》和篇，亦誤）則與《和微之詩二十三首》合計適爲四十三首之數。白氏大和二年十月十五日作之《因繼集重序》（卷六九）云：「《和晨興》一章錄在別紙。」此文較《和微之詩二十三首序》之時間爲早，《和晨興》即二十三首中之《和晨興因報問龜八兒》，此一首蓋先草成寄與元稹，故後成餘四十二章矣。

寶歷元年三月四日，居易自太子左庶子分司除蘇州刺史，五月五日到任。至寶歷二年九月初罷官，此一期間，元稹仍在浙東觀察使任。白氏《晚春寄微之並崔湖州》、《吟前篇因寄微之》、《秋寄微之十二韻》、《泛太湖書事寄微之》、《歲暮寄微之三首》俱作於寶歷元年，《郡中閒獨寄微之及崔湖州》、《重題小舫贈周從事兼戲微之》、《仲夏齋居偶題八韻寄微之及崔湖州》、《九日寄微之》俱作於寶歷二年，《九日寄微之》詩云：「吳郚兩回逢九月，越州四度見重陽。」《白集》中此詩前一首爲《百日假滿》，其百日長告約始於寶歷二年五月間，至九月初假滿，故《九日寄微之》詩亦必作於是年九月九日無疑。又白氏寶歷二年作《留別微之》詩云：「干時久與本心違，悟道深知前事非。猶厭勞形辭郡印，那將趁伴著朝衣？《五千言》裡教知足，《三百篇》中勸式微。少室雲邊伊水畔，比君校老合先歸。」此詩中華書局本《張籍詩集》卷四據四庫補錄，失考。

大和元年九月，元稹加檢校禮部尚書。大和二年二月，居易自秘書監除刑部侍郎。《舊唐書·文宗紀》：「（大和元年九月）丁丑，浙西觀察使李德裕，浙東觀察使元稹就加檢校禮部書。……（大和二年二月）乙巳，以刑部侍郎盧元輔爲兵部侍郎，秘書監白居易爲刑部侍郎。」白氏大和二年十二月作《祭弟文》（卷六九）云：「今年春除刑部侍郎。」與《舊紀》所記時間相合。《陳譜》大和二年戊申云：「正月，除刑部侍郎。」誤。白氏大和二年作《微之就拜尚書，居易續除刑部因書賀意兼詠離懷》詩，蓋記實也。又元稹與裴度不睦，構於于方一獄，故長慶二年六月俱罷相位，至大和三年，稹入爲尚書左丞，正度在中書秉政時，殆由於度與稹始隙而終睦，非度惝悟於爲二李（李逢吉、李宗閔）所愚，即出於劉禹錫、白居易二人爲之居間解釋所致也。

《舊唐書·文宗紀》：「（大和三年九月）戊戌，以前睦州刺史陸亘爲越州刺史、浙東觀察使代元稹，以稹爲尚書左丞代韋弘景。」《舊紀》所書乃稹除官月日，而稹從浙東到京，已在歲杪，居易時在洛陽，爲稹入京必經之路，在未到前，居易作《嘗黃醅新酎憶微之》詩云：「世間好物黃醅酒，天下閒人白侍郎。愛向卯時謀洽樂，亦曾酉日放粗狂。醉來枕麴貧如富，身後堆金有若亡。元九計程殊未到，甕頭一盞共誰嘗？」則此詩必作於大和三年冬無疑。劉禹錫有《樂天寄洛下新詩兼喜微之欲到因以抒懷也》詩，亦係同時之作。元稹自越州抵洛陽小住，與居易久別暢叙，極盡杯酒唱和之樂，約在是年歲杪赴長安，居易送別於洛陽近郊臨都驛，作《酬別微之》詩云：「澧頭峽口錢唐岸，三別都經二十年。且喜筋骸俱健在，勿嫌鬚鬢各皤然。君歸北闕朝天帝，我住東京作地仙。博望來自非棄置，承明重入莫拘牽。醉收杯杓停燈語，寒展衾裯對枕眠。猶被分司官繫絆，送君不得過甘泉。」此別乃元、白最後一次分手，以後遂無見面之機會。故後白氏《祭元微之文》（卷六九）追憶此事云：「唯近者公拜左丞，自越過洛，醉別悲吒，投我二詩云：『君應怪我留連久，我欲與君辭別難。白頭徒侶漸稀少，明日恐君無此歡。』又曰：『自識君來三度別，這回白盡老髭鬚。戀君不去君須會，知得後回相見無？』吟罷涕零，執手而去。私揣其故，心中惕然。及公捐館於鄂，悲訃忽至，一慟之後，萬感交懷。覆視前篇，詞意若此，得非魄兆先知之乎？」亦記實也。按：稹以大和五年七月卒於武昌軍節度使任所，其以大和三年自浙東入爲尚書左丞，是再起秉鈞之機，而四年正月出鎮武昌則再失意也。故稹贈妻裴柔之詩云：「窮冬到鄉國，正歲別京華。自恨風塵眼，常看遠地花。」悵恨之情可以想見，其事載於《雲溪友議·艷陽詞》云：「復自會稽拜尚書右（左）丞。到京未逾月，出鎮武昌。是時，中門外搆緹幕，候天使送節次。忽聞宅內慟哭，傳者曰：『夫人也。』乃傳問：『旌鉞將至，何長慟焉？』裴氏曰：『歲杪到家鄉，先春又赴任，親情半未相見，所以如此。』立贈柔之詩曰：『窮冬到鄉國，正歲別京華，自恨風塵眼，常看遠地花。碧幢還照耀，紅粉莫咨嗟。嫁得浮雲婿，相隨即是家。』裴柔之答曰：『侯門初擁節，御苑柳絲新。不是悲殊命，唯愁別是親。黃鶯遷古木，珠履徒淸塵。想到千山外，滄江正暮春。』元公與柔之琴瑟相和，亦房帷之美也。」考《舊唐書·文宗紀》：「大和四年春正月丙子朔。辛卯，武昌軍節度使牛僧孺來朝。……辛卯，以武昌節度使、鄂岳蘄黃安申等觀察處置等使、金紫光祿大夫、檢校吏部尙書、同中書門下平章事、上柱國、奇章郡開國公牛僧孺爲兵部尙書、同中書門下平章事。……辛丑，以尙書左丞元稹檢校戶部尙書、充武昌軍節度、鄂岳蘄黃安申等州觀察使。」《舊唐書》卷一七二《牛僧孺傳》云：「大和三年，李宗閔輔政，屢荐僧孺有才，不宜居外。四年正月，召還，守兵部尙書、同平章事。」同書卷一七六《李宗閔傳》云：「（大和）三年八月，以本官同平章事。時裴度荐李德裕，將大用。德裕自浙西入朝，爲中人助宗閔者所沮，復出鎭。尋引牛僧孺同知政事，二人唱和，凡德裕之黨皆逐之。」元稹固德裕之所善，即宗閔之所惡，可知大和三年李德裕出鎭，乃李宗閔所排擠，則今年（四年）元稹出鎭，亦李宗閔、牛僧孺所逐也。考元稹奏請長慶元年進士之覆試，涉及裴度之子裴譔，則爲裴、元之交惡之遠因。《舊唐書》卷一六八《錢徽傳》：「長慶元年，爲禮部侍郎。時宰相段文昌出鎭蜀川，文昌好學，尤喜圖書古畫。故刑部侍郎楊憑兄弟以文學知名，家多書畫。……憑子渾之求進，盡以家藏書畫獻文昌，求致進士第。文昌將發，面托錢徽，繼以私書保荐。翰林學士李紳亦托舉子周漢賓於徽。及榜出，渾之、漢賓皆不中選。李宗閔與元稹素相厚善。初稹以直道遣逐久之，及得還朝，大改前志，由徑以徼進達，宗閔亦急於進取，二人遂有嫌隙。楊汝士與徽有舊，是歲，宗閔子婿蘇巢及汝士季弟殷士俱及第。故文昌、李紳大怒。文昌赴鎮，辭日，內殿面奏，言徽所放進士鄭朗等十四人，皆子弟藝薄，不當在選中。穆宗以其事訪於學士元稹、李紳，二人對與文昌同。遂命中書舍人王起、主客郎中知制誥白居易於子亭重試，內出題目《孤竹管賦》、《鳥散餘花落詩》，而十人不中選。」又《舊唐書》卷一六四《王起傳》云：「長慶元年，遷禮部侍郎。其年，錢徽掌貢士，爲朝臣請托，人以爲濫。詔起與同職白居易覆試，覆落甚多。徽貶官，起代徽爲禮部侍郎，掌貢二年，得士尤精。先是，貢舉猥濫，勢門子弟，交相酬酢，寒門俊造，十棄六七。及元稹、李紳在翰林，深怒其事，故有覆試之科。」元稹與段文昌，李紳以及舉子雙方父兄如鄭朗父鄭珣瑜（元白吏部試座師）、蘇巢岳父李宗閔、裴譔之父裴度等俱有交誼，但終以不殉私，而結怨於裴度、鄭覃、李宗閔等人，而樹敵於滿朝，並增置其仕途之重障。誠如《雲溪友議》所云：「元公即在中書，論與裴晉公度子弟譔及第，議出同州。」雖不盡與史實相符，實言中其中之竅款也。

元稹生前以撰寫其墓志相托，卒後居易爲作《唐故武昌軍節度處置等使正議大夫檢校戶部尚書右僕射河南元公墓志銘》，此文爲大和六年所作，是年復作有《元相公挽歌詞三首》詩云：「銘旌官重威儀盛，騎吹聲繁鹵簿長。後魏帝孫唐宰相，六年七月葬咸陽。」「墓門已閉笳簫去，唯有夫人哭不休。蒼蒼露草咸陽壠，此是千秋第一秋。」「送葬萬人皆慘澹，反虞駟馬亦悲鳴。琴書劍珮誰收拾？三歲遺孤新學行。」此詩歷來多有元、白隙末之說。如孫光憲《北夢瑣言》云：「白太傅與元相國友善，以詩道密名，時號元白。其集內有詩挽元相云：『相看掩淚俱無語，別後傷心事豈知。想得咸陽原上樹，已抽三丈白楊枝。』洎自撰墓志云：與彭城劉夢得爲詩友，殊不言元公。時人疑其隙終也。」又吳喬《圍爐詩話》卷二亦云：「樂天挽微之詩云：『銘旌官重威儀盛，鼓吹聲繁鹵簿長。後魏帝孫唐宰相，六年七月葬咸陽。』極其鋪張而無哀惜之意。白傅自作《墓志》，但言與劉夢得爲詩友，不及於元，則二人之隙末，故詩如是也。」考居易晚年所作如《感舊》詩（卷三六）云：「晦叔墳荒草已陳，夢得墓濕土猶新。微之捐館將一紀，杓直歸丘二十春。城中雖有故第宅，庭蕪園廢生荊榛。篋中亦有舊書札，紙穿字蠹成灰塵。平生定交取人窄，屈知相知唯五人。」《哭劉尚書夢得》詩（卷三六）云：「四海齊名白與劉，百年交分兩綢繆。同貧同病退閒日，一死一生臨老頭。杯酒英雄君與操，文章微婉我知丘。賢豪雖歿精靈在，應共微之地下遊。」兩詩均念及元稹，情感彌篤，吳氏隙末之說殊不可信。

除上述兩詩外，白氏晚年感念元稹之作比比皆是，如大和七年作《微之敦詩晦叔相次長逝巋然自傷因成二絕》詩（卷三一）云：「並失鵷鸞侶，空留麋鹿身。只應嵩洛下，長作獨遊人。」「長夜君先去，殘年我幾何？秋風滿衫淚，泉下故人多！」是年又作有《聞歌者唱微之詩》詩（卷三一）云：「新詩絕筆聲名歇，舊卷生塵篋笥深。時向歌中聞一句，未容傾耳已傷心。」又大和九年作《醉中見微之舊卷有感》詩云：「今朝何事一沾襟！檢得君詩醉後吟。老淚交流風病眼，春箋搖動酒杯心。銀勾塵覆年年暗，玉樹沈埋日日新。聞道墓松高一丈，更無消息到如今。」時距元稹之逝，已逾多載，而白氏傷念之情，與日彌增，未嘗稍衰也。至開成四年，白氏得風痺之疾，作《病中五絕句》之三（卷三五）云：「李君墓上松應拱，元相池頭竹盡枯。多幸樂天今始病，不知合要苦治無？」自注云：「李、元皆予執友也。杓直少予八歲，即世已九年。微之少予七年，薨已八年矣。今予始病，得非幸乎？」考李建，字杓直《舊唐書》卷一五五、《新唐書》卷一六二俱有傳。白氏《有唐善人墓碑銘》（卷四一）：「長慶元年二月二十三日夜無疾即世於長安修行里第。是歲五月二十五日歸祔於鳳翔某縣某鄉某原之先塋。春秋五十八。」據此，李建生於廣德二年甲辰，較居易早生八年（居易生於大歷七年壬子），至開成四年，卒已十九年。此詩自注所謂「杓直少予八歲，即世已九年」，所記時間有誤。則「少」字當作「長」字，「九」字上當有「十」字。又據白氏《元稹墓志銘》（卷七〇），元稹卒於大和五年七月，年五十三。據以推算，元稹生於大歷十四年，少於居易七歲。大和五年至開成四年，卒已九年，則詩注中「八」字當作「九」字。又白氏《感舊》詩作於會昌二年，序云：「故李侍郎杓直，長慶元年春薨。元相公微之，大和六年秋薨。崔侍郎晦叔，大和七年夏薨。劉尚書夢得，會昌二年秋薨。四君子，予之執友也，二十年間，凋零共盡，唯予衰病，至今獨存，因詠悲懷，題爲《感舊》。」按：《陳譜》會昌二年壬戌：「秋，劉禹錫卒，有《哭夢得》詩，又有《感舊》，爲李杓直、元微之、崔晦叔及夢得作，皆執友也。」劉禹錫卒於會昌二年，《感舊》詩云：「夢得墓濕土猶新」，必爲二年所作無疑，《汪譜》系於會昌三年，非是。又白氏《元稹墓志銘》云：「大和五年七月二十二日遇暴疾，一日薨於位，春秋五十三。」《感舊》詩序云：「大和六年秋薨。」則「六年」當系「五年」之訛。

白氏《夢微之》詩作於開成五年，詩云：「夜來攜手夢同遊，晨起盈巾淚莫收。漳浦老身三度病，咸陽宿草八回秋。君埋泉下泥銷骨，我寄人間雪滿頭。阿衛韓郎相次去，夜台茫昧得知不？」自注：「阿衛，微之小男。韓郎，微之愛婿。」考白氏《元稹墓志銘》（卷七〇）云：「今夫人河東裴氏，賢明知禮。……生三女：曰小迎，未笄；道衛、道扶，齠齔。一子曰道護，三歲。」則阿衛即道衛，注中「小男」疑爲「小女」之訛文，何義門校：「『女』字照《墓志》。」其說甚是。然白氏作此詩時，距元稹之逝已八年矣。

張籍

白氏《酬張十八訪宿見贈》（卷六）、《寄張十八》（卷六）、《酬張太祝晚秋臥病見寄》（卷九）、《和張十八秘書謝裴相公寄馬》（卷十九）、《新昌新居書事四十韻因寄元郎中張博士》（卷十九）、《喜張十八博士除水部員外郎》（卷十九）、《酬韓侍郎張博士雨後遊曲江見寄》（卷十九）、《江樓晚眺景物鮮奇吟玩成篇寄水部張員外》（卷二〇）、《張十八員外以新詩二十五首見寄郡樓月下吟玩通夕因題卷後封寄微之》（卷二三）、《雨中招張司業宿》（卷二六）等詩中之「張十八」、「張太祝」、「張十八秘書」、「張博士」、「張十八博士」、「張員外」、「張十八員外」、「張司業」均指張籍。按：張籍，字文昌，和州烏江人。（按：《舊傳》不言何郡人，張洎《張司業集序》及《新傳》謂係和州烏江人，《唐才子傳》從之。《郡齋讀書志》、《全唐詩話》、《唐詩紀事》皆云和州人。余嘉錫《四庫提要辨證》據《直齋書錄解題》、韓愈《張中丞傳後叙》等考辨籍爲吳郡人，不可信，詳見《安徽史學通訊》一九五九年第四、五期合刊所載今人卞孝萱《張籍簡譜》考證，吳郡蓋其郡望也。）貞元十五年高郢下登進士第（《登科記考》卷十四據《侯鯖錄》引《唐登科記》），官太常寺太祝，秘書郎，韓愈荐爲國子博士。歷水部員外郎，主客郎中（按：《舊傳》稱其自水部員外郎轉水部郎中卒，誤）。仕終國子司業。見《舊唐書》卷一六〇、《新唐書》卷一七六本傳。籍以詩名當代，白居易，元稹等皆與之遊，韓愈尤重之。就中韓愈、白居易與其酬和之詩尤夥，鈎稽排比，頗有助於考訂其生平。據韓愈《病中贈張十八》、《此日足可惜一首贈張籍》兩詩之記載，可知籍貞元十五年舉進士，係韓愈貞元十四年在汴州所荐送。張籍官太常寺太祝約在貞元末或元和初年，魏仲舉《五百家注音辨昌黎先生文集》《病中贈張十八》詩注引韓醇云：「貞元十四年，公在汴州，籍爲公所荐送。明年登第。又明年居喪。服除補太常寺太祝。」所考時間太致相近。籍官太常寺太祝約在元和元年前後，白氏與張籍交往當亦始於此時，其元和四年作之《答張籍因以代書》詩（卷十四），係集中酬張籍詩最早之作。此後有《酬張太祝晚秋卧病見寄》詩（卷九作於元和五年（按：此詩《白集》編於《曲江感秋》詩後，當爲五年秋所作，《張籍簡譜》謂作於元和三年或四年，非），《讀張籍古樂府詩》（卷一）、《酬張十八訪宿見贈》（卷六）、《寄張十八》（卷六）、《張十八》（卷十五）等詩均作於元和十年爲太子左贊善大夫時。《張十八》詩云：「獨有詠詩張太祝，十年不改舊官銜。」又《與元九書》（卷四十五）云：「張籍五十，未離一太祝。」均爲籍元和十年猶爲太常寺太祝之證。此時籍居長安朱雀門街西第三街延康坊，故白氏《酬張十八訪宿見贈》詩云：「遠從延康里，來訪曲江濱。」《寄張十八》詩云：「同病者張生，僻住延康里。」《張籍簡譜》引康駢《劇談錄》卷下「玉蕊院眞人降」條證張籍《同嚴給事聞唐昌觀玉蕊近有仙過因成絕句二首》作於元和十年爲太常寺太祝時，誤。《劇談錄》所記本荒誕不經，惟唐人言神仙之事，大都寓艷情或政治。其卷下云：「上都安業坊唐昌觀舊有玉蕊花，其花每發，若瑤林瓊樹。元和中，春物方盛，車馬尋玩者相繼。……時嚴給事休復、元相國，劉賓客、白醉吟俱有聞玉蕊院眞人降詩。……」嚴給事爲嚴休復，休復官給事中在大和初，見《舊唐書》卷一七六《楊虞卿傳》。白氏大和二年所作《酬嚴給事》詩（卷二五），即酬休復唐昌觀玉蕊之詩，則張籍酬詩亦作於大和初年。又卞孝萱《劉禹錫年譜》元和十年引康駢《劇談錄》一條亦同誤。此後張籍自太常寺太祝遷國子助教，《新唐書》卷一七六《張籍傳》云：「第進士，爲太常寺太祝，久次遷秘書郎。」未詳國子助教歷官，考韓愈《奉酬盧給事雲夫四兄曲江荷花行見寄並呈上錢七兄閣老張十八助教》詩作於元和十一年，白氏《與元九書》作於元和十年冬，則知張籍改官國子助教，不得早於元和十一年。元和十五年或稍前，籍自國子助教遷秘書郎、張籍《謝裴司空寄馬》、裴度《酬張秘書因寄馬》、白氏《和張十八秘書謝裴相公寄馬》（卷十九）等詩均作於元和十五年。卞孝萱《張籍簡譜》元和十五年庚子：「本年或稍前，已遷秘書省校書郎。」此蓋據韓愈《舉荐張籍狀》中「登仕郎守秘書省校書郎張籍」一語。考張籍元和十一年已爲國子助教，國子助教爲六品上，秘書省校書郎爲正九品上，官職卑小，如自國子助教轉爲校書郎，實不合當時遷升之序。又唐代「秘書」一稱多指秘書省秘書郎（從六品上），張籍元和十五年作《謝裴司空寄馬》詩，和者甚衆，如元稹《酬張秘書因寄馬贈詩》，李絳《和裴相國答張秘書贈馬詩》，韓愈《賀張十八秘書得裴司空馬》，白居易《和張十八秘書謝裴相公寄馬》、劉禹錫《裴相公大學士見答張秘書謝馬詩並群公屬和因命追作》等詩俱稱籍爲「秘書」，《舊唐書·張籍傳》云：「調補太常寺太祝，轉國子助教，秘書郎。」《新唐書·張籍傳》亦云：「爲太常寺太祝，久次，遷秘書郎，愈荐爲國子博士」，則韓文「校書郎」疑係「秘書郎」之誤。又《唐才子傳》張籍條云：「授秘書郎，歷太祝，除水部員外郎。」至長慶之年，亦誤。籍復自秘書郎遷國子博士。《新唐書》卷一七六《張籍傳》：「愈荐爲國子博士，歷水部員外郎，主客郎中。」韓愈元和十五年冬自袁州召還，長慶元年荐籍爲國子博士（見洪興祖《韓子年譜》七），其《雨中寄張博士籍侯主簿喜》詩即作於是年。白氏《曲江獨行招張十八》（卷十九）、《新昌新居書事四十韻因寄元郎中張博士》（卷十九）兩詩，亦同時所作。張籍官國子博士，爲時極暫，次年（長慶二年）即遷水部員外郎。白氏《喜張十八博士除水部員外郎》詩（卷十九），編於《草詞畢遇芍藥初開……》、《與沈楊二舍人閣老同食敕賜櫻桃玩物感恩成十四韻》兩詩之間，則籍除水部員外郎必在長慶二年三月前後，白氏《張籍可水部員外郎制》（卷四九）、張籍《新除水曹郎答白舍人見賀》詩均作於此時。張籍何年自水部員外郎遷主客郎中，確實時間不可考，惟據白氏《張十八員外以新詩二十五首見寄郡樓月下吟玩通夕因題卷後封寄微之》詩（卷二三），則知最早當在長慶三年以後。劉禹錫除和州刺史在長慶四年夏，其《張郎中籍遠寄長句開緘之日已及新秋因舉目前仰酬高韻》一詩作於寶歷元年秋，足證張籍此時已官主客郎中。大和二年復自主客郎中遷國子司業（按：洪興祖《韓子年譜》七謂籍長慶四年秋爲國子司業，誤），劉禹錫繼爲主客郎中，故籍《贈主客劉郎中》詩云：「憶昔君登南省日，老夫獨是褐衣身。誰知二十餘年後，來作客曹相替人。」白氏《雨中招張司業宿》詩（卷二六）云：「過夏衣香潤，迎秋簟色鮮。斜支花石枕，臥詠蕊珠篇。泥濘非遊日，陰沈好睡天。能來同宿否？聽雨對床眠。」此詩作於大和二年秋，與劉禹錫爲主客郎中之時間相符。卞孝萱《張籍簡譜》及《劉禹錫年譜》均謂張籍繼劉禹錫爲主客郎中，失考。姚合《寄主客張郎中》（《全唐詩》卷四九七）、《酬張籍司業見寄》（《全唐詩》卷五〇一）兩詩亦可參證。張籍之卒年不可考，《新唐書·張籍傳》謂其「終於國子司業」。白居易大和三年春以太子賓客分司東都，籍有《送白賓客分司東都》詩，又《全唐詩》卷四六二、汪立名《白香山詩》集補遺卷下白氏《一字至七字詩》作於大和三年春，後附張籍司業《賦花》詩，則或卒於大和三年以後。《舊唐書·張籍傳》謂其「轉水部郎中卒」，《全唐詩話》及《唐詩紀事》謂其「終主客郎中」，由上引白氏之詩及釋無可《哭張籍司業》詩（《全唐詩》卷八一四）相證，足可證各書記載之誤。又《唐才子傳》卷五張籍條謂籍「貞元十五年封孟紳榜及第，授秘書郎，歷太祝，除水部員外郎」，此秘書郎如非校書郎之誤，即誤倒太常寺太祝（正九品上）及秘書郎之序，亦當加以訂正。又白氏長慶二年作《郢州贈別王八使君》詩（卷二〇）中之「王八使君」爲郢州刺史王鎰，見白氏長慶元年十二月十一日作《論左降獨孤朗等狀》（卷六〇）。岑仲勉《唐人行第錄》王八條云：「王是郢州刺史，名未詳。」失考。中華書局本《張籍詩集》卷二據四庫本補入《郢州贈別王七使君》一首，內容與白詩雷同。此詩云：「郢城君莫厭，猶校近京都。」似非張籍之語氣，蓋籍此時方官水部員外郎，並未赴遠郡也。故籍集中此詩當係白詩誤羼入者，「王七」疑亦係「王八」之訛文，附考於此。

唐　衢

白氏《寄唐生詩》（卷一）中之「唐生」即唐衢。城按：《國史補》卷中云：「唐衢，周鄭客也。有文學，老而無成。唯善哭，每一發聲，音調哀切，聞者泣下。常游太原，遇享軍，酒酣乃哭，滿座不樂，主人爲之罷宴。」《舊唐書·唐衢傳》：「唐衢者，應進士，久而不第。能爲歌詩，意多感發。見人文章有所傷嘆者，讀訖必哭，涕泗不能已。每與人言論，既相別，發聲一號，音辭哀切，聞之者莫不凄然泣下。嘗客遊太原，屬戎帥軍宴，衢得預會，酒酣言事，抗音而哭，一席不樂，爲之罷會，故世稱唐衢善哭。左拾遺白居易之詩曰……其爲名流稱重若此，竟不登一命而卒。」馮翊《桂苑叢談》所記與《國史補》同。又邵博《河南邵氏聞見後錄》卷十九云：「元和中，處士唐衢善哭，聞白樂天謫，輒大哭。衢後死，樂天有詩云：『何當向墳前，還君一掬淚。』」考白居易元和十年八月謫江州司馬，時唐衢已卒，故是年歲暮所作之《與元九書》（卷四五）云：「有唐衢者，見僕詩而泣，未幾而衢死……。」《傷唐衢》（卷一）詩云：「悲端從東來，觸我心惻惻。……君歸向東鄭，我來遊上國。」此詩約作於元和五年至九年間，可知唐衢死時，居易在長安，邵博所謂「聞樂天謫，輒大哭」，大誤。又《寶刻類編》卷五著錄唐衢書《京河新開水門記》，韋處厚撰，八分書，元和五年正月。則唐衢當卒於五年以後。賈島有《過京索先生墳》詩（《全唐詩》卷五七四），此詩《全唐詩》卷七八六作無名氏《唐衢墓》，題下注云：「一作賈島詩。」

牛僧孺

白氏《廬山草堂夜雨獨宿寄牛二李七庾三十二員外》（卷十七）、《京使回累得南省諸公書因書因以長句詩寄謝……牛二……員外》（卷十八）、《求分司東都寄牛相公十韻》（卷二三）、《酬牛相公宮城早秋寓言見示兼呈夢得》（卷三〇）、《酬思黯相公見過弊居戲贈》（卷二九）、《洛下送牛相公出鎭淮南》（卷三一）、《宿香山等酬廣陵牛相公見寄》（卷三三）、《偶於維揚牛相公處覓得箏，箏未到，先寄詩來，走筆戲答》（卷三三）、《同夢得酬牛相公初到洛中小飲見贈》（卷三三）、《長齋月滿寄思黯》（卷三三）、《分司洛中多暇數與諸客宴遊醉後狂吟偶成十韻因招夢得賓客兼呈思黯奇章公》（卷三四）、《酬思黯戲贈》（卷三四）、《戲答思黯》（卷三四）、《戲贈夢得兼呈思黯》（卷三四）、《早春憶遊思黯南庄因寄長句》（卷三四）、《奉和思黯自題南庄見示兼呈夢得》（卷三四）、《奉和思黯相公以李蘇州所寄太湖石奇狀絕倫，因題二十韻見示兼呈夢得》（卷三四）、《奉和思黯相公雨後林園四韻見示》（卷三四）、《酬思黯相公晚夏雨後感秋見贈》（卷三四）、《病中詩》之十四《歲暮呈思黯相公皇甫朗之及夢得尙書》（卷三五）、《強起迎春戲寄思黯》（卷三五）、《贈思黯》（卷三五）、《和思黯居寄獨吟偶醉見示六韻，時夢得和篇先成，頗爲麗絕，因添兩韻繼而美之》（卷三六）、《初致仕後戲酬留守牛相公》（卷三七）、《戲問牛司徒》（卷三七）、《酬寄牛相公同宿話舊勸酒見贈》（卷三七）等詩中之「牛二員外」、「牛相公」、「思黯相公」、「思黯」、「思黯奇章公」、「思黯居守」、「牛司徒」均指牛僧孺。城按：牛僧孺，字思黯，永貞元年進士。《舊唐書》卷一七二、《新唐書》卷一七四俱有傳。僧孺偕李宗閔、楊嗣復等人深相比附，共進退，與李德裕政治集團異轍。元和初，僧孺以賢良方正對策，與李宗閔、皇甫湜俱第一，條指時政，其言鯁訐，不避宰相，宰相怒，故楊于陵、鄭敬、韋貫之、李益等坐考非其宜，皆調去。僧孺調伊闕尉。此爲中唐朋黨紛爭之始。白氏《和答詩十首序》（卷二）云：「僕思牛僧孺戒，不能示他人，唯與杓直、拒非及樊宗師輩三四人時一吟讀，心甚貴重。」序中所謂「牛僧孺戒」，即指僧孺對策事。又有《論制科人狀》（卷五八）亦爲此事申辨。居易與牛黨要人楊虞卿弟兄爲姻親，故其政治關係亦與牛黨爲近。《舊傳》及《新傳》俱言僧孺官監察御史，未詳年月，白氏《代書》（卷四三）云：「子到長安，持此札爲予謁集賢庾三十二補闕、翰林杜十四拾遺、金部元八員外、監察牛二侍御……」此書作於元和十二年三月十二日，則此時前僧孺已官監察御史。又白氏元和十三年作《廬山草堂夜雨獨宿寄牛二李七庾三十二員外》詩（卷十七）已稱僧孺爲員外，其遷禮部員外郎當在元和十二、三年間。僧孺大和六年十二月乙丑（七日），自中書侍郎同平章事出爲揚州大都督府長史、充淮南節度使。見《舊唐書》卷十七下《文宗紀》。白氏大和六年作《洛下送牛相公出鎮淮南》詩（卷三一）云：「坐移丞相閣，春入廣陵城。」則僧孺抵淮南時已是大和七年正月。此詩又云：「何須身自得，將相是門生。」蓋元和三年僧孺對策時，居易爲制策考官也。僧孺再爲東都留守在會昌二年，白氏《初致仕後戲酬留守牛相公》（卷三七）詩即作於是年。杜牧《唐故太子少師奇章開國公贈太尉牛公墓志銘並序》云：「會昌元年秋七月，漢水溢堤入郭，自漢陽王張柬之一百五十歲後水爲最大。李太尉德裕挾維州事曰修利不至，罷爲太子少師。未幾，檢校司徒兼太子少保。明年，以檢校官兼太子少傅，留守東都。」與白詩相證，時間正合。《全唐文》卷七二〇李珏《故丞相太子少師贈太尉牛公神道碑銘並序》云：「俄又改太傅，再臨東郊。」《新唐書》卷一七四《牛僧孺傳》所記略同，蓋本之《墓志》及《神道碑銘》。《舊唐書》卷一七二本傳云：「會昌二年，李德裕用事，罷僧孺兵權，徵爲太子少保。」未詳再爲東都留守事，殆漏書也。

李　建

白氏《贈杓直》（卷六）、《秋日懷杓直》（卷七）、《別李十一後重寄》（卷十）、《早祭風伯因懷李十一舍人》（卷十一）、《題李十一東亭》（卷十三）、《還李十一馬》（卷十四）、《李十一舍人松園飲小酎酒得元八侍御詩序云在台中推院有鞫獄之苦即事書懷因酬四韻》（卷十五）、《舟行阻風寄李十一舍人》（卷十五）、《東南行一百韻寄通州元九侍御澧州李十一舍人果州崔二十二使君開州韋大員外庾三十二補闕杜十四拾遺李二十助教員外竇七校書》（卷十六）、《聞李十一出牧澧州崔二十二出牧果州因寄絕句》（卷十六）、《和李澧州題韋開州經藏詩》（卷十八）、《予與故刑部李侍郎早結道友以藥術爲事與故京兆元尹晚爲詩侶有林泉之期周歲之間二君長逝李住曲江北元居升平西追感舊遊因貽同志》（卷十九）、《曲江憶李十一》（卷十九）、《祭李侍郎文》（卷四〇）中之「杓直」、「李十一」、「李十一舍人」、「李澧州」、「刑部李侍郎」、「李侍郎」均指李建。城按：李建，字杓直。舉進士，授秘書省校書郎。德宗聞其名，擢爲左拾遺、翰林學士。長慶元年卒，贈工部尚書。見《舊唐書》卷一五五、《新唐書》卷一六二本傳及白氏《有唐善人墓碑銘》（卷四一）、元稹《唐故中大夫尚書刑部侍郎上柱國隴西縣開國男贈工部尚書李公墓志銘》。白氏《題李十一東亭》（卷十三）云：「相思夕上松台立，蛩思蟬聲滿耳秋。惆悵東亭風月好，主人今夜在鄜州。」考元稹《李公墓志銘》：「會朝廷以觀察防御事授路恕，治於鄜，恕即日就。公乃自貳降拜。」據《舊唐書·憲宗紀》，路恕節度鄜坊在元和三年二月，白氏此詩當爲是年所作。花房英樹《白氏文集の批判的研究》繫此詩於貞元十六年至十七年，誤。又《舊唐書》卷十五《憲宗紀》：「（元和十一年九月）辛未，……禮部員外郎崔韶爲果州刺史，並爲補闕張宿所搆，言與貫之朋黨故也。」白氏《東南行一百韻寄通州元九侍御澧州李十一舍人果州崔二十二使君開州韋大員外庾三十二補闕杜十四拾遺李二十助教員外竇七校書》詩（卷十六）自注云：「（元和）十年春，微之移佐通州。其年秋，予出佐潯陽。明年冬，杓直出牧澧州，崔二十二出牧果州，韋大牧開州。」知建與崔韶（崔二十二使君）、韋處厚（韋大員外）均坐韋貫之之黨同時貶官。韋貫之於元和十一年諫鎮蔡二方同時用兵，自宰相左遷湖南觀察使，政見與裴度不合，其引用偏重科第門閥，大抵與楊于陵、嗣復父子爲近。韋處厚貶開州，作《盛山十二詩》。長慶二年，召入翰林爲侍講學士，韓愈爲作序云：「於時應而和者凡十人，及此年，韋侯爲中書舍人侍講六經禁中，和者通州元司馬爲宰相，洋州許使君爲京兆，忠州白使君爲中書舍人，李使君爲諫議大夫，黔府嚴中丞爲秘書監，溫司馬爲起居舍人，皆集闕下。」謂元稹、許康佐、白居易、李景儉、嚴謩、溫造等，亦多半爲居易之至交也。建元和末除禮部侍郎，尋改爲刑部侍郎，白氏《有唐善人墓碑銘》及元稹《唐故中大夫尚書刑部侍郎上柱國隴西縣開國男贈工部尚書李公墓志銘》均謂建卒於長慶元年二月（二十三日），白氏長慶元年作《慈恩寺有感》詩（卷十九）自注亦云：「時杓直初逝，居敬方病。」與之相證，時間亦合。《舊傳》及《新傳》俱謂建卒於長慶二年，誤。又白氏元和十一年作《風雨中尋李十一因題船上》詩（卷十六）云：「匹馬來郊外，扁舟在水濱。可憐沖雨客，來訪阻風人。小榼沽清醑，行廚煮白鱗。停杯看柳色，各憶故園春。」此詩《汪譜》誤繫於元和十五年。「李十一」疑爲李景信。岑仲勉《唐人行第錄》：「此李十一是乘船來江州者，（李）建時方在長安，無從忽然來臨江州。若曰赴貶所澧州，亦必不迂道江州。況居易尚未知建外貶之消息乎。此李十一極難覓其主名，無已，唯李景信或可當之。據《元氏集》一九《澧西別樂天博載樊宗憲李景信兩秀才侄谷三月三十日相餞送》，則元和十年三月景信猶與居易在長安。至是年八月居易貶江州，又至十三年底而景信受居易屬至川。合前後事情推之，似景信早到江州隨白氏也。又按《舊唐書·李建傳》：『與宰相韋貫之友善，貫之罷相，建亦出爲澧州刺史。』貫之罷相在元和十一年八月。」岑氏所考良是，然未詳李建出刺澧州在元和十一年冬也。

李復禮

白氏《和答詩十首序》（卷二）云：「僕思牛僧孺戒不能示他人，唯與杓直、拒非及樊宗師輩三四人時一吟讀，心甚貴重。」「拒非」爲李復禮。城按：李復禮爲白居易、元稹之密友，生平未詳。考《論語·顏淵篇》：「克己復禮爲仁。」又云：「非禮勿視，非禮勿聽，非禮勿言，非禮勿動。」則視文義拒非必爲李復禮之字。元稹《酬哥舒大少府寄同年科第》詩自注云：「同年科第：弘詞呂二炅、王十一起、拔萃白二十二居易、平判李十一復禮、呂四頻（穎）、哥舒大烜、崔十八玄亮、不肖八人，皆奉榮養。」知其爲元、白之同年。元稹又有《歲日贈拒非》詩云：「思君曲水嗟身老，我望通州感道窮。同入新年兩行淚，白頭翁坐說城中。」《清明日》詩注云：「行至漢上，憶與樂天、知退、杓直、拒非、順之輩同遊。」《酬翰林白學士代書一百韻》詩注云：「予與樂天、杓直、拒非輩，多於月燈閣閒遊。」則元和十年元稹去通州前猶與李復禮酬和。又按：白氏元和十年作《劉家花》詩（卷十五）云：「劉家牆上花還發，李十門前草又春。」此「李十」那波道圓本作「李士」，疑爲「李十一」三字之衍文，即李十一復禮，或爲拒非早逝之證，故元、白詩中此後均未涉及此人也。俟考。

崔玄亮

白氏《崔湖州贈紅石琴荐煥如錦文無以答之以詩酬謝》（卷二一）、《答崔賓客晦叔十二月四日見寄》（卷二一）、《寄崔少監》（卷二一）、《崔十八新池》（卷二二）、《聞崔十八宿予新昌弊宅時予亦宿崔家依仁新亭一宵偶同兩興暗合因而成詠聊以寫懷》（卷二二）、《得湖州崔十八使君書喜與杭越鄰郡因成長句代賀兼寄微之》（卷二三）、《早飲湖州酒寄崔使君》（卷二三）、《自到郡齋僅經旬日方專公務未及宴遊偸閒走筆題二十四韻兼寄常州賈舍人湖州崔郎中仍呈吳中諸客》（卷二四）、《夜泛陽塢入明月灣即事寄崔湖州》（卷二四）、《夜聞賈常州崔湖州茶山境會想羨歡宴因寄此詩》（卷二四）、《仲夏齋居偶題八韻寄微之及崔湖州》（卷二四）、《題崔常侍濟源庄》（卷二五）、《答崔十八見寄》（卷二七）、《同崔十八寄元浙東王陝州》（卷二七）、《答崔十八》（卷二七）、《同崔十八宿龍門兼寄令孤尙書馮常侍》（那波道圓本卷五七）、《臨都驛送崔十八》（卷二七）、《雨中訪崔十八》（那波道圓本卷五七）、《夜調琴憶崔少卿》（卷二八）、《哭崔常侍晦叔》（卷二九）、《六年冬暮贈崔常侍晦叔》（卷三一）、《祭崔常侍文》（卷七〇）中之「崔湖州」、「崔賓客晦叔」、「崔少監」、「崔十八」、「湖州崔十八使君」、「崔使君」、「湖州崔郎中」、「崔常侍」、「崔少卿」、「崔常侍晦叔」均指崔玄亮。城按：崔玄亮，字晦叔，山東磁州人。貞元十六年進士，解褐秘書省校書郎。見《舊唐書》卷一六五、《新唐書》卷一六四本傳及白氏《唐故虢州刺史贈禮部尚書崔公墓志銘》（卷六一）。玄亮與白居易元稹亦貞元十九年科第同年，見前引元稹《酬哥舒大少府寄同年科第》詩自注。白氏《得湖州崔十八使君書喜與杭越鄰郡因成長句代賀兼寄微之》（卷二三）詩云：「三郡何因此結緣，貞元科第忝同年。……吳興卑小君應屈，爲是蓬萊最後仙。」又詩下原注云：「貞元初，同登科，崔君名在最後。」當即指貞元十九年之書判拔萃科。《登科記考》崔玄亮進士題名凡兩見：一在貞元十一年，係據《舊唐書》本傳。一在貞元十六年，與白居易進士同科，並引「爲是蓬萊最後仙」一詩（按：此詩所指非貞元十六年），二者必有一重出，疑貞元十一年所據《舊唐書》本傳有誤。白氏自注「貞元初」三字疑係「貞元末」之訛。白氏平生與玄亮酬贈之作至夥，其交誼不亞於元稹、劉禹錫、李建等人，故白氏《感舊詩序》（卷三六）云：「故李侍郎杓直，長慶元年春薨。元相公微之，大和六年（按：六爲五字之訛文）秋薨。崔侍郎（按：侍郎疑爲常侍之訛文）晦叔，大和七年夏薨（按：與白撰《墓志》作七月異）。劉尚書夢得，會昌二年秋薨。四君子，予之執友也。」詩亦云：「平生定交取人窄，屈指相知唯五人。」則蹤跡之親，可以想見。玄亮長慶三年十一月自刑部郎中出爲湖州刺史。《嘉泰吳興志》卷十四：「崔玄亮，長慶三年十一月二十二日自刑部郎中拜，遷秘書少監。」張君房《雲笈七簽》卷一二二云：「崔公玄亮，奕葉崇道，雖登龍射鵠，金印銀章，踐鴛鴦之庭，列珪組之貴，參玄趨道之志未嘗怠也。寶歷初除湖州刺史。二年乙巳於紫極宮修黃籙道場。」白氏有《吳興靈鶴贊》（卷六八）亦作於此時，即酬玄亮之作。考白氏長慶四年所作《湖上招客送春泛舟》詩（卷二十）自注云：「時崔湖州寄新箬下酒來。」可證玄亮長慶末已刺湖州，當爲錢徽之後任，亦與《吳興志》所記時間相符，《雲笈七簽》謂玄亮寶歷初除湖州，蓋誤。又據白氏《郡中閒獨寄微之及崔湖州》（卷二四）、《夜聞賈常州崔湖州茶山境會想羨歡宴因寄此詩》（卷二四）、《仲夏齋居偶題八韻寄微之及崔湖州》（卷二四）等詩，知寶歷二年秋前，玄亮仍在湖州任。其入爲秘書少監約在大和初。白氏《寄崔少監》詩（卷二一）約作於大和元二年間。劉禹錫有《秘書崔少監見示墜馬長句因而和之》詩，亦作於大和初，可知崔劉亦頗有交誼。玄亮自秘書少監改曹州刺史謝病不就約在大和三年居易歸洛之後，故白氏是年所作《答崔十八見寄》詩（卷二七）云：「明朝欲見琴樽伴，洗拭金杯拂玉徽。君乞曹州刺史替，我抛刑部侍郎歸。倚槽老馬收蹄立，避箭高鴻盡翅飛。豈料洛陽風月夜，故人垂老得相依。」又白氏《唐故虢州刺史贈禮部尚書崔公墓志銘》（卷七十）云：「入爲秘書少監，改曹州刺史、兼御史中丞，謝病不就，拜太常少卿，遷諫議大夫。」與白詩合。《新唐書》卷一六四本傳：「歷湖、曹二州，辭曹不拜。大和四年由太常少節改諫議大夫。」與《墓志》同。《舊唐書》卷一六五本傳僅云「出爲密、湖、曹三州刺史」，未載辭曹事。據《舊唐書》、《新唐書》本傳、玄亮自諫議大夫拜右散騎常侍（《舊紀》作左散騎常侍）在大和五年間，故白氏大和五年作《題崔常侍濟源庄》詩（卷二五）云：「主人何處去？蘿薜換貂蟬。」大和六年，玄亮因率諫官詣延英奏對宰相宋申錫獄事除太子賓客分司東都，見白氏《墓志》，本傳俱未載。七年授虢州刺史，是年七月卒於任所。白氏《唐故虢州刺史贈禮部尚書崔公墓志銘》（卷七〇）：「大和七年七月十一日遇疾薨於虢州廨舍。」《舊傳》所記同《墓銘》。玄亮擅琴，晚年與居易交誼尤篤，屢以琴贈之，白氏《池上篇序》（卷六九）云：「博陵崔晦叔與琴，韻甚清。蜀客姜發授《秋思》，聲甚淡。」又有《崔湖州贈紅石琴薦煥如錦文無以答之以詩酬謝》詩（卷二一）。後玄亮卒前，以玉磬琴留別居易，請爲墓志。見白氏《崔玄亮墓志銘》（卷七〇）。劉禹錫亦有《湖州崔郎中曹長寄三癖詩自言癖在詩與琴酒其詞逸而高吟詠不足昔柳吳興亭皐隴首之句王融書之白團扇故爲四韻以謝之》詩，「湖州崔郎中」亦指玄亮。又玄亮惑金石藥，或爲其致病之由，白氏《思舊》詩（卷二九）云：「退之服流黃，一病訖不痊。微之煉秋石，未老身溘然。杜子得丹訣，終日斷腥羶。崔君夸藥力，經冬不衣綿。或疾或暴夭，悉不過中年。」《感事》詩（卷三三）亦云：「服氣崔常侍，燒丹鄭舍人。常期生羽翼，那忽化灰塵。」《崔玄亮墓志銘》（卷七〇）云：「公夙黃老之術，齋心受籙，伏氣煉形，暑不流汗，冬不挾纊。……」俱爲玄亮好丹術之證。陳寅恪《元白詩箋證稿》附論《白樂天之思想行爲與佛道關係》引《思舊》詩，謂「崔君夸藥力」指崔群，大誤。《全唐詩》卷四六六錄有玄亮《和白樂天》詩，作於太子賓客分司時，詩云：「病余歸到洛陽頭，拭目開眉見白侯。鳳詔恐君今歲去，龍門欠我舊時遊。幾人樽下同歌詠，數盞燈前共獻酬。相對憶劉劉在遠，寒宵耿耿夢長州。」劉蓋指禹錫，時已出刺蘇州，故云「在遠」。又白氏《履信池櫻桃島上醉後走筆送別舒員外，兼寄宗正李卿考功崔郎中》（卷二九）、《送考功崔郎中赴闕》（卷三一）、《池上送考功崔郎中兼別房竇二妓》（卷三一）等詩中之「考功崔郎中」均指崔龜從。城按：《舊唐書》卷一七六《崔龜從傳》：「大和二年，改太常博士。……累轉考功郎中、史館修撰。九年，轉司勛郎中、知制誥。」《郎官石柱題名》考功郎中有崔龜從名，在盧簡辭後一人。白氏三詩均作於大和七年，與龜從爲考功郎中時間正合。又白氏元和十三年在江州作《山中酬江州崔使君見寄》（卷十七）、《題崔使居新樓》兩詩中之「崔使君」爲江州刺史崔能。陳思《寶刻叢編》卷十五：「唐崔融《遊東林寺詩》，正書，無姓名，元和十三年三月二十九日曾孫江州刺史能重刻（原注《復齋碑錄》）。」可知崔能即詩人崔融之曾孫。

張仲方

白氏《常樂里閒居偶題十六韻兼寄劉十五公輿王十一起呂二炅呂四穎崔玄亮十八元九稹劉三十三敦質張十五仲元時爲校書郎》（卷五）、《秋日與張賓客舒著作同遊龍門醉中狂歌凡百三十八字》（卷二九）、《張常侍相訪》（卷二九）、《張常侍池涼夜閒宴贈諸公》（卷二九）、《雪中晏起偶詠所懷兼呈張常侍韋庶子皇甫郎中》（卷三〇）、《除夜言懷兼贈張常侍》（汪本補遺卷上）、《送張常侍西歸》（汪本補遺卷上）、《贈皇甫六張十五李二十三賓客》（卷三一）等詩中之「張常侍」、「張賓客」、「張十五賓客」均指仲方。城按：《常樂里閒居偶題十六韻……》詩中之「張十五仲元」當作「張十五仲方」，蓋「方」字草書近「元」，「仲元」實「仲方」之訛。仲方爲牛僧孺、李宗閔黨人。字靖之，貞元中進士，與李呈同榜，釋褐集賢校理。大和三年，自福建觀察使入爲太子賓客。五年，轉右散騎常侍。七年，李德裕輔政，出爲太子賓客分司。八年，德裕罷相，李宗閔復召仲方爲常侍。卒於開成二年四月。見《舊唐書》卷一七一、《新唐書》卷一二六本傳及白氏《唐故銀青光祿大夫秘書監曲江縣開國伯贈禮部尚書範陽張公墓志銘》（卷七〇）。又按：白氏寶歷元年作《病中辱張常侍題賢院詩因以繼和》（卷二三）及大和元年十二月作《奉使途中戲贈張常侍》（卷二五）兩詩中之「張常侍」乃張正甫，非張仲方。《舊唐書》卷一六二《張正甫傳》：「……由尚書右丞爲同州刺史，入拜左散騎常侍，集賢殿學士判院事，轉工部尚書。（大和）五年，檢校兵部尚書、太子詹事。……」《舊唐書·文宗紀上》：「（大和）元年正月己亥，以右散騎常侍、集賢殿學士判院事張正甫爲工部尚書。」可知正甫寶歷初已爲常侍，與白詩所作時間正合。花房英樹《白氏文集の批判的研究》謂與前詩之張常侍同指仲方，誤。劉禹錫《王少尹宅宴張常侍二十六兄白舍人大監兼呈盧郎李員外二副使》（按：各本《劉集》俱脫「二十六兄」及「大監」六字，此據《文苑英華》卷二一六）詩中之「張常侍二十六兄」亦指正甫。

元宗簡

白氏《東陂秋意寄元八》（卷六）、《朝歸書寄元八》（卷六）、《答元郎中楊員外喜烏見寄》（卷十）、《哭諸故人因寄元八》（卷十一）、《送元八歸鳳翔》（卷十四）、《欲與元八卜鄰先有是贈》（卷十五）、《和元八侍御升平新居絕句》（卷十五）、《李十一舍人松園飲小酎酒，得元八侍御詩序云在臺中推院有鞫獄之苦，即事書懷，因懷四韻》（卷十五）、《雨中攜元九詩訪元八侍御》（卷十五）、《曲江夜歸聞元八見訪》（卷十五）、《江上吟元八絕句》（卷十五）、《夜宿江浦聞元八改官因寄此什》（卷十六）、《酬元員外三月三十日慈恩寺相憶見寄》（卷十六）、《潯陽歲晚寄元八郎中庾三十三員外》（卷十七）、《答元八郎中楊十二博士》（卷十七）、《和元少尹新授官》（卷十九）、《朝回和元少尹絕句》、《重和元少尹》（卷十九）、《題新居寄元八》（卷十九）、《新秋早起有懷元少尹》（卷十九）、《題故元少尹集後》（卷二一）、《故京兆元少尹文集序》（卷六八）中之「元八」、「元八侍御」、「元員外」、「元八郎中」、「元少尹」均指元宗簡。城按：元宗簡，兩《唐書》俱無傳。白氏《故京兆元少尹文集序》（卷六八）：「居敬姓元，名宗簡，河南人。自舉進士歷御史府、尚書郎訖京兆亞尹，凡二十年。」《元和姓纂》二十二元：「元銛生宗簡，河南洛陽人，不詳歷官。」白氏《元宗簡父鋸贈尚書刑部侍郎制》（卷四九）「銛」作「鋸」，與《姓纂》異。《郎官石柱題名》倉中、金外均有宗簡名。居易與元宗簡訂交約始於貞元末，《答元八宗簡同遊曲江後明日見贈》詩作於貞元十九年以後，當爲現存集中酬宗簡最早之作。考宗簡元和十年前已官御史，故白氏《朝歸書寄元八》詩（卷六）云：「臺中元侍御，早晚作郎官。未作郎官際，無人相伴閑。」又有《和元八侍御升平新居四絕句》（卷十五）、《曲江夜歸聞元八見訪》（卷十五）等詩，與上詩均作於元和十年，亦爲宗簡此時爲御史之證。白氏元和十一年作《夜宿江浦聞元八改官因寄此什》詩（卷十六）云：「君游丹陛已三遷，我泛滄海已二年。」元和十二年所作《代書》（卷四三）云：「子到長安，持此札爲予謁集賢庾三十二補闕，翰林杜十四拾遺、金部元八員外，監察牛二侍御、秘省蕭正字、監田楊主簿兄弟，……」可知宗簡元和十一年改官金部員外郎。至元和十二年歲暮白氏復作《潯陽歲晚寄元八郎中庾三十三員外》詩（卷十七），則宗簡自金部員外郎遷倉部郎中（？）

當在是年夏秋之間。此後白氏《答元郎中楊員外喜烏見寄》詩（卷十）作於元和十三年，《畫木蓮花圖寄元郎中》詩（卷十八）作於元和十四年，《吟元郎中白須詩兼飲雪水茶因題壁上》詩（卷十九）作於元和十五年，《酬元郎中同制加朝散大夫書懷見寄》詩（卷十九）作於長慶元年，俱爲宗簡至長慶元年仍官郎中之證。至長慶元年宗簡復自郎中遷京兆少尹，元稹《元宗簡授京兆少尹制》云：「宗簡可權知京兆少尹，散官勛賜如故。」白氏《和元少尹新授官》（卷十九）、《朝回和元少尹絕句》（卷十九）、《重和元少尹》（卷十九）等詩均作於是年。元宗簡卒於長慶二年，白氏長慶二年作《晚歸有感》詩（卷十一）「劉曾夢中見，元向花前失」句自注云：「劉三十二校書歿後，嘗夢見之。元八少尹今春櫻桃花長逝。」《元家花》詩（卷十九）云：「今日元家宅，櫻桃發幾枝？稀稠與顏色，一似去年時。失卻東園主，春風可得知？」又長慶元年所作《慈恩寺有感》詩（卷十九）自注云：「時杓直初逝，居敬方病。」櫻桃開花在暮春之際，詩云「春風可得知」，則宗簡之病始於長慶元年，其歿當在長慶二年三、四月間。白氏《故京兆元尹文集序》（卷六八）謂宗簡「長慶三年冬遘疾彌留」，當係「長慶二年春」之誤。又元稹《見人詠韓舍人新律詩因有戲贈》詩原注所稱之「侍御八兄」，張籍《答元八遺紗帽》、《送元八》，姚合《和元八郎中秋居》，楊巨源《和元員外題升平里新齋》等詩均系酬宗簡之作。又按：白氏《欲與元八卜鄰先有是贈》詩（卷十五）云：「平生心跡最相親，欲隱牆東不爲身。明月好同三徑夜，綠楊宜作兩家春。每因暫出猶思伴，豈得安居不擇鄰？可獨終身數相見，子孫常作隔牆人？」今人選本據此詩謂白居易已與宗簡結鄰，失考。蓋元和十年宗簡購升平里宅時，居易住昭國坊，相距雖近，但非「綠楊宜作兩家春」之隔牆鄰居。故後白氏所作《予與故刑部李侍郎早結道友以藥術爲事與故京兆元尹晚爲詩侶有林泉之期周歲之間二尹長逝李住曲江北元居升平西追感舊遊因貽同志》詩（卷十九）云：「金丹同學都無益，水竹鄰居竟不成。」可知白居易與元宗簡終未結鄰也。

錢徽

白氏《冬夜與錢員外同直禁中》（卷五）、《和錢員外禁中夙興見示》（卷五）、《答崔侍郎錢舍人書問因繼以詩》（卷七）、《登龍昌上寺望江南山懷錢舍人》（卷十一）、《和錢員外答盧員外早春獨遊江見寄長句》（卷十二）、《同錢員外題絕糧僧巨川》（卷十四）、《絕句代書贈錢員外》（卷十四）、《杏園花落時招錢員外同醉》（卷十四）、《同錢員外禁中夜直》（卷十四）、《酬錢員外雪中見寄》（卷十四）、《重酬錢員外》（卷十四）、《立春日酬錢員外曲江同行見贈》（卷十四）、《和錢員外青龍寺上方望舊山》（卷十四）、《夜惜禁中桃花因懷錢員外》（卷十四）、《和錢員外早冬玩禁中新菊》（卷十四）、《得錢舍人書問眼疾》（卷十四）、《謂村退居寄禮部崔侍郎翰林錢舍人詩一百韻》（卷十五）、《寄李相公崔侍郎錢舍人》（卷十六）、《錢虢州以三堂絕句見寄因以本韻和之》（卷十八）、《錢侍郎使君以題廬山草堂詩見寄因酬之》（卷十九）、《吉祥寺見錢侍郎題名》（卷二〇）、《初到郡齋寄錢湖州李蘇州》（卷二〇）、《錢湖州以箬下酒李蘇州以五酘酒相次寄到無因同飲聊詠所懷》（卷二〇）、《小歲日對酒吟錢湖州所寄詩》

（卷二〇）、《華城西北雉堞最高崔相公首創樓臺錢左丞繼種花果合爲勝境題在雅篇歲暮獨遊悵然成詠》（卷二五）、《喜錢左丞再除華州以詩伸賀》（卷二五）、《和錢華州題少華清光絶句》（卷二五）等詩中之「錢員外」、「錢舍人」、「錢虢州」、「錢侍郎使君」、「錢侍郎」、「錢湖州」、「錢左丞」、「錢華州」均指錢徽。城按：錢徽爲大歷詩人錢起之子。元和諸詩人猶承大歷遺風，故徽父子爲時流所宗仰。亦與韓愈相善，故集中屢與唱和。《舊唐書》卷一六八，《新唐書》卷一七七有傳。丁居晦《重修承旨學士壁記》：「錢徽，元和三年八月二十六日，自祠部員外郎充。六年四月二十五日，加本司郎中。八年五月九日，轉司封郎中，知制誥。十一月，賜緋。十年七月二十三日，遷中書舍人。」花房英樹《白居易研究》（日本世界思想社一九七一年版）第一章《白居易年譜》據《舊唐書·錢徽傳》「（元和）九年拜中書舍人」之記載，謂白氏《渭村退居寄禮部崔侍郎翰林錢舍人》詩（卷一八）中之「錢舍人」爲錢徽。考丁居晦記與《舊傳》異。又據岑仲勉《補唐代翰林兩記》卷下《翰林承旨學士廳壁記校補》所考，白氏此詩作於元和九年秋，詩云：「殷勤翰林主，珍重禮闈郎。」唐人常稱承旨爲翰長，故可證錢徽此時已自司封郎中、知制誥充翰林承旨學士，然知制誥亦得稱爲舍人，非必正拜中書舍人始得稱舍人也。《舊唐書·錢徽傳》云：「元和初入朝，三遷祠部員外郎，召充翰林學士。」《新唐書·錢徽傳》云：「入拜左闕，以祠部員外郎爲翰林學士。」白居易元和二年十一月六日入院，六年四月丁憂出院，此一期間，與徽同在翰林，故集中《冬夜與錢員外同直禁中》（卷五）、《和錢員外禁中夙興見示》（卷五）、《和錢員外答盧員外早春獨遊曲江見寄長句》（卷十二）、《同錢員外題絶糧僧巨川》（卷十四）、《絶句代書贈錢員外》（卷十四）、《杏園花落時招錢員外同醉》（卷十四）、《同錢員外禁中夜直》（卷十四）、《酬錢員外雪中見寄》（卷十四）、《重酬錢員外》（卷十四）、《和錢員外靑龍寺上方望舊山》（卷十四）、《夜惜禁中桃花因懷錢員外》（卷十四）、《和錢員外早冬玩禁中新菊》（卷十四）俱作於元和三年至六年間。元和十一年，錢徽因上疏諫罷兵罷學士出守本官，徙太子右庶子，再出爲虢州刺史（見《新唐書·錢徽傳》及《冊府元龜》卷四五八）。其刺虢之年月未詳，據白氏元和十五年所作《錢虢州以三堂絕句見寄因以本韻和之》詩（卷十八），知徽於十五年春猶在虢州任。長慶元年四月，以禮部試士失職，自禮部侍郎出爲江州刺史。《舊唐書·錢徽傳》：「長慶元年爲禮部侍郎，時宰相段文昌出鎭蜀川。……故刑部侍郎楊憑……子渾之求進……文昌將發，面托錢徽，繼以私書保荐。翰林學士李紳亦托擧子周漢賓於徽，及榜出，渾之、漢賓皆不中選。李宗閔與元稹素相厚善，初稹以直道譴逐久之，及得還朝，大改前志，由徑以徼進達，宗閔亦急於進取，二人遂有嫌隙。楊汝士與徽有舊，是歲，宗閔子婿蘇巢及汝士季弟殷士俱及第，故文昌、李紳大怒，文昌赴鎭辭日，內殿面奏，言徽所放進士鄭朗等十四人皆子弟藝薄，不當在選中。穆宗以其事訪於學士元稹、李紳，二人對與文昌同，遂命中書舍人王起、主客郎中知制誥白居易於子亭重試，……尋貶徽爲江州刺史，中書舍人李宗閔劍州刺史，右補闕楊汝士開江令。」中唐朋黨紛爭肇端於牛僧孺、李宗閔之對策，大盛於錢徽一榜之覆式，然據《舊傳》，則徽似傾向於牛僧孺、李宗閔之黨者。白氏長慶元年秋所作《錢侍郎使君以題廬草堂詩見寄因酬之》（卷十九），即寄徽之作。長慶元年十二月，復自江州移刺湖州，《嘉泰吳興志》卷十四：「錢徽，長慶元年十二月十五日自江州拜，遷尙書工部郎中。」(按：《新唐書·錢徽傳》謂遷工部侍郎，《吳興志》誤。)白氏《初到郡齋寄錢湖州李蘇州》(卷二十)、《錢湖州以箬下酒李蘇州以五酘酒相次寄到無因同飲聊詠所懷》(卷二十)、《小歲日對酒吟錢湖州所寄詩》(卷二十) 等詩，作於長慶二年至三年，俱爲酬錢徽之作。據《嘉泰吳興志》，崔玄亮，長慶三年十一月二十二日自刑部郎中除湖州刺史，當爲錢徽之後任，則徽遷工部侍郎離湖州必在長慶三年之末。《新唐書·錢徽傳》：「轉湖州，還遷工部侍郎，出爲華州刺史。」《舊唐書·錢徽傳》亦云：「徽明年遷華州刺史、潼關防御鎭國軍等使。」又據白氏《華城西北雉堞最高崔相公首創樓臺錢左丞繼種花果合爲勝境題在雅篇歲暮獨遊悵然成詠》詩(卷二五)，則知徽初除華州係繼崔群之後任。《舊傳》所云「明年」，即長慶四年繼崔群爲華州刺史，而崔群赴宣、歙觀察使任亦在是年。見劉禹錫《歷陽書事七十韻詩序》。至大和元年二月，復自華州刺史除尙書左丞，見《舊唐書·文宗紀上》。(按：白氏詩及《舊傳》、《新傳》俱謂徽除尙書左丞，《舊紀》謂除尙書右丞，誤。)其再除華州在大和元年十二月癸巳(六日)，抵任必在二年正月，故白氏元年歲暮作《華城西北雉堞最高崔相公首創樓臺錢左丞繼種花果合爲勝境題在雅篇歲暮獨遊悵然成詠》詩自注云：「時華州未除刺史。」則居易奉使洛陽過華州時猶未悉徽之除命也。大和二年秋，徽以疾辭位，授吏部尙書致仕。三年正月庚寅(初九日)卒，見《舊唐書》卷十七上《文宗紀》。白氏大和三年作《和微之詩二十三首》之十七《和自勸》「請看韋孔與錢崔，半月之間四人死」自注云：「韋中書、孔京兆、錢尙書、崔華州，十五日間相次而逝。」四人指韋處厚、孔戣、錢徽、崔植。考韋處厚卒於大和二年十二月壬申(二十一日），孔戢卒於大和三年正月丁亥（初六日），崔植卒於大和三年正月甲辰（二十三日），均見《舊唐書·文宗紀》，其間俱相去半月不遠，與白詩所叙時間相合，《舊唐書·錢徽傳》謂徽「三年三月卒」，誤。

崔　群

白氏《答崔侍郎錢舍人書問因繼以詩》（卷七）、《八月十五日夜聞崔大員外翰林獨直對酒玩月因懷禁中清景偶題是詩》（卷十四）、《渭村退居寄禮部崔侍郎翰林錢舍人詩一百韻》（卷十五）、《寄李相公崔侍郎錢舍人》（卷十六）、《除忠州寄謝崔相公》（卷十七）、《耳順吟寄敦詩夢得》（卷二一）、《題新居寄宣州崔相公》（卷二三）、《華城西北雉堞最高崔相公首創樓臺錢左丞繼種花果合爲勝境題在雅篇歲暮獨遊帳然成詠》（卷二五）、《花前有感兼呈崔相公劉郎中》（卷二五）、《微之敦詩晦叔相次長逝巋然自傷因成二絕》（卷三一）、《祭崔相公文》（卷七〇）中之「崔侍郎」、「崔大員外」、「禮部崔侍郎」、「崔侍郎」、「敦詩」、「崔相公」均指崔群。城按：崔群，字敦詩，《舊唐書》卷一五九、《新唐書》卷一六五有傳。群與白居易、劉禹錫皆同歲生，元和二年十一月六日與白居易同時入充翰林學士，元和九年出院。丁居晦《重修承旨學士壁記》：「崔群，元和二年十一月六日自左補闕充。三年四月二十八日加庫部員外郎。」白氏《八月十五日夜聞崔大員外翰林獨直對酒玩月因懷禁中清景偶題是詩》詩（卷十四）作於元和四年，爲集中酬群最早之作，時崔群方官庫部員外郎。《渭村退居寄禮部崔侍郎翰林錢舍人詩一百韻》（卷十五）作於元和九年秋，時崔群已爲禮部侍郎，此詩陳振孫《白文公年譜》繫於元和五年，誤。《陳譜》云：「『五年同晝夜，一別似參商。』自二年爲學士至此五年。崔謂崔群，嘗同狀謝官，故又云『共詞加寵命，合表謝恩光』也。」考二年至五年，前後僅四年，安可云「五年同晝夜」？據丁居晦《重修承旨學士壁記》，元和六年，崔群庫部郎中、知制誥，錢徽祠部郎中，何得題稱「禮部崔侍郎及錢舍人」？崔群元和九年六月二十六日始出拜禮部侍郎，錢徽元和八年五月九日始轉司封郎中、知制誥（唐人知制誥得稱舍人），居易元和九年冬方入朝，合此推之，此詩斷爲九年秋所作無疑。又白氏《寄李相公崔侍郎錢舍人》詩（卷十六）作於元和十一年，《答崔侍郎錢舍人書因繼以詩》（卷七）作於元和十二年七月，時群已轉戶部侍郎。據《舊唐書》本傳，崔群元和十二年自戶部侍郎拜中書侍郎、同中書門下平章事。元和十一年白氏所作《答戶部崔侍郎書》（卷四五）云：「戶部牒中奉八月十七日書。」可知是年八月前已爲戶部侍郎。崔群罷相在元和十四年十二月，居易元和十三年十二月自江州司馬除忠州刺史，崔群之力也。故《除忠州寄謝崔相公》詩（卷七七）云：「提拔出泥知力竭，吹噓生翅見情深。劍鋒缺折難衝鬥，桐尾燒焦豈望琴。感舊兩行年老淚，酬恩一寸歲寒心。忠州好惡何須問，鳥得辭籠不擇林。」穆宗即位，崔群自湖南觀察使徵拜吏部侍郎。俄拜御史大夫。未幾檢校兵部尚書、充武寧軍節度使。左遷秘書監分司東都。改華州刺史。歷宣歙池觀察使。徵拜兵部尚書。見《舊唐書》《新唐書》本傳。吳廷燮《唐方鎮年表》繫群長慶三年赴宣歙任，今以白氏長慶四年作《題新居寄宣州崔相公》詩（卷二三）相證，時間似應稍後。據白氏《華城西北雉堞最高崔相公首創樓臺錢左丞繼種花果爲勝境題在雅篇歲暮獨遊悵然成詠》詩（卷二五），則知錢徽初次除華州刺史系崔群之後任。又據《舊唐書》卷一六八及《新唐書》卷一七七《錢徽傳》及《嘉泰吳興志》卷十四，錢徽自湖州刺史遷工部侍郎在長慶三年之末，次年復繼崔群出爲華州刺史，則崔群赴宣歙任當在長慶四年初。劉禹錫《歷陽書事七十韻詩序》云：「長慶四年八月，予自夔州轉歷陽，浮岷山，觀洞庭，歷夏口，涉潯陽而東，友人崔敦詩罷丞相，鎮宛陵，緘書來抵曰……」與白詩時間相合，亦可參證。崔群大和元年正月離宣歙任，《舊唐書·文宗紀》云：「（大和元年春正月）以前戶部侍郎于敖爲宣歙觀察使代崔群，以崔群爲兵部尚書。」據《舊唐書》本傳，崔群卒於大和六年八月。白氏有《祭崔相公文》（卷七十）作於大和六年十月。又大和六年作《聞樂感鄰》詩（卷二六）自注云：「東鄰王大理去冬云亡，南鄰崔尙書今秋薨逝。」俱與《舊傳》相合。又按：崔群東都宅在履道坊居易宅南，故稱南鄰，其詩中亦屢及之。如《題新居寄宣州崔相公》詩原注云：「所居南鄰即崔家池。」《與夢得偶同到敦詩宅感而題壁》詩（卷三三）云：「山東才副蒼生願，川上俄驚逝水波。履道淒涼新第宅，宣城零落舊笙歌。園荒唯有薪堪采，門冷兼無雀可羅。今日相逢偶同到，傷心不是故經過。」《祭崔相公文》云：「雒城東偶，履道西偏。修篁回舍，流水潺湲。與公居第，門巷相連。」俱可見居易與崔群交誼之篤。

白行簡

白行簡，字知退，居易之弟，唐人傳奇之著名作家。《舊唐書》卷一六六、《新唐書》卷一一九有傳。元和二年登進士第（城按：此據《登科記考》卷十七，《舊唐書》卷一六六《白居易傳》謂白行簡貞元末登第，誤）。授秘書省校書郎。盧坦鎮東蜀，辟爲掌書記，元和九年五六月間去梓州，白氏《別行簡》詩（卷十）即送別之作。元和十三年春自梓州至潯陽，時居易方爲江州司馬。其《對酒示行簡》詩（卷七）即作於是時。居易元和十三年十二月二十日除忠州刺史，十四年春初發江州，行簡隨行，白氏《三遊洞序》（卷四三）云：「平淮西之明年冬，予自江州司馬授忠州刺史，微之自通州司馬授虢州長史。又明年冬，祗命之郡，與知退偕行。三月十日參會於夷陵。」行簡在忠州作有《望郡南山》詩，白氏有和作《和行簡望郡南山》詩，均作於元和十四年。元和十五年夏居易自忠州召回長安，據《舊傳》，行簡是年授左拾遺，當係與居易同時北歸。白氏《行簡初授拾遺同早朝入閣因示十二韻》（卷十九）作於長慶元年，時間相合。《舊傳》云：「累遷司門員外郎，主客郎中。……寶歷二年冬病卒。」《郎宮石柱題名》主客郎中、膳部郎中、度支郎中俱有行簡名，白氏寶歷元年作《聞行簡恩賜章服喜成長句寄之》詩（卷二四）云：「齒髮恰同知命歲，官銜俱是客曹郎。」可知其寶歷元年秋仍爲主客郎中。白氏《祭弟文》（卷六九）稱行簡爲「郎中二十三郎」，《醉吟先生墓志銘》（卷七一）云：

「弟行簡，皇尚書膳部郎中。」《祭崔常侍（咸）文》（卷七〇）云：「又膳部房與公同聲塵之遊，定膠漆之分。」則行簡蓋終於膳部郎中。城按：《汪譜》系《對酒示行簡》詩於元和十五年，誤。蓋汪氏據「今春自巴峽，萬里平安歸」二句詩意臆斷指居易兄弟元和十五年自忠州歸長安。實則此二句詩乃指行簡自巴峽歸江州而言，如作於長安，則此詩末之「不嘆鄉國遠，不嫌官祿微」二句將不得其解。盧坦卒於元和十二年九月間，行簡曾作書告知居易將於次年（元和十三年）出峽赴江州，故白氏《得行簡書聞欲下峽先以此寄》詩云：「朝來又得東川信，欲取春初發梓州。書報九江聞暫喜，路經三峽想還愁。」此詩《汪譜》亦系於元和十三年，則行簡係元和十三年春出峽至江州與居易歡聚，《對酒示行簡》詩必係元和十三年所作無疑。又行簡子小字阿龜，白氏詩文屢及之。其《弄龜羅》（卷七）詩云：「有侄始六歲，字之爲阿龜。」《聞龜兒詠詩》（卷十七）云：「憐渠已解詠詩章，搖膝支頤學二郎。莫學二郎吟太苦，才年四十鬢如霜。」《路上寄銀匙與阿龜》詩（卷二十）云：「謫宦心都慣，辭鄉去不難。緣留龜子住，涕淚一闌干。」又有《和晨興因報問龜兒》（卷二三）、《見小侄龜兒詠燈詩並臘娘寄衣因寄行簡》（卷二四）等詩。又《劉白唱和集解》（卷六九）云：「因命小侄龜兒，編録勒成兩卷，仍寫二本，一付龜兒，一授夢得小兒侖郎。」《祭弟文》云：「龜兒頗有文性，吾每自教詩書，三二年間，必堪應舉。」《弄龜羅》詩作於元和十三年，阿龜年方六歲，《祭弟文》作於大和二年，阿龜已十六歲，則行簡逝時方十四歲。《醉吟先生墓志銘》載居易有三侄：味道、景回、晦之，李商隱《白公墓碑銘》謂「子景受自潁陽尉典治集賢御書，侍太夫人弘農郡君楊氏來京師」，《新唐書·宰相世系表》云：「景受，孟懷觀察支使，以從子繼。」龜兒是否即景受或其他諸侄不可考，惟曾慥《類說》引《翰府名談》稱樂天侄白龜年，似與龜兒有關，或別有所本也。

嚴休復

白氏《嚴十八郎中在郡日改制東南樓因名清輝未立標榜徵歸郎署予既到郡性愛樓居宴遊其詞頗有幽致聊成十韻並戲寄嚴》（卷八）、《馮閣老處見與嚴郎中酬和詩因戲贈絕句》（卷十九）、《酬嚴十八郎中見示》（卷十九）、《聞歌妓唱嚴郎中詩因以絕句寄之》（卷二三）、《酬嚴給事》（卷二五）等詩中之「嚴十八郎中」、「嚴郎中」、「嚴給事」均指嚴休復。城按：嚴休復兩《唐書》無傳，其爲杭州刺史在元和十二年。元稹《永福寺石壁法華經記》：「元和十二年，嚴休復爲（杭州）刺史。」又云：「其輸錢之貴者，若杭州刺史、吏部郎中嚴休復。」休復約元和末罷杭州刺史任，繼其任者爲元藇，元稹有《元藇杭州刺史等制》。白氏《酬嚴十八郎中見示》詩云：「口厭含香握厭蘭，紫微青瑣舉頭看。忽驚鬢後蒼浪髮，未得心中本分官。夜酌滿容花色暖，秋吟切骨玉聲寒。承明長短君應入，莫惜家江七里灘。」此詩作於長慶元年，可證是時休復已至長安。勞格《讀書雜識》七《杭州刺史考》系元藇於元和十五年，亦相去不遠。花房英樹《白居易年譜》據陳振孫《白文公年譜》引《語林》謂嚴休復爲居易之前任，誤。休復自杭州刺史徵還爲何職不可考。《大唐傳載》「李相國程執政時，嚴謩、嚴休（休下疑脫復字）皆在南省，有萬年令闕，人多屬之，李公云：『二嚴不如譽。』」此條記載雖與史實不符，但亦不失爲休復長慶初在長安之證。其爲給事中，在大和初，《舊唐書》卷一七六《楊虞卿傳》：「大和二年，南曹令史李賨等六人僞出告身籤符賣鑿空僞官，……乃詔給事中嚴休復、中書舍人高鉞、左丞韋景休充三司推案。」《新傳》所記略同。白氏《酬嚴給事》詩（卷二五）云：「嬴女偷乘鳳去時，洞中潛歇弄瓊枝。不緣啼鳥春饒舌，青瑣仙郎可得知。」此詩爲和嚴休復唐昌觀玉蕊院之作，作於大和二年，與《舊唐書》及《新唐書》《楊虞卿傳》相證，時間正合。並參見前「張籍」條箋證。又按：《舊唐書》及《新唐書》《楊虞卿傳》所記之「韋景休」乃「韋弘景」之誤。《舊書》卷一五七《韋弘景傳》：「掌選二歲，改陝虢觀察使。歲滿徵拜尚書左丞。駁吏部授官不當者六十人。弘景素以鯁亮稱，及居綱轄之地，郎吏望風修整，會吏部員外郎楊虞卿以公事爲下吏所訕，獄未能辨，詔下弘景與憲司就尚書詳讞。」則當以《韋弘景傳》爲正。

皇甫鏞

白氏《林下閒步寄皇甫庶子》（卷八）、《酬皇甫庶子見寄》（卷二三）、《贈皇甫庶子》（卷二三）、《與皇甫庶子同遊城南》（卷二三）《寄皇甫賓客》（卷二一）、《酬皇甫賓客》（卷二五）、《戲答皇甫監》（卷二六）等詩中之「皇甫庶子」、「皇甫賓客」、「皇甫監」均指皇甫鏞。城按：皇甫鏞爲皇甫鎛之兄，字龢聊。歷官河南少尹，太子右庶子，太子賓客，秘書監分司等。開成元年七月十日以太子少保分司卒於東都宣教里第，年七十七。見白氏《唐銀青光祿大夫太子少保安定皇甫公墓志銘》（卷七十）。《舊唐書》卷一三五、《新唐書》卷一六七《皇甫鎛傳》均附鏞傳。白氏《皇甫公墓志銘》云：「公之仲弟居相位，操利權也。從而附離者有之，公獨超然，雖貴介之勢不能及。」則皇甫鎛乃鏞之仲弟。《舊傳》及《新傳》稱「鎛弟鏞」，俱誤。又《舊傳》謂鏞卒年四十九，亦誤。白氏《皇甫公墓志銘》云：「未幾謝疾，改太子賓客，轉秘書監分司。又就拜檢校左散騎常侍、兼太子賓客，轉秘書監分司，始加命服正三品。又遷太子少保分司。」則鏞自大和後兩爲太子賓客及秘書監分司，以白詩證之，蓋歷歷可考。其初爲太子賓客分司在大和初，白氏《寄皇賓客》（卷二一）、《酬皇甫賓客》（卷二五）、《贈皇甫賓客》（卷二七）、《拜表早出贈皇甫賓客》（那波道圓本卷五七）、《酬皇甫賓客》（卷二八）等詩均作於大和元年至四年間。至大和六年，白氏復作《戲答皇甫監》詩（卷二六），則鏞是年已自太子賓客分司改官秘書監分司。白氏復有《贈皇甫六張十五李二十三賓客》詩（卷三一）作於大和七年罷河南尹後，是時鏞蓋又自太子賓客分司改官秘書監分司也。

金鑾子及羅子

白居易無子，其詩文中曾言及之女子爲金鑾子及羅子。金鑾子生於元和四年，死於元和六年，三歲而夭。故白氏元和五年作《金鑾子晬日》詩（卷九）云：「行年欲四十，有女曰金鑾。生來始周歲，學坐未能言。」元和六年作《病中哭金鑾子》詩（卷十四）云：「病來才十日，養得已三年。」《雲仙雜記》卷三引《豐寧傳》云：「樂天女金鑾，十歲忽書《北山移文》示家人，樂天方買終南紫石，欲開文士傳，遂輟以勒之。」今以白詩編年相證，則知《雲仙雜記》所記不僅荒誕，且誤甚。城按：清章大來《俑陽雜錄》及俞樾《茶香室叢鈔》卷四均曾駁正《雲仙雜記》之誤。《俑陽雜錄》云：「白樂天女金鑾，於元和三年生，五年遂死。有詩云：『衰病四十身，嬌癡三歲女。』又云：『病來才十日，養得已三年。』其念金鑾詩云：『況念夭化時，啞啞初學語。與爾爲父子，八十有六旬。』其爲三歲無疑也。而《雲仙雜記》言金鑾十歲，……不可不辯。」章氏所考良是，然謂金鑾子生於元和三年，死於元和五年，亦誤。又清張澍《養素堂文集》卷三三《名字錄》云：「白樂天之女名金鑾，十歲忽書《北山移文》示家人。見《瀟湘錄》。」蓋亦承襲《雲仙雜記》等書之誤。厲鶚《玉臺書史》引《書史會要》誤與張澍同。又袁宗道《寄三弟書》云：「昔白樂天無子，止有一女金蟾，慧甚，後復不育，竟以無子。」其所稱之「金蟾」當係「金鑾」之誤，且居易所育亦不止一女，袁氏所考亦疏。

羅子生於元和十一年，白氏元和十二年作《羅子》詩（卷十六）云：「有女名羅子，生來才兩春。」元和十三年作《弄龜羅》詩（卷七）云：「有女生三年，其名曰羅兒。」大和二年作《祭弟文》（卷六九）云：「阿羅日漸成長，亦勝小時，吾竟無兒，窮獨而已。」其時阿羅已十三歲，故曰「日漸長成」。阿羅後適談弘謩。談弘謩卒後，阿羅復歸依母家，白氏會昌二年所作《病中看經贈諸道侶》詩（卷三六）云：「何煩更請僧爲侶，月上新歸伴病翁。」《談氏小外孫玉童》詩（卷三六）「東床空後且嬌憐」句注云：「談氏初逝。」可知談弘謩卒於會昌二年。

裴垍 裴度

白氏《夢裴相公》詩（卷十）中之「裴相公」爲裴垍。城按：裴垍，字弘中，河東聞喜人。貞元中，制舉賢良極諫對策第一，拜監察御史。元和三年九月，拜中書侍郎同平章事。卒於元和六年。見《舊唐書》卷一四八本傳、卷十四《憲宗紀》、《新唐書》卷六二《宰相表》。白氏《薛中丞》詩（卷二）云：「裴相昨已失，薛君今又去。」《閒居》詩（卷六）云：「君看裴相國，金紫光照地。心苦頭盡白，才年四十四。」《閒居》詩作於元和六年，則知裴垍卒時四十四歲。《夢裴相公》詩云：「五年生死隔，一夕夢魂通。」垍卒於元和六年，則此詩至少應作於元和十年，然視詩意又爲九年在下邽作，「五年」或就其大數而言。詩又云：「夢中如往日，同直金鑾宮。」乃指與裴垍同充翰林學士地。蓋永貞元年十二月二十五日，裴垍自考功員外郎充翰林學士，元和三年四月二十五日出院，拜戶部侍郎。居易元和二年十一月六日自盩厔尉爲集賢校理，充翰林學士，五年五月五日改京兆府戶曹參軍依前充。六年四月丁母憂退居下邽。見丁居晦《重修承旨學士壁記》及岑仲勉《翰林學士壁記注補》。

又白氏《酬裴相公會題興化小池見招長句》（卷二五）《和裴相公傍水絕句》（那波道圓本卷五五）、

《答裴相公乞鶴》（卷二五）、《宿裴相公興化池亭》（卷二六）、《送鶴與裴相臨別贈詩》（卷二六）、《酬裴相公見寄二絕》（卷二七）、《裴侍中晉公以集賢林亭即事詩二十六韻見贈猥蒙徵和才拙詞繁輒廣爲五百言以仲酬獻》（卷二九）、《和裴侍中南園靜興見示》（卷三〇）、《夜宴醉後留獻裴侍中》（卷三二）、《和裴令公一日日一年年雜言見贈》（卷二九）、《奉和裴令公新成午橋庄綠野堂即事》（卷三三）、《裴令公席上贈別夢得》（卷三三）、《秋霖中奉裴令公見招早出赴會馬上先寄六韻》（卷三三）、《和裴令公南庄一絕》（卷三三）、《送盧郎中赴河東裴令公幕》（卷三三）、《寄獻北都留守裴令公並序》（卷三四）、《酬裴令公贈馬相戲》（卷三四）、《奉和裴令公三月上巳日遊太原龍泉憶去歲禊洛見示之作》（卷三四）等詩中之「裴相公」、「裴相」、「裴侍中晉公」、「裴侍中」、「裴令公」均指裴度。城按：裴度，元和十二年拜中書侍郎、同平章事。十三年以平淮蔡有功，加封晉國公。寶歷二年二月，守司空、同中書門下平章事。敬宗遇害，度與中貴人密謀，誅劉克明等，迎江王立爲天子，以功加門下侍郎、集賢殿大學士、太清宮使，餘如故。大和四年九月，加守司徒兼侍中、襄州刺史、充山南東道節度使。八年三月，以本官判東都尚書省事、充東都留守。九年十月，進位中書令。開成二年五月，復以本官兼太原尹北都留守、充河東節度使。見《舊唐書》卷一七〇本傳、卷十七下《文宗紀》及《新唐書》卷六三《宰相表》下。《舊傳》云：「東都立第於集賢里，築山穿池，竹木叢萃，有風亭水榭，梯橋架閣，島嶼回環，極都城之勝概。又於午橋創別墅，花木萬株，中起涼臺暑館，名曰綠野堂。引甘水貫其中，釃引脈分，映帶左右。度視事之隙，與詩人白居易、劉禹錫酣宴終日，高歌放言，以詩酒琴書自樂，當時名士皆從之遊。」劉白與其酬和之詩多於度爲東都留守之後。白氏《奉和裴令公新成午橋庄綠野堂即事》詩（卷三三）云：「年華玩風景，春事看農桑。」可知綠野堂成於大和九年春間。元和十年，劉禹錫再貶，自播州刺史改連州，出裴度苦爭之力（見《通鑑》卷二三九《考異》引《實錄》及《唐諫諍集》）。大和元年，禹錫罷和州，以主客郎中分司東都。二年，以主客郎中充集賢學士，均出度之推荐。觀《劉集》中《謝裴相公啓》云：「某遭不幸，歲將二紀，雖屢更符竹，而未出網羅。豈意天未剿絕，仁人持衡，行神慮於多方，起堙沈於久廢。……通籍郎位，分曹樂都。……章程有守，拜謝無由。」蓋度此時已迎江王立爲天子，以功加門下侍郎、集賢殿大學士也。又白居易寶歷元年三月除蘇州刺史，至寶歷二年九月罷任，非報滿之時，何至請百日長告而亟亟去官？蓋寶歷元年乃李逢吉用事之時，而二年則裴度復知政事，故由度之援手，去官還京，相繼有秘書監，刑部侍郎之援。內中隱情非細玩不能深悉。度有與劉禹錫白居易聯句題爲「予自到洛中，與樂天爲文酒之會，時時構詠，樂不可支，則慨然共憶夢得，而夢得亦以分司至止，歡愜可知」，此則當指禹錫開成元年以太子賓客分司東都時。裴度卒於開成四年三月丙申（十四日，此據《舊紀》。《舊傳》謂卒於三月四日，《新表》同）。白氏是年冬有《雪後過集賢裴令公舊宅有感》詩（卷三五）云：「梁王捐館後，枚叟過門時。有淚人還泣，無情雪不知。臺亭留盡在，賓客散何之。唯有蕭條雁，時來下故池。」則去裴度之逝已逾半載矣。又按：白氏《寄兩銀榼與裴侍郎因題兩絕》詩（卷二七），作於大和五年。「裴侍郎」指裴度，當爲「裴侍中」之訛文，各本俱誤。

楊汝士

白氏《寄楊六》（卷十）、《玩迎春花贈楊郎中》（卷二五）、《自題新昌居止因招楊郎中小飲》（卷二六）、《新秋喜涼因寄兵部楊侍郎》（卷二九）、《以詩代書寄戶部楊侍郎勸買東鄰王家宅》（卷三三）《寄楊六侍郎》（卷三二）、《晚春閒居楊工部寄詩楊常州寄茶同到因以長句答之》（卷三一）、《和楊同州寒食乾坑會後聞楊工部欲到知予與工部有宿酲》（卷三二）、《楊六尚書新授東川節度使代妻戲賀兄嫂》（卷三三）、《曉眠後寄楊戶部》（卷三三）、《寒食日寄楊東川》（卷三四）、《和楊六尚書喜兩弟漢公轉吳興魯士賜章服命賓開宴用慶恩榮賦長句見示》（卷三四）、《楊六尚書頻寄新詩詩中多有思閒相就之志因書鄙意報而諭之》（卷三五）等詩中之「楊六」、「楊郎中」、「楊侍郎」、「戶部楊侍郎」、「楊六侍郎」、「楊工部」、「楊同州」、「楊六尚書」、「楊戶部」、「楊東川」均指楊汝士。城按：汝士字慕巢，虞卿從兄，居易妻兄。《舊唐書》卷一七六、《新唐書》卷一七五俱有傳。陳景雲《韓集點勘》誤作楊嗣復。汝士元和四年進士，其家在長安靖恭坊，與弟虞卿，漢公、魯士同居，號靖恭楊家，爲冠蓋盛遊。白氏《宿楊家》（卷十三）、《醉中留別楊六兄弟》（卷十三）兩詩作於元和二年，時汝士兄弟俱未擢第。白氏《寄楊六》詩（卷十）題下自注云：「楊攝萬年縣尉，予爲贊善大夫。」則汝士爲此職在元和九年前後，此條可補史傳之闕。汝士長慶元年爲右補闕（元稹有《楊汝士授右補闕制》），坐弟殷士貢舉覆落貶開江令，入爲戶部員外郎。再遷職方郎中約在大和元年，白氏《新昌閒居招楊郎中兄弟》（卷二五）、《和楊郎中賀楊僕射致仕後楊侍郎門生合宴席上作》（卷二五）兩詩均作於是年。「楊僕射」爲楊于陵，其以右僕射致仕在大和元年四月，見《舊唐書·文宗紀》。《唐摭言》卷三：「寶歷年中，楊嗣復相公具慶下繼放兩榜。時先僕射自東洛入覲，嗣復率生徒迎於潼關。既而大宴於新昌里第，僕射與所執坐於正寢，公領諸生翼坐於兩序。時元，白俱在，皆賦詩於席上。唯刑部楊汝士侍郎詩後成，元白覽之失色。詩曰：『隔坐應須賜御屏，盡將仙翰入高冥。文章舊價留鸞掖，桃李新陰在鯉庭。再歲生徒陳賀宴，一時良史盡傳馨。當年疏傅雖云盛，詎有茲筵醉綠醽！』汝士其日大醉，歸謂子弟曰：『我今日壓倒元、白。』」《全唐詩》卷四八楊汝士卷內《宴楊僕射新昌里第》詩即據《摭言》移錄。惟汝士大和初官郎中，非刑侍，《摭言》所記官稱不合。又據白氏《元稹墓志銘》（卷七〇）及《舊唐書》卷一六六《元稹傳》，元稹大和三年九月自浙東觀察使入爲尚書左丞。則大和元年稹方居越，安得與嗣復之宴？《唐摭言》此條所記有誤。詳岑仲勉《跋唐摭言》一文考證。今以白氏和詩相證，益知《摭言》之謬。又《唐詩紀事》卷四六張志和條亦誤汝士爲刑侍。汪立名《白香山詩集》後集卷八引《全唐詩話》一則，亦係承《摭言》之誤。又《新唐書》卷一七四《楊嗣復傳》：「嗣復領貢舉時，于陵自洛入朝，乃率門生出迎，置酒第中。于陵坐堂上，嗣復與諸生坐兩序。始于陵在考功，擢浙東觀察使李師稷及第，時亦在焉。人謂楊氏上下門生，世以爲美。」此條可與白氏詩及《唐摭言》相參證。考《李文公集》卷十四《楊于陵墓志》云：「又一年，改太常卿。又一年，改東都留守。……既三年，方將告休，會以疾而罷。……疾平，遷檢校左僕射兼太子少傅。……遂西至京師。」《舊唐書·文宗紀》亦云：「（寶曆二年十二月）癸巳，以前東都留守楊于陵爲太子少傅。」則于陵至京師蓋在大和元年，與白氏此詩時間亦相合，《摭言》謂在寶曆年中，亦非。據《舊唐書·文宗紀》，汝士大和七年四月自中書舍人除工部侍郎，八年七月復自工部侍郎除同州刺史，白氏《晚春閒居楊工部寄詩楊常州寄茶同到因以長句答之》詩（卷三一）云：「宿酲寂寞眠初起，春意闌珊日又斜。」此詩作於八年，可證是年春仍爲工部侍郎。至九年九月復自同州入爲戶部侍郎，與居易相代，《舊唐書·文宗紀》云：「（大和八年七月）丙辰，以工部侍郎楊汝士爲同州刺史。……（九年九月）辛亥，以太子賓客分司東都白居易爲同州刺史代楊汝士，以汝士爲駕部侍郎。」《舊唐書》卷一七六本傳云：「（大和）八年出爲同州刺史。九年九月入爲戶部侍郎。」白氏有《曉眠後寄楊戶部》詩（卷三三）即酬汝士之作。又《寄楊六侍郎》（卷三二）云：「西戶最榮君好去，左馮雖穩我慵來。秋風一箸鱸魚鱠，張翰搖頭喚不回。」「西戶」蓋指戶部而言，則《舊紀》作「駕部」當爲「戶部」之誤。白氏又有《喜與楊六侍御同宿》（卷三三）詩，作於開成元年春間，亦爲酬汝士之作，其末云：「眼看又上青雲去，更卜同衾一兩宵。」其後一首爲《殘春詠懷贈楊慕巢侍郎》，可知「侍御」必爲「侍郎」之訛文。據《舊傳》，開成元年七月汝士自戶部侍郎轉兵部侍郎，則開成元年作《殘春詠懷贈楊慕巢侍郎》詩時，汝士仍爲戶侍。至開成元年十二月，汝士自兵部侍郎檢校禮部尚書、充劍南東川節度使，白氏開成二年作《楊六尚書新授東川節度使代妻戲賀兄嫂二絕》（卷三三），其二云：「劉綱與婦共升仙，弄玉隨夫亦上天。何似沙哥領崔嫂，碧油幢引向東川。」

「沙哥」乃汝士小字。《唐摭言》卷十五云：「開成中，戶部楊侍郎（原注：汝士）檢校尚書鎭東川，白樂天即尚書妹婿。時樂天以太子少傅分洛，戲代內子賀兄嫂曰：『劉綱與婦共升仙，弄玉隨夫亦上天。何似沙哥（原注：沙哥，汝士小字）領崔嫂，碧油幢引向東川。』……」《摭言》此條可爲白詩注腳，惟「戶部楊侍郎」乃「兵部楊侍郎」之誤。《舊傳》云：「開成元年七月，轉兵部侍郎。其年十二月，檢校禮部尚書、梓州刺史、劍南東川節度使。時宗人嗣復鎭西川，兄弟對居節制，時人榮之。」考劉禹錫有《寄賀東川楊尚書慕巢兼寄西川繼之，二公近從弟兄，情分偏睦，早添遊舊，因成是詩》（外集卷四）云：「太華蓬峰降嶽靈，兩川棠樹接郊坰。政同兄弟人人曲，樂奏塤篪處處聽。楊葉百穿榮會府，芝泥五色耀天庭。各抛筆硯夸旄鉞，莫遣文星讓將星。」白氏《同夢得寄賀東西川二楊尚書》詩（卷三三）云：「龍節對持眞可愛，雁行相接更堪夸。兩川風景同三月，千里江山屬一家。魯衛定知聯氣色，潘楊亦覺有光華。應憐洛下分司伴，冷宴閒遊老看花。」兩詩俱作於開成二年，可與《舊傳》參證，楊嗣復大和九年三月自東川節度使移任西川節度使，赴蜀較汝士爲前也。《舊唐書》卷一七六本傳又云：「（開成）四年九月，入爲吏部侍郎，位至尚書，卒。」《新唐書》卷一七五本傳云：「終刑部尚書。」未詳眞除尚書年月，據白氏會昌元年作《楊尚書頻寄新詩詩中多有思閒相就之志因書鄙意報而諭之》（卷三五）、《楊六尚書留太湖石在洛下借置庭中因對舉杯寄贈絕句》（卷三六）、則汝士遷刑部尚書當在會昌元年。

李宗閔　庾敬休

白氏《夢與李七庾三十三同訪元九》（卷十）、《東南行一百韻寄通州元九侍御澧州李十一舍人果州崔二十二使君開州韋大員外庾三十二補闕杜十四拾遺李二十助教員外竇七校書》（卷十六）、《廬山草堂夜雨獨宿寄牛二李七庾三十二員外》）（卷十七）、《京使回累得南省諸公書因以長句詩寄謝蕭五劉二元八吳十一韋大陸郎中崔二十二牛二李七庾三十三李六李十楊三樊大揚十二員外》（卷十八）、《初除主客郎中知制誥與王十一李七元九三舍人中書同宿話舊感懷》（卷十九）、《寄庾侍郎》（卷二一）、《和順之琴者》（卷二二）、《早冬遊王屋自靈都抵陽臺上方望天壇偶吟成章寄溫谷周尊師中書李相公》（卷二二）等詩中之「李七」、「李七員外」、「李七舍人」、「中書李相公」均指李宗閔。「庾三十三」、「庾三十二補闕」、「庾三十二員外」、「庾侍郎」、「順之」均指庾敬休。城按：李宗閔，字損之，與牛僧孺同年登進士第。元和四年，復與牛僧孺登制舉賢良方正科，對策指切時政之失，宰相李吉甫惡之，貶宗閔爲洛陽尉。大和三年，以吏部侍郎同中書門下平章事，引牛僧孺同秉政，號稱「牛黨」。見《舊唐書》卷一七六、《新唐書》卷一七四本傳。白氏《夢與李七庾三十三同訪元九》（卷十）、《廬山草堂夜雨獨宿寄牛二李七庾三十二員外》（卷十七）兩詩俱作於元和十三年。據《舊唐書》本傳，宗閔元和十二年爲裴度彰義軍觀察判官，吳元濟平，遷駕部郎中，又以本官知制誥，未詳其爲員外歷官。《郎官石柱題名》吏部及禮部員外郎內均有李宗閔名，白詩所稱「員外」當指此職。其遷駕部郎中當在元和十四年，居易是年作《京使回累得南省諸公書，因以長句詩寄謝……李七員外》詩（卷十八）時，宗閔猶未遷官也。宗閔正拜中書舍人在元和十五年九月，見《舊唐書·穆宗紀》。居易除主客郎中、知制誥在元和十五年十二月，時王起亦爲中書舍人，元稹則以祠部郎中知制誥，白氏是時有《初除主客郎中知制誥與王十一李七元九三舍人中書同宿話舊感懷》（卷十九）云：「閒宵靜話喜還悲，聚散窮通不自知。已分雲泥行異路，忽驚雞鶴宿同枝。紫垣曹署榮華地，白鬢郎官老醜時。莫怪不如君氣味，此中來校十年遲。」蓋唐人知制誥亦得稱爲舍人。茲後白氏集中與宗閔酬和之作甚鮮，至大和六年冬復有《早冬遊王屋自靈都抵陽臺上方望天壇偶吟成章寄溫谷周尊師中書李相公》詩（卷二二）云：「……嘗聞此遊者，隱客與損之。各抱貴仙骨，俱非泥垢姿。二人相顧言，彼此稱男兒。若不爲松喬，即須作皐夔。今果如其語，光彩雙葳蕤。一人佩金印，一人翳玉芝。我來高其事，詠嘆偶成詩。爲君題石上，欲使故山知。」據《舊傳》及《新唐書·宰相表》，宗閔大和三年八月拜吏部侍郎、同中書門下平章事。大和七年六月罷知政事，檢校禮部尚書平章事、興元尹、山南西道節度使。白氏作此詩時，宗閔方居相位，視詩意則其亦嘗隱居王屋山。大和八年十月，宗閔復相，居易有《寄李相公》詩（卷三一）云：「漸老只謀歡，雖貧不要官。唯求造化力，試爲駐春看。」乞援之意極爲顯然，惟宗閔次年六月即遭貶逐，於居易恐亦未嘗援手也。

庾敬休，字順之，《舊唐書》卷一八七下、《新唐書》卷一六一俱有傳。《舊傳》云：「歷右補闕，稱職。轉起居舍人，俄遷禮部員外郎，入爲翰林學士。」未詳爲補闕及禮部員外郎年月。考《舊唐書·鄭餘慶傳》云：「元和十三年詳定使鄭餘慶奏禮部員外郎庾敬休充詳定判官。」《重修承旨學士壁記》云：「庾敬林，元和十五年閏正月十三日自禮部員外郎充。」白氏《東南行一百韻寄通州元九侍御澧州李十一舍人果州崔二十二使君開州韋大員外庾三十二補闕杜十四拾遺李二十助教員外竇七校書》詩（卷十六）作於元和十二年，《廬山草堂夜雨獨宿寄牛二李七庾三十二員外》（卷十七）作於元和十三年，可知其遷禮部員外郎當在元和十三年。元和十五年二月加禮部郎中（城按：《重修承旨學士壁記》誤作「左司郎中」，見岑仲勉《翰林學士壁記注補》），長慶元年十月出守本官，長慶二年復自禮部郎中遷兵部郎中、知制誥，故白氏《韋顗可給事中庾敬休可兵部郎中知制誥同制》（卷四八）云：「朝散大夫、尙書禮部郎中、上柱國庾敬休……可尙書兵部郎中、知制誥。」據《舊唐書》卷一八七下本傳，敬休大和初已官工部侍郎，白氏大和元年歲暮作《寄庾侍郎》詩（卷二二）云：「懷哉庾順之，好是今宵客。」蓋奉使洛陽寄懷敬休之作。白氏又有《庾順之以紫霞綺遠贈以詩答之》（卷十四）作於元和五年，疑是時敬休或從事於宣州。《和順之琴者》（卷二二）一詩作於大和三年，爲《和微之詩二十三首》之一，可知敬休與元稹亦相過從也。又按：「庾三十三」係「庾三十二」之訛，白氏《東南行一百韻……》、《三月三日登庾樓寄庾三十二》、《廬山草堂夜雨獨宿寄牛二李七庾三十二員外》、《京使回……》等詩均作「庾三十二」，唯《夢與李七庾三十三同訪元九》、《潯陽歲晚寄元八郎中庾三十三員外》及元稹《酬樂天東南行》詩注作「庾三十三」，參見岑仲勉《唐人行第錄》考證。花房英樹《白氏文集の批判的研究》據天海校本《白氏文集》《東南行一百韻……》原注「庾三十三神貌迂徐，當時亦目爲蔫庾」，謂「庾三十二」係「庾三十三」之誤，論據亦不足，俟考。

楊巨源

白氏《答元八郎中楊員外喜烏見寄》（卷十）、《答元八郎中楊十二博士》（卷十七）、《聞楊十二新拜省郎遙以詩賀》（卷十七）、《京使回累得南省諸公書因以長句詩寄謝蕭五劉二元八吳十一韋大陸郎中崔二十二牛二李七庾三十三李六李十楊三樊大楊十員外》（卷十八）詩中之「楊員外」、「楊十二博士」、「楊十二」、「楊十二員外」均指楊巨源。城按：楊巨源，兩《唐書》俱無傳。《新唐書·藝文志》：「楊巨源詩一卷。字景山，大和河中少尹。」《唐才子傳》卷五：「巨源，字景山，蒲中人。貞元五年，劉太眞下第二人及第。初爲張弘靖從事，拜虞部員外郎，後遷太常博士，國子祭酒。大和中爲河中少尹，入拜禮部郎中。」白氏《贈楊秘書巨源》詩（卷十五）作於元和十年，元稹亦有《和樂天贈楊秘書》詩，可知巨源元和十年已爲秘書郎，是時年事已長，至少當爲五十左右，故張籍《題楊秘書新居》詩云：「愛閒不向爭名地，宅在街西最靜坊。卷裏詩過一千首，白頭新受秘書郎。」其遷太常博士在元和十年後。巨源有《同太常尉遲博士闕下待漏》詩，即爲太常博士時所作。尉遲博士即尉遲汾。考《舊唐書》卷一七一《張仲方傳》：「時太常定（李）吉甫謚爲恭懿，博士尉遲汾請敬憲。」（《新傳》同）李吉甫卒於元和九年十月。《寰宇訪碑錄》卷四：「洛陽令尉遲汾題名，正書，元和十四年，河南濟源。」則尉遲汾元和十一二年間猶爲太常博士，得與巨源同官，今以楊詩證之，時間亦合。白氏《答元八郎中楊十二博士》詩（卷十七）作於元和十三年，是年又有《聞楊十二新拜省郎遙以詩賀》（卷十七）云：「文昌新入有光輝，紫界宮牆白粉闈。曉日雞人傳漏箭，春風侍女護朝衣。雪飄歌響高難和，鶴拂烟宵老慣飛。官職聲名俱入手，近來詩客似君稀。」則元和十三年巨源復自太常博士遷虞部員外郎。又白氏元和十四年作《京使回累得南省諸公書因以長句詩寄謝》詩（卷十八）亦稱巨源爲員外。《全唐詩》卷三〇〇王建有《賀楊巨源博士拜虞部員外》詩，蓋唐制員外郎爲從六品，太常博士爲從七品，巨源當自太常博士遷虞部員外郎，不當自虞部員外郎遷太常博士，《唐才子傳》所記誤。《全唐詩》楊巨源小傳云：「由秘書郎擢太常博士，禮部員外郎。」「禮部」疑當作「虞部」。巨源除鳳翔少尹約在長慶初，張籍《送楊少尹赴鳳翔》詩（《全唐詩》卷三八五）云：「詩名往日動長安，首首人家卷裡看。西學已行秦博士，南宮新拜漢郎官。得錢只了還書鋪，借宅常時事藥欄。今去岐州生計薄，移居偏近隴頭寒。」此詩所云「南宮新拜漢郎官」乃張籍自謂長慶二年新除水部員外郎也。至長慶三年春，巨源已遷國子司業，元稹《酬楊司業十二兄早秋述情見寄》詩原注云：「今春與楊兄會於馮翊，數日而別。此詩同州作。」蓋長慶三年秋在同州刺史任所作。劉禹錫《酬楊司業巨源見寄》詩亦作於長慶三年，時禹錫方爲夔州刺史。巨源最終爲河中少尹，蓋在長慶末，韓愈《送楊少尹序》：「國子司業楊君巨源方以能詩訓後進，一旦以年滿七十，亦白丞相去歸其鄉。……然吾聞楊侯之去，丞相有愛而惜之者，白以爲都少尹，不絕其祿。」韓序作於長慶四年（據方崧卿《韓文年表》），張籍《送楊少尹赴蒲城》、《和裴司空酬蒲城楊少尹》兩詩均作於是時。《唐詩紀事》謂巨源「大中時爲河中少尹」，誤甚。又以上兩詩《全唐詩》俱誤「蒲城」爲「滿城」，題下並注云：「一作蒲。」蓋未悉「蒲城」即指河中府（蒲州）也。《唐才子傳》又謂巨源「入拜禮部郎中」，檢《郎官石柱題名》禮中無巨源名，疑誤。元稹又有《與楊十二李三早入永壽寺看牡丹》、《春晚寄楊十二兼呈趙八》、《憶楊十二》、《第三歲日詠春風憑楊員外寄長安柳》等詩俱係酬巨源之作。巨源有《大堤曲》及《楊花落》二詩皆似劉禹錫之七言歌行，而《寄江州白司馬》一詩，又極似居易詩體，蓋兼受劉白兩家之影響也。

楊歸厚

白氏《初到忠州登東樓寄萬州楊八使君》（卷十一）、《南賓郡齋即事寄楊萬州》（卷十一）、《題郡中荔枝詩十八韻兼萬州楊八使君》（卷十八）、《重寄協枝與楊使君時聞楊使君欲種植故有落句戲之》（卷十八）、《和萬州楊使君四絕句》（卷十八）、《寄題楊萬州四望樓》（卷十八）、《答楊使君登樓見憶》（卷十八）、《欲到東洛得楊使君書因以此報》（卷二三）、《酬楊八》（卷二三）、《贈楊使君》（卷二三）等詩中之「萬州楊八使君」、「楊萬州」、「楊使君」、「楊八」均指楊歸厚。城按：楊歸厚，兩《唐書》俱無傳。元和七年十二月，以自娶婦進狀借禮會院，自左拾遺貶國子主簿分司，見《舊唐書》卷十五

《憲宗紀》。實則歸厚之貶官，乃由劾宦官觸宣宗之怒所致，《舊紀》所記乃托詞。考《新唐書·李吉甫傳》云：「左拾遺楊歸厚嘗請對，日已旰，帝令它日見，固請不肯退。既見，極論中人許遂振之奸。又歷詆輔相，求自試。又表假郵置院具婚禮。帝怒其輕肆，欲遠斥之，李絳爲言，不能得。吉甫見帝，謝引用之非，帝意釋，得以國子主簿分司東都。」此實爲震動當時之一大事。劉禹錫元和八年作《寄楊八拾遺》詩題下自注云：「時出爲國子主簿分司東都，韓十八員外（城按：「韓十八員外」各本《劉集》俱訛作「王十八員外」，此據吴興徐氏影印宋紹興本《劉賓客集》）亦轉國子博士同在洛陽。」詩云：「聞君前日獨庭爭，漢帝偏知白馬生。……洛陽本自宜才子，海内而今有直聲。」即指此事。韓十八員外爲韓愈，見洪興祖《韓子年譜》六考證。歸厚歷典萬、唐、壽、鄭、虢五州，其刺萬州在元和十四、五年間。居易以元和十三年十二月二十日自江州司馬授忠州刺史，元和十五年夏召爲司門員外郎，其間酬歸厚之詩至夥，如《題郡中荔枝詩十八韻兼寄萬州楊八使君》、《萬州楊使君四絕句》、《送高侍御使回因寄楊八》、《答楊使君登樓見憶》、《寄胡餅與楊萬州》、《寄題楊萬州四望樓》等詩均作於元和十五年夏以前。歸厚自萬州移刺唐州約在長慶元年，白氏《楊歸厚授唐州刺史制》（卷五〇）云：「以歸厚文行器，能辱在巴峽，勵精爲理，績茂課高，區區萬州，豈盡所用。」劉禹錫《寄唐州楊八歸厚》、《春日寄唐州二首》均酬歸厚之作，《寄唐州楊八歸厚》詩自注云：「時徐晦、楊嗣復二舍人與唐州俱同年及第。」楊嗣復長慶元年十月以庫部郎中知制誥，正拜中書舍人，長慶四年遷禮部侍郎。徐晦寶曆元年出爲福建觀察使（見《舊唐書》卷一七六《楊嗣復傳》、卷一六五《徐晦傳》）。禹錫此兩詩蓋作於長慶二三年間。其自唐州移刺壽州約在長慶三四年間，白氏長慶四年罷杭州後作《欲到東洛得楊使君書因以此報》詩（卷二三）云：「向公心切向財疏，淮上休官洛下居。三郡政能從獨步，十年生計復何如。使君灘上久分手，別駕渡頭先得書。且喜平安又相見，其餘外事盡空虛。」詩中之「淮上休官」指歸厚罷壽州刺史任，可知其移刺壽州爲時極暫，離任時去居易長慶四年五月罷杭州刺史未遠也。禹錫《寄楊八壽州》、《李賈二大諫拜命後寄楊八壽州》兩詩亦當作於長慶三四年間。白氏又有《贈楊使君》詩（卷二三）云：「曾嗟放逐同巴峽，且喜歸還會洛陽。」即作於自杭州歸洛陽之次年（寶曆元年）。歸厚罷壽州後，以東都留守判官檢校太子右庶子（見《全唐文》卷六九二李虞仲《授楊歸厚太子右庶子制》），時居易亦同以太子左庶子分司東都，故有《酬楊八》詩（卷二三）云：「君以曠懷宜靜境，我因蹇步稱閒官。」禹錫有《春日書懷寄東洛白二十二楊八二庶子》詩，作於長慶四年。又《酬楊八庶子喜韓吳興與余同遷見贈》詩，作於大和元年，可知歸厚除鄭州刺史在大和元年以後。劉禹錫《管城新驛記》云：「大和二年閏三月滎陽守歸厚上言……」又《鄭州刺史東廳壁記》云：「今年鄭州刺史楊君作東廳……大和四年某月日記。」則歸厚移刺虢州蓋在大和四年，或稍後。岑仲勉《玉溪生年譜會箋平質》謂楊歸厚出刺虢州在大和三四年間，蓋未細考劉禹錫《鄭州刺史東廳壁記》一文。歸厚以大和六年終於虢州任所。禹錫《祭虢州楊庶子文》云：「維大和六年月日，蘇州刺史劉禹錫……敬祭於故虢州楊公之靈。……五剖竹符，皆有聲績。南湘潛化，巴人啞啞，比陽布和，戰地盡辟。壽春武斷，奸吏奪魄。滎波砥平，士庶同適。朝典陟明，俾監本州。」此文又云：「與君交歡，已遇三紀，維私之愛，與衆無比。乃命長嗣，爲君半子。誰無外姻，君實知己。」可知歸厚與禹錫不僅同爲僚婿，且爲禹錫長子咸允之妻父也。又白氏《池上篇序》（卷六九）云：「弘農楊貞一與青石三，方長平滑，可以坐卧。」貞一即歸厚之字，劉禹錫《管城新驛記》云：「大和二年閏三月，滎陽守歸厚上言，……太守姓楊氏，字貞一，華陰弘農人。」可爲白文注脚。又白氏《棣華驛見楊八題夢兄弟詩》（卷十八）、《赴杭州重宿棣華驛見楊八舊詩》（卷二〇）、《送楊八給事赴常州》（卷三一）等詩中之「楊八」、「楊八給事」均指楊虞卿，非歸厚。花房英樹《白氏文集の批判的研究》誤「楊萬州」、「楊使君」爲楊虞卿，亦失考。

李紳

白氏《看渾家牡丹花戲贈李二十》（卷十三）、《渭村酬李二十見寄》（卷十五）、《初授贊善大夫早朝寄李二十助教》（卷十五）、《遊城南留元九李二十晚歸》（卷十五）、《請安北街贈李二十》（卷十五）、《東南行一百韻寄通州元九侍御澧州李十一舍人果州崔二十二使君開州韋大員外庾三十二補闕杜十四拾遺李二十助教員外竇七校書》（卷十六）、《編集拙詩成一十五卷因題卷末戲贈元九李二十》（卷十六）、《醉送李二十常侍赴鎮浙東》（卷三一）、《酬李二十侍郎》（卷三一）、《贈皇甫六張十五李二十三賓客》（卷三一）、《春早秋初因時即事兼寄浙東李侍郎》（卷三二）、《嘆春風兼贈李二十侍郎二絶》（卷三三）、《新亭病後獨坐招李侍郎公垂》（卷三三）、《劉蘇州寄釀酒糯米李浙東寄楊柳枝舞衫偶因嘗酒試衫輒成長句寄謝之》（卷三二）、《看夢得題答李侍郎詩詩中有文星之句因戲和之》（卷三四）、《春盡日天津橋醉吟偶呈李尹侍郎》（卷三三）、《立秋夕涼風忽至炎暑稍消即事詠懷寄汴州節度使李二十尚書》（卷三六）、《公垂尚書以白馬見寄光潔穩善以詩謝之》（卷三四）、《予與山南王僕射淮南李僕射事歷五朝逾三紀海內年輩今唯三人榮路雖殊交情不替聊題長句寄舉之公垂二相公》（卷三七）等詩中之「李二十」、「李二十助教」、「李二十助教員外」、「李二十常侍」、「李二十侍郎」、「李二十賓客」、「浙東李侍郎」、「李侍郎公垂」、「李浙東」、「李侍郎」、「李尹侍郎」、「李二十尚書」、「公垂尚書」、「淮南李僕射」、「公垂相公」均指李紳。城按：李紳，字公垂，《舊唐書》卷一七三、《新唐書》卷一八一有傳。紳元和元年登進士第，見洪邁《容齋四筆》卷五「韓文公荐士」條及《唐才子傳》。其赴長安應試爲貞元二十年，是年九月曾宿於元稹靖安里等。《太平廣記》卷四八八《鶯鶯傳》云：「貞元歲九月，執事（?）李公垂宿於予靖安里第，語及於是，公垂卓然稱異，遂爲《鶯鶯歌》以傳之。崔氏小名鶯鶯，公垂以命篇。」傳中所稱之「貞元歲」即貞元二十年。是年紳因元稹識白居易，故白氏後有《醉送李二十常侍赴鎭浙東》詩（卷三一）云：「靖安客舍花枝下，共脫青衫典濁醪。」即追憶當時情景。白氏集中酬紳之詩至夥，最早者蓋爲永貞元年作《看渾家牡丹花戲贈李二十》（卷十三）云：「香勝燒蘭紅勝霞，城中最數令公家。人人散後君須看，歸到江南無此花。」渾家即長安大寧坊渾瑊宅，宅中以牡丹擅名，劉禹錫亦有《渾侍中宅牡丹》云：「徑尺千餘朵，人間有此花。今朝見顔色，更不問諸家。」又《送渾大夫赴豐州》云：「其奈明年好春日，無人喚看牡丹花。」則渾宅牡丹可爲京城之冠，宜劉白一再以之爲詩料也。紳元和四年或稍前至長安爲校書郎，其爲國子助教在元和八九年間，白氏元和九年秋作《謂村酬李二十見寄》詩（卷十五）云：「百里音書何太遲，暮秋把得暮春詩。柳條綠日君相憶，梨葉紅時我始知。莫嘆學官貧冷落，猶勝村客病支離。形容意緒遙看取，不似華陽觀裏時。」九年冬作《初授贊善大夫早朝寄李二十助教》詩（卷十五）云：「病身初謁青宮日，衰貌新垂白髮年。寂寞曹司非熱地，蕭條風雪是寒天。遠坊早起常侵鼓，瘦馬行遲苦費鞭。一種共君官職冷，不如猶得日高眠。」前詩中之「學官」即指國子助教而言，《新唐書》本傳謂紳「元和初登進士第，釋褐國子助教」，蓋誤。元和十四年春受山南西道節度使崔從之辟爲觀察判官，是年五月除右拾遺（見李紳《南梁行》詩自注）。至元和十五年正月，自右拾遺充翰林學士（見《舊唐書·穆宗紀》、《重條承旨學士壁記》），與李德裕、元稹同在禁署，時號三俊，情意相善。長慶元年三月，與李德裕、元稹劾錢徽取進士「不公」，詔王起、白居易重試，錢徽、李宗閔、楊汝士皆貶謫，此爲李德裕集團與牛僧孺、李宗閔集團初次之公開鬥爭。紳爲李德裕集團中重要人物之一，如《舊唐書》卷一七六《李宗閔傳》云：「長慶元年，子婿蘇巢於錢徽下進士及第。其年巢復落，宗閔涉請托，貶劍州刺史。時李吉甫子德裕爲翰林學士，錢徽榜出，德裕與同職李紳、元稹連衡言於上前，云徽受請托，所試不公，故致重覆。比相嫌惡，因是列爲朋黨，皆挾邪取權，兩相傾軋，自是紛紜排陷垂四十年。」至長慶三年三月，爲李逢吉所排，罷內職改御史中丞。長慶四年二月，爲李逢吉所陷害，自戶部侍郎貶端州司馬。至大和七年正月，始自壽州刺史授太子賓客分司東都，抵洛陽時已是春暮，故紳有《七年初到洛陽寓居宣教里時已春暮而四老俱在洛中分司》詩，四老者指白居易、皇甫鏞、張仲方及紳也。白氏七年夏秋間作《贈皇甫六張十五李二十三賓客》詩（卷三一）云：「昨日三川新罷守，今日四皓盡分司。」上句謂居易罷河南尹，下句中之「四皓」即紳詩中所指之「四老」，俱爲太子賓客分司東都。紳在洛分司爲時極暫，大和七年閏七月，因李德裕之力，復檢校左散騎常侍、越州刺史、充浙東觀察使（見《舊唐書·文宗紀》），與居易餞別，白氏有《醉送李二十常侍赴鎮浙東》詩（卷三一），又《春早秋初因時即事兼寄浙東李侍郎》（卷三二）、《劉蘇州寄釀酒糯米李浙東寄楊柳枝舞衫偶因嘗酒試衫輒成長句寄謝之》（卷三二）均係大和八年所有酬紳之詩。大和九年，李德裕已爲李宗閔與李訓、鄭注排擯而罷相，是年五月，紳自浙東觀察使復除太子賓客分司。白氏開成元年春作《春來頻與李二賓客郭外同遊因贈長句》詩（卷三三），「李二」當爲「李二十」之奪文。紳開成元年四月六日除河南尹（見《舊唐書·文宗紀》、李紳《拜三川守》詩序），是年春仍爲太子賓客分司，與白詩時間正合。岑仲勉《唐人行第錄》李二十仍叔條引此時，謂「李二十賓客」爲李仍叔，疑非是。考李仍叔罷湖南觀察使爲太子賓客分司東都在大和九年末，此時雖有與居易同遊之可能，惟此詩云：「我爲病叟誠宜退，君是才臣豈合閒？」與同時其他酬仍叔之詩語氣不合，故此詩仍以指李紳爲是。是年六月復自河南尹除宣武軍節度使（見《舊唐書·文宗紀》、李紳《拜宣武軍節度使》詩序）白氏《洛下雪中頻與利李二賓客宴集因寄汴州李尚書》（卷三四）、劉禹錫《和樂天洛下雪中宴集寄汴州李尚書》詩均作於開成元、二年冬間。紳會昌六年七月卒於淮南節度使任（見《通鑑》

《唐紀》六四），前於居易之卒一月，是年春白氏《予與山南王僕射淮南李僕射事歷五朝逾三紀海內年輩今唯三人榮路雖殊交情不替聊題長句寄舉之公垂二相公》詩（卷三七）云：「故交海內只三人，二坐巖廊一臥雲。老愛詩書還似我，榮兼將相不如君。百年膠漆初心在，萬里煙霄中路分。阿閣鸞鳳野田鶴，何人信道舊同群。」此蓋集中酬紳最終之作。山南王僕射指王起。綜紳一生，早年與元稹、白居易致力於文學改革，志趣相同。而仕履則緣李德裕故，與李逢吉、李宗閔勢力互爲消長，適與居易異趣。則白詩「萬里煙霄中路分」句殆不無言外之意也。

楊虞卿

白氏《和楊師皋傷小姬英英》（卷二六）、《哭師皋》（卷三〇）、《送楊八給事赴常州》（卷三一）、《晚春閒居楊工部寄詩楊常州寄茶同到因以長句答之》（卷三一）、《和楊同州寒食乾坑會後聞楊工部欲到知予與工部有宿酲》（卷三二）詩中之「楊師皋」、「楊八給事」、「楊常州」、「楊工部」，均指楊虞卿。

城按：楊虞卿，字師皋，汝士從弟。《舊唐書》卷一七六、《新唐書》卷一七五有傳。元和五年進士登第，元和九、十年間官鄠縣尉。白氏《與楊虞卿書》云：「師皋足下：……自僕再來京所，足下守官鄠縣，……」又白氏《朝歸書寄元八》詩（卷六）云：「瓶中鄠縣酒，牆上終南山。」疑爲虞卿所贈之酒也。其爲牛僧孺，李宗閔私黨，蓋以宗人楊嗣復之故。大和六年爲給事中。七年，李宗閔罷相，李德裕知政事，出爲常州刺史。白氏《送楊八給事赴常州》詩即作於是年。）劉禹錫時在蘇州刺史任，亦作《寄毗陵楊給事》詩云：「東城南陌昔同遊，座上人無第二流。屈指如今已零落，且須歡喜作鄰州。」《咸淳毗陵志》卷七《秩官》：「楊虞卿，字師臯，弘農人。累遷給事中，出爲常州刺史。」未載刺常州之時間。《常州府志》卷十三《職官》謂虞卿寶曆時刺常州，蓋誤。大和八年，李宗閔復相。虞卿召入爲工部侍郎。據《舊紀》，虞卿大和八年十二月己丑（十三日）自常州刺史除工部侍郎，金澤文庫舊藏本《白氏文集》殘本卷六五載有白氏《和楊同州寒食乾坑會後聞楊工部欲到知予與工部有敷水之期榮喜雖多歡宴且阻辱示長句因而答之》詩云：「往來東道千餘騎，新舊西曹兩侍郎（原注：去年兄自工部拜同州，今年弟從常州拜工部）。家占冬官傳印綬，路逢春日助恩光。停留五馬經寒食，指點三峰過故鄉。猶恨乾坑敷水會，差池歸雁不成行。」此詩各本俱未載。復參證《和楊同州寒食乾坑會後聞楊工部欲到知予與工部有宿酲》詩，可知虞卿大和九年春寒食後始至長安。虞卿爲工部侍郎之時極暫，九年四月，除京兆尹，尋貶爲虔州司馬。《舊唐書》卷一七六本傳載其事云：「九年四月，拜京兆尹。其年六月京師訛言：鄭注爲上合金丹，須小兒心肝，密旨捕小兒無算，民間相告語，扃鎖小兒甚密，街肆恟恟。上聞之不悅，鄭注頗不自安。御史大夫李固言素嫉虞卿朋黨，乃奏曰：『臣昨窮問其由，此語出於京兆尹從人，因此扇於都下。』上怒，即令收虞卿下獄。虞卿弟漢公並男知進等八人自系撾鼓訴冤。詔虞卿歸第。翌日，貶虔州司馬，再貶虔州司戶。卒於貶所。」此爲牛黨一次重大打擊。白氏《哭師臯》詩云：「往者何人送者誰？樂天哭別師臯時。平生分義向人盡，今日哀冤唯我知。」字裏行間蓋有難言之隱在焉。《舊》、《新唐書》均不詳虞卿之卒年，據《舊唐書·文宗紀》，虞卿大和九年七月貶爲虔州司馬，再貶爲虔州司戶，故白氏大和九年作《何處堪避暑》詩（卷三〇）云：「如何三伏月，楊尹謫虔州。」時間正合。張采田《玉溪生年譜會箋》系楊虞卿卒於大和九年，此書卷二云：「案：虞卿再貶虔州司戶，《舊唐書》傳但云『卒於貶所』，不詳何年。《哭虔州楊侍郎》詩云：『甘心親垤蟻，旋踵戮城狐。』自注：『是冬舒、李伏翮（戮）。』則虞卿之卒當在甘露事變前後。詩有『莫凴牲玉請，便望救焦枯』句，《舊紀》：『開成二年七月乙亥，以久旱徙市、閉坊門。』其歸葬不妨稍遲，今據詩書此。」張氏據義山詩自注，考定虞卿卒於大和九年歲暮，其說甚是，且足以糾直齋《白文公年譜》謂虞卿卒於開成元年之謬。然據《舊紀》謂虞卿歸葬在開成二年，似亦太泥。今據白氏《哭師臯》詩編次，則虞卿似應歸葬於開成元年。又據白氏《與楊虞卿書》（卷四四），則居易二十六七歲已與虞卿訂交於宣城，其交誼固不僅繫於姻親也。

吳士矩

白氏《京使回累得南省諸公書因以長句詩寄謝蕭五劉二元八吳十一韋大陸郎中崔二十二牛二李七庾三十三李六李十楊三樊大揚十二員外》（卷十八）、《嬾放二首呈劉夢得吳方之》（卷二九）、《吳秘監每有美酒獨酌獨醉但蒙詩報不以飲招輒此戲酬兼呈夢得》（卷三三）、《雪中酒熟欲攜訪吳監先寄此詩》

（卷三三）等詩中之「吳十一」、「吳方之」、「吳秘監」、「吳監」均指吳士矩。城按：士矩，《新唐書》卷一五九有傳。與元稹交誼頗篤，《元集》中《清都春霽寄胡三吳十一》、《元和五年予官不了罰俸歸三月六日至陝府與吳十一兄端公崔二十二院長思愴曩遊因投五十韻》、《寄吳士矩端公五十韻》等詩均酬士矩之作。其爲江西觀察使在大和七年，《舊唐書》卷十七下《文宗紀》：「（大和七年四月）癸酉，以同州刺史吳士智（城按：《舊唐書》卷八九《狄仁傑傳》、《新唐書》卷一一五《狄仁傑傳》俱作吳士矩，士智蓋即士矩之訛文）爲江西觀察使。」其罷江西觀察使爲秘書監分司在開成元年二月（據《舊紀》），羅讓開成元年二月繼爲江西觀察使），白氏《吳秘監每有美酒獨酌獨醉但蒙詩報不以飲招輒此戲酬兼呈夢得》、《雪中酒熟欲攜訪吳監先寄此詩》、《懶放二首呈劉夢得吳方之》等詩均作於開成元年，蓋至開成二年，士矩已因江西事發而遠貶矣。《册府元龜》卷五二〇下：「開成二年，貶前秘書監吳士矩爲蔡州别駕。士矩前爲江西觀察使，在任日應軍中諸色加給錢八萬八千貫，故貶之。」《册府元龜》載士矩曾經秘書監分司一職，與白詩相證，足可補《新傳》之缺，而未詳再貶端州事。《新唐書》卷一一五九本傳云：「開成初，爲江西觀察使，殯宴侈縱，一日費凡十數萬。初至，庫錢二十七萬緡，晚年才九萬，軍用單匱，無所仰。事聞，中外共申解，得以親議，文宗弗窮治也。貶蔡州别駕。諫官執處其罪，不納。於是御史中丞狄兼謨建言：陛下擢任士矩，非私也。士矩負陛下而治之，亦非私也。請遣御史至江西即訊，使杜江惟它鎭循習意。帝聽，乃流端州。」蓋士矩先貶蔡州，再改端州，惟《新傳》謂士矩開成初爲江西觀察使，亦非。劉禹錫有《端州吳大夫夜泊湘川見寄一絶》，即係酬士矩之作，當作於開成三年貶端州後，可與《新傳》參證：「夜泊湘川逐客心，月明猿苦血沾襟。湘妃舊竹痕猶淺，從此因君染更深。」語意極沈痛，蓋觸舊日身世之感也。據劉白兩家酬贈之詩，可知方之爲士矩之字，《新傳》未詳。劉禹錫《吴方之見示聽江西故吏朱幼恭歌三篇頗有懷故林之思吟諷不足因而和之》詩云：「今歲洛中無雨雪，眼前風景是江西。」士矩曾爲江西觀察使，故可考定即其人。《新傳》謂士矩文名頗著，其詩今皆亡佚，《全唐詩》卷八八七錄有吴士矩《飲後獻時相》詩云：「一夕心期一種歡，那知疏散負杯盤。尊前數片朝雲在，不許馮公子細看。」題下並注云：「士矩牧大郡，因時相論置軍倅，獻此。」未知指江西事否，俟考。

吴丹

白氏《酬吴七見寄》（卷六）、《留別吴七正字》（卷十三）、《聽水部吴員外新詩因贈絕句》（卷十五）、《七言十二句贈駕部吴郎中七兄》（卷十九）、《吴七郎中山人待制班中偶贈絕句》（卷十九）、《故饒州刺史吴府君神道碑銘》（卷六九）中之「吴七」、「吴七正字」、「水部吴員外」、「駕部吴郎中七兄」、「吴七郎中山人」、「吴府君」均指吴丹。城按：吴丹，兩《唐書》俱無傳。字貞存，貞元十六年白居易同年進士。歷官正字，監察殿中侍御史，水部庫部員外郎，都官駕部郎中，諫議大夫，大理少卿，饒州刺史。卒於寶曆元年六月。見白氏《故饒州刺史吴府君神道碑銘》、《登科記考》卷十四。白氏《故饒州刺史吳府君神道碑銘》云：「職歷義成軍節度推官，浙西道節度判官，潼關防禦判官，鎮州宣慰副使，甌函使。」《唐詩紀事》：「丹字貞存，登第歷職至鎮州宣慰副使，知甌使尚書，卒於饒州，葬於常州。」《紀事》蓋本之白氏《墓志》，「尚書」二字衍。白氏《留別吳七正字》詩云：「成名共記甲科上，署吏同登芸閣間。唯是塵心殊道性，秋蓬常轉水長閒。」此詩作於貞元十九年居易爲秘書省校書郎時，乃現在集中贈吳丹最早之作。白氏元和五年爲左拾遺、翰林學士時所作《贈吳丹》詩云：「嘗登御史府，亦佐東諸侯。……今來脫豸冠，時往侍龍樓。官曹稱心靜，居處隨跡幽。……」《聽水部吳員外新詩因贈絕句》詩作於居易元和十年爲太子左贊善大夫時，疑丹自殿中侍御史遷水部員外郎在元和五年以後、十年以前。《酬吳七見寄》詩亦作於元和十年，詩云：「曲江有病客，尋常多掩關。又聞馬死來，不出身更閒。聞有送書者，自起出門看。素緘署丹字，中有瓊瑤篇。口吟耳自聽，當暑忽翛然。似漱寒玉水，如聞商風弦。首章難時節，末句思笑言。懶慢不相訪，隔街如隔山。嘗聞陶潛語，心遠地自偏。君住安邑里，左右車徒喧。竹藥閉深院，琴樽開小軒。誰知市南地，轉作壺中天？君本上清人，名在石堂間。不知有何過，謫作人間仙。常想歲月滿，飄然歸紫煙。莫忘蜉蝣內，進士有同年。」其中可見白吳兩人之交誼，迥非一般進士同年可比。是時居易居長安朱雀門東第三街昭國坊，吳丹居朱雀門街東第四街安邑坊，兩地鄰近，相隔一街，故云「隔街如隔山」也。白氏《吳七郎中山人待制班中偶贈絕句》詩作於元和十五年，《七言十二句贈駕部吳郎中七兄》詩作於長慶二年，據此，丹長慶二年仍官駕部郎中。吳丹寶曆元年六月卒於饒州官舍，其年十一月葬於常州，居易爲作《墓志》云：

「既冠，喜道書，奉眞籙，每專氣入靜，不粒食者累歲。」與元稹《和樂天贈吳丹》詩所云：「不識吳生面，久知吳生道，跡雖染世名，心本奉天老」相證，亦記實也。至寶曆二年，白氏復於蘇州作《花前嘆》詩（卷二一）云：「幾人得老莫自嫌，樊李吳韋盡成土。」自注：「樊絳州宗師、李諫議景儉、吳饒州丹、韋侍郎顗皆舊往還，相繼喪逝。」蓋集中悼念吳最終之作。

李渤

白氏《京使回累得南省諸公書因以長句寄謝……李十楊三樊大楊十二員外》詩（卷十八）、《贈江州李十使君員外十四（二）韻》（卷二〇）、《題別遺愛草堂兼呈李十使君》（卷二〇）等詩中之「李十員外」、「李十使君員外」、「李十使君」均指「李渤」。城按：李渤，字濬之，《舊唐書》卷一七一、《新唐書》卷一一八俱有傳。王仲舒《寄李十員外》詩（《全唐詩》卷四七三）云：「惟愁又入煙霞去，知在廬峰第幾重？」語切渤事，亦寄渤者。《舊唐書·李渤傳》：「（元和）九年，以著作郎徵之。……歲餘，遷右補闕。連上章疏忤旨，改丹王府咨議參軍分司東都。十二年遷贊善大夫，依前分司。十三年，遣人上疏。……再遷爲庫部員外郎。」白氏《京使回累得南省諸公書因以長句詩寄謝……李十楊三樊大楊十二員外》詩作於元和十四年爲忠州刺史時，渤方爲庫部員外郎。白氏《贈江州李十使君員外十二（按：「二」，宋本、那波本、馬本均訛作「四」，據汪本、《全唐詩》改）韻》、《題別遺愛草堂兼呈李十使君》兩詩均作於長慶二年七月赴杭州途中，《贈江州李十使君員外十二韻》自注云：「元和末，余與李員外同日黜官，今又相次出爲刺史。」據《舊傳》，則渤貶黜偕居易同時（即元和十年八月），與白氏自注所記相符。《舊傳》又云：「穆宗即位，召爲考功員外郎。十一月……乃出爲虔州刺史。……未滿歲，遷江州刺史。……長慶二年，入爲職方郎中。三年，遷諫議大夫。」渤本官員外，與白氏長慶二年所作二詩之題相符。白氏《題別遺愛草堂兼呈李十使君》詩自注云：「李亦盧山人，常隱白鹿洞。」則與《新唐書·李渤傳》「與仲兄涉偕隱廬山」合。據此則白氏詩中之「李十使君」及「李十員外」可斷爲李渤無疑。《全唐詩》卷四七七有李涉《奉和九弟詩見寄絕句》，「九」當係「十」之訛文，蓋二字相近也。以上參見岑仲勉《唐人行第錄》考證。又據《舊傳》，李渤自虔州刺史遷江州刺史約在長慶元年末或長慶二年初，居易以長慶二年七月十四日除杭州，過江州時亦可與渤任相及，並可證渤是年七月前已爲江州刺史。《嘉泰吳興志》卷十四載錢徽長慶元年十二月十五日自江州刺史遷湖州刺史。則知李渤刺江州乃錢徽之後任。又《全唐文》卷六三七李翺《江州南湖堤銘》：「長慶二年十二月，江州刺史李君濬之截南陂，築堤三千五百尺……。」據此則李渤入爲職方郎中不得早於長慶三年初，《舊傳》謂渤「長慶二年入爲職方郎中」，疑非。寶曆間，擢給事中。時政移近倖，紀律蕩然，渤勁正不顧患，通章封無闋日。會五坊卒毆擊百姓，鄠縣令崔發令捕治之，觸中人怒，收發送御史獄，遇大赦，發以囚坐雞竿下，爲內官數十，持梃亂擊，發敗面抑齒，幾死，卒不得厚。渤上疏論之，出爲桂管觀察使。可知其與宦官鬥爭之節操亦與白居易同也。又按：白氏《題別遺愛草堂兼呈李十使君》詩，《全唐詩》既收卷四六白居易下，又收卷二九九王建下。詩題稱《題別遺愛草堂》，詩又云：「砌水親開決，池荷手自栽。五年方暫至，一宿又須回。」居易元和十三年十二月二十日代李景儉爲忠州刺史，至長慶二年適爲第五年，故此詩可斷爲居易所作無疑。《全唐詩》王建名下誤收。

姚合

白氏《姚侍御見過戲贈》（卷二五）、《送姚杭州赴任因思舊遊二首》（卷三一）詩中之「姚侍御」、「姚杭州」均指姚合。城按：《新唐書》卷一二四《姚崇傳》云：「曾孫合、勖。合，元和中進士及第，調武功尉，善詩，世號姚武功者。遷監察御史，累轉給事中。……歷陝虢觀察使，終秘書監。」《舊唐書》卷九六《姚崇傳》：「玄孫合，登進士第。授武功尉，遷監察御史。」據岑仲勉《唐集質疑》考證，合爲崇之曾侄孫。《舊傳》謂係崇之曾孫，《新傳》謂係崇之玄孫，俱誤。又《舊傳》及《新傳》均不載合官監察御史之時間。考《唐詩紀事》卷四九云：「合，宰相崇之曾孫，登元和進士第，調武功主簿，世號『姚武功』。又爲富平、萬年尉。寶應中，歷監察御史，戶部員外郎，出荆、杭二州刺史，後爲給事中，陜虢觀察使。開成末，終秘書監。」晁公武《郡齋讀書志》卷十八云：「右唐姚合也。崇曾孫，以詩聞。元和十一年李逢吉知舉進士。歷武功主簿，富平、萬年尉。寶應中監察殿中御史，戶部員外郎。出金、杭二州刺史。爲刑、戶二部郎中，諫議大夫，給事中，陜虢觀察使。開成末終秘書監，世號姚武功云。」合爲崇之曾侄孫，《唐詩紀事》及《郡齋讀書志》俱亦誤爲崇之曾孫。復證以白氏《姚侍御見過戲贈》詩中「東臺御史多提舉，莫按金章繫布裘」二語，則合大和二年仍以御史分司東都，與計、晁兩氏所記時間相合。又金州，《唐詩紀事》亦誤爲荊州。《唐才子傳》卷六亦誤合爲崇之曾孫，並云：「寶應中監察御史，遷戶部員外郎，出爲金、杭二州刺史。」「寶應」爲「寶曆」之訛文，辛文房蓋亦承計、晁兩氏之誤。方干有《送姚合員外赴金州》詩（《全唐詩》卷六四九）云：「受詔從華省，開旗發帝州。」又有《上杭州姚郎中》詩（《全唐詩》卷六五）。喻凫有《送賈島往金州謁姚員外》詩（《全唐詩》卷五四三），周賀有《留辭杭州姚合郎中》詩（《全唐詩》卷五〇三），劉得仁有《送姚合郎中任杭州》（《全唐詩》卷五四〇）。姚合蓋先自戶部員外郎出刺金州，再自郎中出刺杭州。《新》、《舊傳》俱未載姚合爲杭州刺史。勞格《讀書雜識》卷七《杭州刺史考》據《郡齋讀書志》等書系合刺杭州在寶曆間，誤也。白氏《送姚杭州赴任因思舊遊二首》詩云：「舍人雖健無多興，老校當時八九年。」蓋居易長慶四年罷杭州刺史任，以詩意推算，則合之赴杭任約在大和八、九年間，而白氏此詩亦或作於大和八年（詳見本書《白居易〈送姚杭州赴任因思舊遊二首〉考釋》一文）。姚合有《寄東都分司白賓客》詩，亦爲同時酬居易之作。賈島有《喜姚郎中自杭州回》詩（《全唐詩》卷五七二）云：「路多楓樹林，累日泊清陰。來去泛流水，翛然適此心。一披江上作，三起月中吟。東省期司諫，雲門悔不尋。」劉得仁有〈上姚諫議〉詩（《全唐詩》卷五四五）云：「聖代生才子，明庭有諫臣。……卻憶波濤郡，來時島嶼春。」「波濤郡」指杭州。則合自杭州刺史入爲諫議大夫。《舊唐書·文宗紀》：「（開成四年）八月庚戌朔，以給事中姚合爲陝虢觀察使。」釋無可〈送姚中丞赴陝州〉詩（《全唐詩》卷八一四）云：「三陝周分地，恩除左掖臣。」合自給事中除授，故曰「左掖」。又姚合有〈牧杭州謝李太尉德裕〉詩（《全唐詩》卷五〇一），德裕守太尉在會昌四年八月，岑仲勉《唐集質疑》因疑合刺杭「似在會昌時代」，今據白詩及《舊紀》證之，實不可能，疑合之詩題有誤也。又按：各書均謂姚合官終秘書監，但方干有〈哭秘書姚少監〉詩（《全唐詩》卷六五〇），似以高步瀛《唐宋詩舉要》姚合小傳作秘書少監較合理。《舊唐書·姚崇傳》謂合「位終給事中」，大誤。又《郡齋讀書志》、《唐詩紀事》俱稱姚合「開成末終秘書監」，但姚合有〈太尉李德裕自城外拜辭後歸弊居〉詩，德裕守太尉在會昌四年八月，又張採田《玉溪生年譜會箋平質》則考定韋溫赴陝在開成五年歲底，可知合會昌時猶健在，俟考。又按：《新唐書·李商隱傳》云：「開成二年，高鍇知貢舉，令狐綯雅善鍇，奬譽甚力，故擢進士第。調弘農尉。以活獄忤觀察使孫簡，將罷去，會姚合代簡，諭使還官。」《唐才子傳·姚合傳》亦載此事云：「開成間，李商隱尉弘農，以活囚忤觀察使孫簡，將罷去，會合來代簡，一見大喜，以風雅之契，即諭使還官，人雅服其義。後仕終秘書監。與賈島同時，號『姚賈』。自成一法。島難吟，有清洌之風；合易作，皆平澹之氣。興趣俱到，格調少殊。」辛氏所述較《舊傳》爲詳。

李商隱《任弘農尉獻州刺史乞假歸京》詩云：「黃昏封印點刑徒，愧負荊山入座隅。卻羨卞和雙刖足，一生無復沒階趨。」此詩即玉溪刺孫簡事所作，《韻語陽秋》稱末二語之工爲「扼腕不平之氣有甚於傷足者」。據此則義山亦嘗受知於姚合者，惜兩人集中均未見其相酬和之作耳。

侯繼

白氏《贈侯三郎中》詩（卷二三）云：「老愛東都好寄身，足泉多竹少埃塵。年豐最喜唯貧客，秋冷先知是瘦人。幸有琴書堪作伴，苦無田宅可爲鄰。洛中縱未長居得，且與蘇田遊過春。」此詩中之「侯三郎中」爲侯繼。岑仲勉《唐人行第錄》云：「《白氏集》五八《贈侯三郎中》，分司東都時作，未注名，集中亦少唱和之什，以時代考之，或得爲勛中侯繼，然尚缺其他佐證也。」城按：《因話錄》卷五云：「王並州璠，自河南尹拜丞（按：《稗海》本丞下有相字，衍），除目才到，少尹侯繼有宴，以書邀。」此條足可爲岑著之佐證。王璠，寶曆二年八月代王起爲河南尹。大和二年十月，復自河南尹拜尚書右丞。見《舊唐書》卷一六九本傳及卷十七上《文宗紀》。則侯繼或自司勛郎中遷河南少尹，與白詩之時間亦合。又白氏此詩末二句云：「洛中縱未長居得，且與蘇田遊過春。」蘇田疑爲人名，不可解。何義門云：「蘇田未詳，疑作田蘇。」何氏所疑良是。考居易長慶四年秋，由杭州刺史罷歸洛陽，向田姓購得履道坊故散騎常侍楊憑第宅居之，故其同年所作《求分司東都寄牛相公十韻》詩云：「王尹貰將馬，田家賣與池。」又白氏會昌元年作《題崔少尹上林坊新居》詩（卷三五）云：「坊靜深居新且幽，忽疑縮地到滄州。宅東籬缺嵩峰出，堂後門開洛水流。高下三層盤野徑，沿洄十里泛漁舟。若能爲客烹雞黍，願伴田蘇日日遊。」此田蘇當與賣宅之「田家」有關，俟考。王尹爲河南尹王起。

王起

白氏《常樂里閑居偶題十六韻兼寄劉十五公與王十一起……時爲校書郎》（卷五）、《禁中曉臥因懷王起居》（卷五）、《惜玉蕊花有懷集賢王校書起》（卷十三）、《初除主客郎中知制誥與王十一李七元九三舍人中書同宿話舊感懷》（卷十九）、《河南王尹初到以詩代書先問之》（卷二三）、《題新居呈王尹兼簡府中三掾》（卷二三）、《送陝府王大夫》（卷二五）、《答王尚書問履道池舊橋》（卷二七）、《陝府王大夫相迎偶贈》（卷二七）、《同崔十八寄元浙東王陝州》（卷二七）、《早入皇城贈王留守僕射》（卷三五）、《雪暮偶與夢得同致仕裴賓客王尚書飲》（卷三五）、《會昌元年春五絕句》之二《贈舉之僕射》（卷三五）、《予與山南王僕射淮南李僕射事歷五朝逾三紀海內年輩今唯三人榮路雖殊交情不替聊題長句寄舉之公垂二相公》（卷三七）等詩中之「王起居」、「王十一舍人」、「王尹」、「王大夫」、「王陝州」、「王留守僕射」、「王尚書」、「舉之僕射」、「王僕射」均指王起。城按：王起爲王播之弟，貞元十四年擢進士第。《舊唐書》卷一六四、《新唐書》卷一六七有傳。《舊唐書》本傳云：「貞元十四年擢進士第，釋褐集賢校理。登制策直言極諫科，授藍田尉。宰相李吉甫鎭淮南，以監察充掌書記。入朝爲殿中，遷起居郎，司勛員外郎、直史館。元和十四年，以比部郎中知制誥。穆宗即位，拜中書舍人。」白氏《常樂里閑居偶題十六韻兼寄劉十五公與王十一起……時爲校書郎》詩作於貞元十九年，時居易以書判拔萃科登第授校書郎，王起以博學宏詞科登第授集賢校理。元稹《酬哥舒少府寄同年科第》詩云：「前年科第偏年少，未解知羞最愛狂。九陌爭馳好鞍馬，八人同愛彩衣裳。」自注云：「同年科第，宏詞呂二炅、王十一起，拔萃白二十二居易，平判李十一復禮、呂四頴（據岑仲勉《登科記考訂補》，作「頻」誤）、哥舒大恆、崔十八玄亮，逮不肖八人，皆奉榮養。」則王起與居易爲選試同年。白氏《惜玉蕊花有懷集賢王校書起》詩（卷十二）作於元和二年，可知起是年仍爲集賢校理。起元和三年登制策直言極諫科，授藍田尉。《登科記考》卷十七引《廣卓異記》云：「元和三年，賢良方正能直言極諫科十一人登科，其後牛僧孺、李宗閔、王起、賈餗四人相次拜相。」與白詩相證，時間相合。李吉甫爲淮南節度使在元和三年九月，則王起赴淮南幕亦在此時。元和四、五年入朝爲殿中侍御史，遷起居郎，至元和十四年以比部郎中知制誥。穆宗即位，正拜中書舍人。居易元和十五年十二月二十八日除主客郎中、知制誥，作《初除主客郎中知制誥與王十一李七元九三舍人中書同宿話舊感懷》詩時，起已拜中書舍人。起長慶四年九月代令狐楚爲河南尹，見《舊唐書·敬宗紀》。故白氏爲太子左庶子分司時所作《河南王尹初到以詩代書先問之》詩云：「別來王閣老，三歲似須臾。」指長慶二年與起同在中書一別至此適爲三年也。居易長慶四年秋自杭州刺史罷歸洛陽後，購得田姓履道坊故散騎常侍楊憑宅第。王起爲其它中栽樹造橋，故白氏寶曆元年作《題新居呈王尹兼簡府中三掾》詩云：「弊宅須重葺，貧家乏羨財。橋憑川守造，樹倩府寮栽。」大和二年二月，起自兵部侍郎出爲陝虢觀察使兼御史大夫。四年，入拜尚書左丞。白氏《送陝府王大夫》詩作於大和二年王起爲陝虢任時，《陝府王大夫相迎偶贈》一詩則作於大和三年居易罷刑部侍郎歸洛陽途中。至大和六年，王起爲戶部尚書、判度支，猶殷勤致意，以履道坊所造舊橋爲念，白氏作《答王尚書問履道池舊橋》詩（卷二七）云：「虹橋雁齒隨年換，素板朱欄逐日修。但恨尚書能久別，莫愁川守不頻遊。」李訓爲王起貢舉門生，訓爲相，復以兵部尚書召判戶部，甘露事起，訓敗，起未及於禍，止罷判事。白氏開成五年作《早入皇城贈王留守僕射》詩云：「津橋殘月曉沈沈，風露凄清禁署深。城柳宮槐謾搖落，悲愁不到貴人心。」可知是年秋起已爲東都留守。《舊唐書》、《新唐書》本傳俱未詳起爲東都留守之時間，殆漏書也。《舊唐書》本傳稱起「檢校左僕射、東都留守、判東都尚書省事」，以白詩《會昌元年春五絕句》之二《贈舉之僕射》證之，時間相合。《舊唐書》本傳云：「會昌元年，徵拜吏部尚書、判太常卿事。三年，權知禮部貢舉。明年，正拜左僕射，復知貢舉。其年秋，出爲興元尹、兼同平章事、充山南西道節度使。……大中元年，卒於鎮，時年八十八。」白氏會昌六年作《予與山南王僕射淮南李僕射事歷五朝逾三紀海內年輩今唯三人榮路雖殊交情不替聊題長句寄舉之公垂二相公》詩（城按：此詩題《文苑英華》誤作「寄荊南淮南二相公」，《全唐詩》「山」下注云：「一作『荊』。」亦非）云：「故交海內只三人，二坐巖廊一卧雲。」「舉之」即王起，方爲山南西道節度使。「公垂」即李紳，方爲淮南節度使。是時居易已以刑部尚書致仕多年，故云。李紳旋於是年七月卒於淮南任所，居易復於是年八月卒於洛陽，至此海內年輩僅存起一人矣。

皇甫湜

白氏《寄皇甫七》（卷二三）、《訪皇甫七》（卷二三）、《哭皇甫七郎中》（卷二八）等詩中之「皇甫七」、「皇甫七郎中」均指皇甫湜。城按：皇甫湜，字持正，睦州新安人。擢進士第，爲陸渾尉，仕至工部郎中。辨急使酒，數忤同省，求分司東都。留守裴度辟爲判官。見《新唐書》卷一七六《皇甫湜傳》及《唐詩紀事》卷三五。考裴度初次爲東都留守在長慶二年，見《舊唐書·穆宗紀》。湜充度之判官，當在此時。白氏《寄皇甫七》、《訪皇甫七》兩詩均作於寶曆元年爲太子左庶子分司時，岑仲勉《唐人行第錄》謂《寄皇甫七》、《訪皇甫七》兩詩中之「皇甫七」俱爲「皇甫十」之訛，蓋以爲「詩語與朗之合，與湜不符」。然岑氏所言亦未確，朗之爲皇甫曙字，《唐詩紀事》卷五二：「寶曆間，崔從鎮淮南，曙爲行軍司馬。」考崔從代段文昌爲淮南節度使在大和四年三月，《唐詩紀事》誤爲寶曆間，《全唐詩》卷四九〇皇甫曙小傳亦承《唐詩紀事》之訛。又據《舊唐書·文宗紀》，崔從大和六年十一月卒於淮南節度使任所。今《白集》中酬皇甫曙最早之作如《池上清晨候皇甫郎中》（卷二九）等詩俱作於大和八年，兩人往還亦當始於此時，則曙離淮南幕必亦在大和七年後，以白詩證之，時間相合。則《寄皇甫七》、《訪皇甫七》兩詩仍爲酬湜之作。《新唐書》本傳未詳湜之卒年，白氏《哭皇甫七郎中

（原注：湜）》詩作於大和四年，可知湜即卒於是年。皇甫湜之文與李翺同出於韓愈，翺得愈之醇，而湜得愈之奇崛，其所爲文極矜負，當世少所推許。劉禹錫《唐故尚書禮部員外郎柳君集紀》云：「子厚之喪，昌黎韓退之志其墓，且以書來弔曰：『哀哉！若人之不淑，吾嘗評其文，雄深雅健似司馬子長，崔、蔡不足多也。』」安定皇甫湜於文章少所推讓，亦以退之之言爲然。」則柳州亦湜所服膺者也。《直齋書錄解題》稱湜文「多所亡逸」。白氏《哭皇甫七郎中》詩云：「志業過玄晏，詞華似禰衡。多才非福祿，薄命是聰明。不得人間壽，還留身後名。《涉江》文一首，便可敵公卿。」自注：「持正奇文甚多，《涉江》一首尤出。」湜之《涉江》文今已佚，賴白氏此詩得以存其篇名。

令狐楚

白氏《奉和汴州令狐令公二十二韻》（卷二四）、《宣武令狐相公以詩寄贈傳播吳中聊用短章用伸酬謝》（卷二四）、《雪中寄令狐相公兼呈夢得》（卷二五）、《將發洛中枉令狐相公手札兼辱二篇寵行以長句答之》（卷二五）、《令狐相公拜尚書後有喜從鎭歸朝之作劉郎中先和因以繼之》（卷二六）、《和令狐相公新於郡內栽竹百竿拆壁開軒旦夕對玩偶題七言五韻》（卷二六）、《酬令狐相公春日尋花見寄六韻》（卷二六）、《送東都留守令狐尚書赴任》（卷二六）、《送令狐相公赴太原》（卷二六）、《將至東都先寄令狐留守》（卷二七）、《酬令狐留守尚書見贈十韻》（那波本卷五七）、《同崔十八宿龍門兼寄令狐尚書馮常侍》（卷五七）、《令狐尚書許過弊居先贈長句》（卷二七）、《早春醉吟寄太原令狐相公蘇州劉郎中》（卷三一）、《洛下閑居寄山南令狐相公》（卷三三）、《和令狐僕射小飲聽阮咸》（卷三三）、《令狐相公與夢得交情素深眷予分亦不淺一聞薨逝相顧泫然旋有使來得前月未歿之前數日書及詩寄贈夢得哀吟悲嘆寄情於詩詩成示予感而繼和》（卷三七）等詩中之「令狐令公」、「令狐相公」、「令狐尚書」、「令狐留守」、「令狐留守尚書」、「令狐僕射」，均指令狐楚。城按：令狐楚，字殼士。貞元七年進士登第。元和十四年，拜中書侍郎、同中書門下平章事。敬宗即位，檢校禮部尚書、汴州刺史、宣武軍節度使、汴宋亳觀察等使。見《舊唐書》卷一七二、《新唐書》卷一六六本傳。考令狐楚自元和十五年罷相屢貶，長慶初以賓客分司東都。時李逢吉作相，極力援楚，以李紳在禁密，沮之，未能擅柄。敬宗即位，逢吉逐李紳，尋用楚爲河南尹。據《舊唐書·敬宗紀》，其授宣武軍節使在長慶四年九月。白氏《奉和汴州令狐令公二十二韻》詩作於寶曆元年三月二十九日以後赴蘇州刺史任途中，《宣武令狐相公以詩寄贈傳播吳中聊用短章用伸酬謝》詩則作於寶曆元年五月抵蘇州任後。《奉和汴州令狐令公二十二韻》詩題中稱「令狐令公」，然令狐楚未嘗官中書令，頗不得其解。及見馮浩《玉谿生詩詳注》卷一《天平公座中呈令狐令公》詩注云：「按《舊書·志》，中書有中書令，唐之宰相曰同中書，固以此也。令狐雖未實進中書令，而《香山集》中亦稱令狐令公矣。」則所惑益深。後復覽岑仲勉《唐史餘瀋》卷四《李溫詩注》條辨證馮注之誤云：「余按唐階，中書令雖亞於僕射，但因中書令是眞宰相，故中唐以前使相帶中令者極罕見，楚無赫赫功，此特涉上『令』字而訛『相公』爲

『令公』耳。……後檢《玉谿生詩詳注》一云：……考中書省又有中書侍郎，同中書豈能遽稱令公？若《香山詩集》（汪本）二八《早春同劉郎中寄宣武令狐相公》等兩首，二九《令狐相公拜尚書後》等三首，三一《和令狐相公寄劉郎中》等兩首，三二《早春醉吟寄太原令狐相公》一首，均作『相公』，不作『令公』，集中著令公不姓者乃裴度，馮實誤證。」又劉禹錫和作爲《和汴州令狐相公到鎮改月偶書所懷二十二韻》（《劉集》外一），《文苑英華》白詩題作「奉和汴州令狐相公二十二韻」，據此則「令狐令公」當作「令狐相公」，王鳴盛《蛾術編》卷七七及張采田《玉谿生年譜會箋》均未能是正馮注之誤。令狐原作未見，劉、白和作皆用一韻，必原作如是，蓋唐人和韻不必次韻也。白氏《奉和汴州令狐公二十二韻》詩云：「……在浚旌重葺，遊梁館更添。心因好善樂，貌爲禮賢謙。俗阜知敦勸，民安見察廉。仁風扇道路，陰雨膏閭閻。文律操將柄，兵機釣得鈐。碧幢油葉葉，紅旆火襜襜。景象春加麗，威容曉助嚴。槍森赤豹尾，纛吒黑龍髯。門靜塵初斂，城昏日半銜。……」居易與楚之交誼遜於禹錫，故此詩詞意較劉詩稍泛，然其中亦可見唐時節鎮之規制。居易寶曆二年冬罷蘇州刺史，大和元年春返洛陽，三月十七日徵爲祕書監。是年歲暮自長安奉使洛陽。故白氏《早春同劉郎中寄宣武令狐相公》《雪中寄令狐相公兼呈夢得》、《將發洛中枉令狐相公手札兼辱二篇寵行以長句答之》三詩俱係大和二年奉使洛陽時所作，是時禹錫則方以主客郎中分司東都也（按：禹錫大和元年六月爲主客郎中分司東都，二年奉至長安爲主客郎中，離洛陽較居易稍晚）。劉禹錫有《洛中逢白監同話遊梁之樂因寄宣武令狐相公》詩（《劉集》外一），令狐楚《有節度宣武酬樂天夢得》詩，及白氏《早春同劉郎中寄宣武令狐相公》詩（卷二五），三首用韻俱同，自是互酬之作。蓋居易及禹錫曾於大和元年春路過汴州，應令狐楚之款接，停留小遊，至二年春已將一年。故《早春同劉郎中寄宣武令狐相公》詩云：「梁園不到一年強，遙想清吟對綠觴。」令狐楚《節度宣武酬樂天夢得》詩云：「蓬萊仙監客曹郎（原注：劉爲主客），曾枉高車客大梁。」蓋即指此。又《雪中寄令狐相公兼呈夢得》詩云：「兔園春雪梁王會，思對金罍詠玉麈。今日相如身在此，不知客右坐何人？」此借漢之梁孝王以喻汴帥。蓋以孝王好賓客，鄒陽、枚乘、司馬相如皆以文士在其左右，與令狐楚情事粗合。《舊唐書·文宗紀》：「（大和二年十月癸酉）以（李）逢吉爲宣武軍節度使代令狐楚，以楚爲戶部尚書。」白氏《令狐相公拜尚書後有喜從鎮歸朝之作劉郎中先和因以繼之》詩即作於大和二年十月之後，劉禹錫《和令狐相公初歸京國賦詩言懷》詩（《劉集》外一），亦爲和作。《舊唐書》本傳謂楚「大和二年九月，徵爲戶部尚書」，亦微誤。考劉禹錫《唐故相國贈司空令狐公集紀》云：「文宗纂服三年冬，上表以大臣未識天子，願朝正月。制曰：可。操節入覲，遷戶部尚書。」與《舊紀》合，當以《舊紀》爲正。張采田《玉谿生年譜會箋》卷一云：「《舊傳》作大和二年九月徵爲戶部尚書，小誤。今從《紀》。」張氏所考良是。至大和三年三月，楚自戶部尚書除東都留守。《舊唐書·文宗紀》云：「（大和三年）三月辛巳朔，以戶部尚書令狐楚爲東都留守。」《舊傳》同。是時居易與禹錫置酒送之，蓋白氏大和二年十二月已乞百日病假，至此回洛之意已決，故其《送東都留守令狐尚書赴任》詩云：「龍門即擬爲遊客，金谷先憑作主人。」白氏《將至東都先寄令狐留守》、《酬令狐留守尚書見贈十韻》、《同崔十八宿龍門兼寄令狐尚書馮常侍》，《令狐尚許書過弊居先贈長句》等詩俱作於大和三年。《舊唐書·令狐楚傳》：「（大和三年）十一月，進位檢校右僕射、鄆州刺史、天平軍節度、鄆曹濮觀察等使。……（大和）六年二月，改太原尹、北都留守。」白氏《和令狐相公寄劉郎中見示長句》詩作於大和五年爲河南尹時。令狐楚《寄禮部劉郎中》詩云：「一別三年在上京，仙垣終日選群英。除書每下皆先看，唯有劉郎無姓名。」劉禹錫《酬令狐相公見寄》詩（《劉集》外三）云：「群玉山頭住四年，每聞笙鶴看諸仙。何時得把浮丘袂？白日將升第九天。」即酬《寄禮部劉郎中》一詩所作。時楚在天平節度使任上，禹錫則爲禮部郎中、集賢學士，覘詩意，楚以不能提挈禹錫踐歷樞要爲恨，禹錫仍以其再入秉政相期。白氏此詩所和，蓋即令狐楚寄禹錫之詩。白氏《送令狐相公赴太原》詩作於大和六年，劉禹錫有《和白侍郎送令狐相公鎮太原》（《劉集》外二）、《令狐相公自天平移鎮太原以詩申賀》（《劉集》外三）兩詩，俱爲同時之作。是時禹錫甫至蘇州，居易猶任河南尹，楚自鄆州移鎮，無緣相會。知唐人送行之詩，雖遙寄亦謂之送，不可泥也。令狐楚以父掾太原，有庭闈之戀。李說、嚴綬、鄭儋相繼鎮太原，高其行義，皆辟爲從事，自掌書記至節度判官（見《舊唐書·令狐楚傳》）。故白氏詩云「青衫書記何年去」，劉詩云「從事中郎舊路歸」。舊府僚來爲節帥，是楚生平得意之事，而白氏詩卻云：「北都莫作多時計，再爲蒼生入紫微。」劉詩亦云：「邊庭自此無烽火，擁節還來坐紫微。」則望其勿久於外鎮也。楚大和七年二月自太原尹、北都留守入爲吏部尚書，仍檢校右僕射。白氏大和七年作《早春醉吟寄太原令狐相公蘇州劉郎中》詩，楚仍在太原，劉禹錫《和樂天洛下醉吟寄太原令狐相公兼見懷長句》詩作於蘇州即係和居易之作。楚開成元年四月檢校左僕射、興元尹、充山南西道節度使，開成二年十一月卒於鎮。白氏《洛下閒居寄山南令狐相公》、《和令狐僕射小飲聽阮咸》兩詩均作於開成二年爲太子少傅分司時。白氏《和令狐僕射小飲聽阮咸》詩云：「掩抑復凄清，非琴不是箏。還彈樂府曲，別占阮家名。古調何人識？初聞滿座驚。落盤珠歷歷，搖珮玉錚錚。似勸杯中物，如含林下情。時移音律改，豈是昔時聲？」劉禹錫《和令狐相公南齋小宴聽阮咸》詩云：「陋巷久蕪沈，四弦有遺音。雅音發蘭室，遠思含竹林。座絕衆賓語，延移芳樹陰。飛觴助眞氣，寂聽無流心。影似白團扇，調諧朱弦琴。一毫不平意，幽怨古猶今。」劉白兩詩皆以阮咸非時世音。考阮咸乃樂音名。《新唐書》卷卷二〇〇《元澹傳》：「元澹字行沖，以字顯。……有人破古塚，得銅器，似琵琶，身正圓，人莫能辨。行沖曰：此阮咸所作器也。命易以木弦之，其聲亮雅，樂家遂謂之阮咸。」所記頗詳，可爲劉白詩之注解。白氏開成二年作《令狐相公與夢得交情素深眷予分亦不淺一聞薨逝相顧泫然旋有使來得前月未歿之前數日書及詩寄贈夢得哀吟悲嘆寄情於詩詩成示予感而繼和》，詩蓋現存《白集》中涉及令狐楚最後之作。《舊唐書·文宗紀》：「（開成二年十一月辛酉朔）丁丑（十七日），興元節度使令狐楚卒。」考禹錫《令狐楚集紀》（《劉集》卷十九）云：「開成二年十一月十二日薨於漢中官舍，享年七十。」與《舊紀》異。張采田《玉溪生年譜會箋》卷一云：「《紀》書十一月辛酉朔，則丁丑非十二日，疑誤，俟考。」張氏所考甚疏。岑仲勉《玉溪生年譜會箋平質》云：「按：此不誤也。唐實錄書法，於外臣之卒，率以報到日爲準，固因追書不便，尤與廢朝有關。據《通典》一七五，興元去西京，取駱谷道六百五十二里，快行五日可達。丁丑，十七日也。」

岑氏所考良是，則令狐之卒日，亦應以劉文所記爲正。令狐楚與皇甫鎛、蕭同年登進士第，鎛作相，荐楚入朝。在政治上爲李逢吉、李宗閔黨人，與李德裕黨對立。楚才思俊麗，長於章奏，早年爲德宗所知。李商隱從事令狐楚幕，遂以其道授商隱，自是始爲今體章奏。楚卒前一日，猶召商隱於枕上授草，足見其於玉溪眷戀之深。白氏集中雖無涉及商隱之作，然其身後墓碑乃商隱所作，宋人筆記又有「白樂天晚年極喜義山詩，云我死得爲爾子足矣。義山生子，遂以白老名之」之傳聞，若以居易與令狐楚之交誼而論，誠爲淵源有自矣。又按：白氏有《題令狐家木蘭花》詩（卷三一）云：「膩如玉指塗朱粉，光似金刀剪紫霞。從此時時春夢裡，應添一樹女郎花。」李商隱有《木蘭》及《木蘭花》兩詩，均係寓意令狐之作，可與白氏此詩相參證。

崔龜從

白氏《履信池櫻桃島上醉後走筆送別舒員外兼寄宗正李卿考功崔郎中》（卷二九）、《送考功崔郎中赴闕》（卷三一）、《池上送考功崔郎中兼別房竇二妓》（卷三一）、《病中辱崔宣城長句見寄兼有觥綺之贈因以四韻總而酬之》（卷三五）、《宣州崔大夫閣老忽以近詩數十首見示吟諷之下竊有所喜因成長句寄贈郡齋》（卷三五）等詩中之「考功崔郎中」、「崔宣城」、「宣州崔大夫閣老」均指崔龜從。城按：崔龜從，字玄告，清河人。元和十二年進士。《舊唐書》卷一七六、《新唐書》卷一六〇俱有傳。《舊唐書・

崔龜從傳》：「大和二年，改太常博士。……累轉考功郎中、史館修撰。九年，轉司勳郎中、知制誥。十二月，正拜中書舍人。開成初出爲華州刺史。三年三月，入爲戶部侍郎、判本司事。四年，權判吏部尚書詮事。」《舊傳》未詳其爲考功郎中之時間，白氏《覆信池櫻桃島上醉後走筆送別舒員外兼寄宗正李卿考功崔郎中》、《送考功崔郎中赴闕》、《池上送考功崔郎中兼別房竇二妓》三詩均作於大和七年，《履信池櫻桃島上醉後走筆送別舒員外兼寄宗正李卿考功崔郎中》詩作於是年秋末冬初，則龜從赴考功任必在是年秋前。龜從何年爲宣歙觀察使，《舊傳》及《新傳》俱漏書，《舊唐書·文宗紀》：「（開成四年三月癸酉）以戶部侍郎崔龜從爲宣歙觀察使代崔鄲，以鄲爲太常卿。」白氏《病中辱崔宣城長句見寄兼有觥綺之贈因以四韻總而酬之》、《宣州崔大夫閣老忽以近詩數十首見示吟諷之下竊有所喜因成長句寄贈郡齋》兩詩均作於開成五年，可證是年龜從仍在宣歙任，與《舊紀》合。龜從長慶元年賢良方正能言極諫科登科，時居易爲制策考官（見《登科記考》及岑仲勉《登科記考訂補》）。故白氏《病中辱崔宣城長句見寄兼有觥綺之贈因以四韻總而酬之》詩云：「劉楨病發經春卧，謝脁詩來盡日吟。三道舊夸收片玉，一章新喜獲雙金。信題霞綺緘情重，酒試銀觥表分深。科第門生滿霄漢，歲寒少得似君心。」並自注云：「「昔予考制策，崔君登科也。」又劉禹錫《酬宣州崔大夫見寄》詩云：「白衣曾拜漢尚書，今日恩光到敝廬。再入龍樓稱綺季，應緣狗監說相如。中郎南鎮權方重，內史高齋興有餘。遙想敬亭春欲暮，百花飛盡柳花初。」禹錫開成四年十三月自太子賓客分司改秘書監分司東都，則此詩爲開成四年酬龜從之作無疑。龜從居宣歙任歷時甚久，其自宣歙觀察使授嶺南節度使在會昌四年，見吳廷燮《唐方鎮年表考證》卷下。

陳岵

白氏大和三年作《詠家醞十韻》詩（卷二六）云：「舊法依稀傳自杜，新方要妙得於陳。」自注云：「陳郎中岵傳受此法。」城按：陳岵，字孝山，元和元年登達於吏理可使從政科。見《登科記考》卷十六。白氏《偶吟》詩（卷二七）云：「元氏詩三帙，陳家酒一瓶。」《池上篇序》（卷六九）云：「先是潁川陳孝山與釀酒法，味甚佳。」均指岵也。又陳岵寶曆二年九月自濠州刺史除太常少卿，後改少府監。見《唐會要》卷五六。《登科記考》疑陳岵即貞元九年登第與劉禹錫同年之陳祐，但與劉禹錫《贈同年陳長史員外》詩（《劉集》外八）中「推賢有愧韓安國」一語不合，顯非一人。

蘇弘

白氏《答蘇庶子》（卷二五）、《答蘇庶子月夜聞家僮奏樂見贈》（卷二七）、《答蘇六》（卷二七）等詩中之「蘇庶子」、「蘇六」均指蘇弘。城按：蘇弘，藍田人，蘇端之子，歷官不詳。《新唐書》卷一五九《盧坦傳》：「初劉辟婿蘇強坐誅，強兄弘官晉州，自免去，人莫敢用者。坦奏弘有才行，其弟從辟時，距三千里，宜不通謀，今坐廢，非用人意。因請署判官。帝曰：『使強不誅，尚錄其材，況彼兄耶！』」當即其人。白氏《答蘇庶子》詩作於大和元年奉使洛陽時，《答蘇庶子月夜聞家僮奏樂見贈》、《答蘇六》兩詩俱作於大和三年爲太子賓客分司東都時。其《會昌二年春題池西小樓》詩原注：「蘇庶子弘、李中丞道樞及陳、樊二妓，十餘年皆樓中歌酒中伴，或歿或散，獨予在焉。」李道樞開成四年三月卒於浙東觀察使任所，則蘇弘之逝亦必在開成間。又白氏長慶四年爲太子左庶子分司東都時所作《贈蘇少府》詩（卷八）云：「籍甚二十年，今日方款顏。相送嵩洛下，論心杯酒間。河亞懶出入，府僚多閑關。蒼髮彼此老，白日尋常閒。朝欲攜手出，暮思聯騎還。何當挈一榼，同宿龍門山。」此「蘇少府」疑亦蘇弘，果爾，則居易與蘇弘長慶末始訂交，與其《會昌二年春題池西小樓》詩注所謂「十餘年」之數亦相符。又白氏《贈蘇少府》詩云「河亞懶出入」，則「少府」當爲「少尹」之訛文。

杜錄事

白氏《和杜錄事題紅葉》（卷二七）、《天壇峰下贈杜錄事》（卷二七）詩中之「杜錄事」，名未詳。

城按：白氏《和杜錄事題紅葉》、《天壇峰下贈杜錄事》兩詩均作於大和六年。是年十月間，居易往濟源，遊王屋山，故《和杜錄事題紅葉》詩云：「寒山十月里，霜葉一時新。」時杜方修煉於王屋山天壇峰。《天壇峰下贈杜錄事》詩自注云：「時杜方煉伏火砂次。」考劉禹錫有《洛中春來送杜錄事赴蘄州》詩（《劉集》卷二八）云：「尊前花下長相見，明日忽爲千里人。君過午橋回首望，洛城猶自有殘春。」當即此人。據詩則杜必赴蘄州李播幕府者。李播赴蘄州任在開成三年春，見白氏《送蘄春李十九使君赴郡》詩（卷四三），則劉詩亦必係是年在東都作。又白氏《水堂醉卧問杜三十一》詩中之「杜三十一」，岑仲勉「唐人行第錄」謂「名未詳」。白氏此詩作於大和五年，時間相近，疑即此杜錄事，蓋岑氏所失考。

溫造

白氏《過溫尙書舊庄》詩（卷二七）中之「溫尙書」指溫造。城按：溫造字簡輿，河內人。幼嗜學，不喜試吏，隱居王屋，以漁釣逍遙爲事，德宗愛其才，召至京師。大和五年七月，檢校戶部尙書、東都留守。九月，改授河陽懷節度觀察等使。七年十一月，入爲御史大夫。見《舊唐書》卷一六五，《新唐書》卷九一本傳。白氏作此詩時，造方節度河陽，故詩云「碧幢紅旆照河陽」。白氏又有《溫造可起居舍人充鎭州四面宣慰使制》（卷四九）、《李肇可中散大夫郢州刺史王鎰朗州刺史溫肇可朝散大夫三人同制》（卷五〇），可以參證。劉禹錫有《美溫尙書鎭定興元以詩寄賀》詩（《劉集》卷二四），亦爲酬造之作，蓋作於大和四年造爲興元節度使時。又按：白氏詩云：「白石清泉抛濟口，碧幢紅旆照河陽。村人都不知時事，猶自呼爲處士庄。」據此，則溫造處士庄在濟源縣王屋山附近。《新唐書·溫造傳》云：「造字簡輿，不喜爲吏，隱王屋山，人號其居曰處士墅。」《清統志·河南府》謂溫處士庄在孟津縣，舊河清縣，疑誤。

龐嚴

白氏《病假中龐少尹攜魚酒相過》（卷二六）詩中之「龐少尹」指龐嚴。城按：《舊唐書》卷一六六、《新唐書》卷一〇四《龐嚴傳》均未載嚴歷少尹一職。考《新唐書》本傳云：「累遷駕部郎中、知制誥，坐累出，復入。稍遷太常少卿。太（大）和五年權京兆尹。」《舊唐書》本傳云：「嚴入爲庫部郎中，太（大）和二年二月上試制舉人，命嚴與左散騎常侍馮宿、太常少卿賈餗爲試官。……嚴再遷太常少卿。五年權知京兆尹。」《舊唐書·文宗紀》則謂嚴充制策考官在大和二年三月辛巳，與《舊傳》異。則嚴自庫部郎中遷太常少卿之間，或歷京兆少尹一職。及見賈島《賀龐少尹除太常少卿》詩（《全唐詩》卷五七四）云：「太白山前終日見，十旬假滿擬秋尋。中峰絕頂非無路，北闕除書阻入林。朝謁此時閒野屐，宿齋何處止鳴砧。省中石鐙陪隨步，唯賞煙霞不厭深。」此「龐少尹」即龐嚴，蓋可證予之推斷之不誣也。白氏此詩作於大和二年爲刑部侍郎時，詩云：「宦情牢落年將暮，病假聯綿日漸深。」可知居易是年歲暮已請百日長告病假。

高瑀　高郢

白氏《送徐州高僕射赴鎮》（卷二六）、《和高僕射罷節度讓尙書授少保分司喜遂遊山水之作》（卷三一）、《送陳許高僕射赴鎮》（卷三一）等詩中之「高僕射」均指高瑀。城按：高瑀，《舊唐書》卷一六二、《新唐書》卷一七一俱有傳。《舊唐書·文宗紀》：「（大和六年三月）辛酉，以前忠武軍節度使高瑀檢校右僕射、充武寧軍節度、徐泗濠觀察等使。」白氏《送徐州高僕射赴鎮》詩作於大和六年，時間正合。其《和高僕射罷節度讓尙書授少保分司喜遂遊山水之作》作於大和七年爲太子賓客分司時，《舊唐書·文宗紀》：「（大和七年六月）甲戌，以刑部尙書高瑀爲太子少保分司。……（八月戊申）以刑部尙書高瑀爲忠武軍節度使。」《舊紀》稱瑀自刑部尙書爲太子少保分司，與白詩相合。《舊唐書》本傳云：「以疾求分司，拜太子少傅。」《新唐書》本傳亦云：「六年，徙節武寧軍。以刑部尙書召，辭疾，拜太子少傅。」俱誤。又高瑀大和七年八月復自太子少保分司爲忠武軍節度使，《舊紀》稱瑀以刑部尙書爲忠武軍節度使，亦誤。

白氏《高僕射》（卷一）、《重到城絕句》之一《高相宅》（卷十五）兩詩中之「高僕射」、「高相」均指高郢。城按：高郢，《舊唐書》卷一四七、《新唐書》卷一六五俱有傳。貞元十六年，居易在中書舍人高郢門下進士及第。《舊唐書》卷一六六《白居易傳》：「二十七舉進士。貞元末，進士尙馳競，不尙文，就中六籍尤擯落，禮部尙書高郢始用經藝爲進退，樂天一舉擢上第。」白氏《與陳給事書》（卷四四）云：「今禮部高侍郎爲主司，則至公矣。……」郢元和五年九月自兵部尙書爲右僕射致仕。見《舊唐書·宣宗紀》。據此，則白氏《高僕射》詩當作於元和五年九月之後。郢貞元十九年守中書侍郎、同中書門下平章事，卒於元和六年七月。白氏《高相宅》詩作於元和十年，距高郢之逝已逾數載，然居易於師門猶備致眷戀之意，故詩云：「青苔故里懷恩地，白髮新生抱病身。涕淚雖多無哭處，永寧門館屬他人。」高郢宅在長安朱雀門街東第三街永寧坊，故曰「永寧門館」，蓋已屬諸他人矣。

李仍叔

白氏《履信池櫻桃島上醉後走筆送別舒員外兼寄宗正李卿考功崔郎中》（卷二九）、《洛陽春贈劉李二賓客》（卷二九）、《洛下雪中頻與劉李二賓客宴集因寄汴州李尙書》（卷三四）等詩中之「宗正李卿」、「李賓客」均指李仍叔。城按：李仍叔，字周美，元和五年進士登第。兩《唐書》俱無傳。《登科記考》卷十八引《前定錄》云：「（陳）彥博以元和五年崔樞侍郎及第。上三人李顧行、李仍叔。」《舊唐書·文宗紀》：「（大和八年七月）辛酉，定陵臺大雨，震東廊，廊下地裂一百三十尺。詔宗正卿李仍叔啓告修塞。……（十二月）己亥，以宗正卿李仍叔爲湖南觀察使。」《新唐書》卷七〇上《宗室世系表》蜀王房：「宗正卿李仍叔，字周美。初名章甫。」《郎官石柱題名考》卷九《考功郎中》有李仍叔名，在趙宗儒後二人。白氏《開成二年三月三日河南尹李侍價以人和歲稔將禊於洛濱》詩（卷三三）有「太子賓客李仍叔」，白氏《履信池櫻桃島上醉後走筆送別舒員外兼寄宗正李卿考功崔郎中》詩作於大和七年秋末，據《舊唐書·文宗紀》，蘇州刺史盧周仁爲湖南觀察使（城按：各本《舊唐書》均誤作「河南觀察使」，據吳廷燮《唐方鎮年表》改正）在大和九年八月，則仍叔罷歸爲太子賓客分司當在此時。《洛陽春贈劉李二賓客》詩作於開成二年，據《舊唐書·文宗紀》，劉禹錫罷同州刺史爲太子賓客分司在開成元年秋。李紳爲太子賓客分司在大和九年五月，開成元年六月自河南尹授宣武軍節度使。故知此詩中之「李賓客」決非李紳。《洛下雪中頻與劉李二賓客宴集因寄汴州李尚書》詩作於開成三年，可知是時仍叔仍爲太子賓客分司洛陽。白氏開成元年春作《春來頻與李二賓客郭外同遊因贈長句》詩（卷三三）中之「李二」當爲「李二十」之奪文。考李紳開成元年四月六日除河南尹（見《舊唐書·文宗紀》及李紳《拜三川守》詩序），是年春仍爲太子賓客分司，與白詩時間正合。岑仲勉《唐人行第錄》李二十仍叔條引此詩，謂「李二十賓客」爲李仍叔，疑非是。李仍叔此時在洛陽雖有與居易同遊之可能，惟此詩云：「我爲病叟誠宜退，君是才臣豈合賢？」與同時其他酬仍叔之詩語氣不合，故此詩乃以指李紳爲是（參見《中華文史論叢》一九七九年第一輯拙作《白氏長慶集人名箋證》）。白氏又有《櫻桃花下有感而作》詩（卷三六）云：「藹藹美周宅，櫻繁春日斜。」自注：「開成三年春季美周賓客南池者。」詩中「美周」當作「周美」。考劉禹錫有《和樂天宴李周美中丞宅池中賞櫻桃花》詩（《劉集》外四），陸心源《唐文續拾》卷五李仍叔小傳云：「仍叔，字周美，初名章甫，系出蜀王房，元和五年登第。歷官右補闕，水部郎中，宗正卿，湖南觀察使，太子賓客。」《新唐書·宗室世系表》亦稱「字周美」，均與劉詩合。《全唐詩》及各本《白集》俱誤作「美周」，應以《劉集》作「周美」爲正。又白氏《履信池櫻桃島上醉後走筆送別舒員外兼寄宗正李卿考功崔郎中》詩題中之「履信池」在洛陽履信坊李仍叔宅。《元河南志》卷一：「宅有櫻桃池，仍淑嘗與白居易、劉禹錫會其上。」則「仍淑」當作「仍叔」。《唐兩京城坊考》亦誤引作「仍淑」。

尉遲汾

白氏《城東閒行因題尉遲司業水閣》（卷二三）、《答尉遲少監水閣重宴》（卷二五）、《答尉遲少尹問所須》（卷二七）等詩中之「尉遲司業」、「尉遲少監」、「尉遲少尹」均指尉遲汾。城按：尉遲汾，兩《唐書》俱無傳。白氏《城東閒行因題尉遲司業水閣》詩作於寶曆元年，此時尉遲汾當爲國子司業。《答尉遲少監水閣重宴》詩云：「人情依舊歲華新，今日重招往日賓。雞黍重回千里駕，林園暗換四年春。水軒平寫琉璃鏡，草岸斜鋪翡翠茵。聞道經營費心力，忍教成後屬他人。」寶曆元年至大和二年重宴，故云「林園暗換四年春」。至大和三年作《答尉遲少尹問所須》詩云：「乍到頻勞問所須，所須非玉亦非珠。愛君水閣宜閒詠，每有詩成許去無！」則汾已爲河南少尹。《全唐文》卷七二一尉遲汾小傳謂汾官太常博士，祠部員外郎。輯有遲汾《贈太傅杜佑謚議》。《全唐詩》卷八八七有尉遲汾《府尹王侍郎准制拜岳因狀嵩高靈勝寄呈三十韻》詩。《舊唐書》卷一七一《張仲方傳》：「吉甫卒，入爲度支郎中。時太常定吉甫謚爲『恭懿』，博士尉遲汾請爲『敬宣』。仲方駁議曰……」《唐會要》卷八〇：「初，太常博士柳應規謚（杜）佑『忠簡』，博士尉遲汾又議曰……請謚爲『安簡』。」李吉甫卒於元和九年，杜佑卒於元和七年，則汾官太常博士當在此前後，其爲祠部員外郎必在太常博士之後。《郎官石柱題名考》卷二二祠部員外郎有汾名，並引石刻尉遲汾《府尹王侍郎准制拜岳因狀嵩高靈勝寄呈三十韻》詩結銜爲「朝散大夫守衛少卿尉遲汾，河南登封，大和三年」。考此石雖刻於大和三年，詩則作於大和三年前，蓋河南尹王璠於大和二年十月入爲尚書右丞，見《舊唐書》卷一六九《王璠傳》。又據白氏大和三年所作之《答尉遲少尹問所須》詩推測，汾或於是年自衛尉少卿遷河南少尹也。又劉禹錫《尉遲郎中見示自南遷牽復卻至洛城東舊居之作因以和之》詩（《劉禹錫集》卷二四）中之「尉遲郎中」，疑亦同一人，俟考。又姚合《寄題尉遲少卿郊居》詩（《全唐詩》卷四九九）云：「卿仕在關東，林居思不窮。」此「尉遲少卿」亦指尉遲汾，視詩意亦方仕於東都也。

胡證

白氏《廣府胡尚書頻寄詩因答絕句》詩（卷二六）中之「廣府胡尚書」指嶺南節度使胡證。城按：證，字啓中，河東人。登進士第。由侍御史歷左司員外郎，長安縣令，戶部郎中。寶曆初，拜戶部尚書、判度支。二年十一月，檢校兵部尚書、廣州刺史、充嶺節度使。大和二年，以疾上表求還京師，是歲十月卒於嶺南。見《舊唐書》卷一六三、《新唐書》卷一六四本傳、《舊唐書·敬宗紀》、《郎官考》卷十一。韓愈有《奉酬振武胡十二丈大夫》詩，亦酬胡證之作。廣州爲嶺南五府經略使治所，故又稱廣府。證豪俠多膂力，《太平廣記》卷一九五引《摭言》云：「唐尚書胡證質狀魁偉，膂力絕人。與晉公裴度同年，常狎遊，爲兩軍力人十許輩凌轢，勢甚危窘。度潛遣一介，求救於證。證衣皂貂金帶，突門而入，諸力士睨之失色。證飲後到酒，一舉三鐘，不啻數升，杯盤無餘瀝。逡巡，主人上燈。證起，取鐵燈臺，摘去枝葉而合其跗，橫置膝上，謂衆人曰：『鄙夫請非次改令，凡三鍾引滿，一遍三臺，酒須盡，仍不得有滴瀝，犯令者一鐵躋（原注：自謂燈臺）。』證復一舉三鐘。次及一角觝者，三臺三遍，酒未能盡，淋漓殆至並座。證舉躋將擊之，衆惡皆起設拜，叩頭乞命，呼爲神人。證曰：『鼠輩敢爾，乞今赦汝破命。』叱之令出。」裴度，貞元五年登進士第，據《摭言》所記，證亦貞元五年進士。此事《新傳》亦載之，當採自《摭言》。考唐人狎遊受窘事亦習見不鮮，如李白《敘舊贈江陽宰陸調》詩云：「我昔鬥雞徒，連延五陵豪。邀遮相組織，呵嚇來煎熬。君開萬叢人，鞍馬皆辟易。告急請宣臺，脫余北門厄。」蓋陸調嘗脫李白北門之厄，亦胡證之流亞，可與《摭言》相參證。白氏《廣府胡尚書頻寄詩因答絕句》詩作於大和二年爲刑部侍郎時，據《舊傳》、《舊紀》則必作於是年十月以前。又胡證事跡亦見於葉奕苞《金石錄補》卷十九《唐李諒跋胡證詩》云：「右汝州刺史李諒《跋胡證少室詩》云：『寶曆二年冬，公自戶部尚書、判度支，推轂受脤，出鎮交廣，麾旌過汝，言訪舊題。諒易公所濡翰之戶部尙書判度支則未嘗辭也。史家之言，可盡信乎！」據此則可糾正《舊傳》之誤。附考於此。

極，琢於石而志之。』按《證傳》：寶曆初以戶部尙書、判度支，證固辭讓，拜嶺南節度使。觀此跋，自

崔杞

白氏《送袞州崔大夫駙馬赴鎭》（卷三二）詩中之「崔大夫駙馬」爲崔杞。城按：崔杞，兩《唐書》俱無傳。白氏此詩作於大和八年。《舊唐書·文宗紀》云：「（大和八年三月）丙子，以右丞李固言爲華州刺史代崔戎，以戎爲兗海觀察使。……（六月）庚子，兗海觀察使崔戎卒。……戊申，以將作監駙馬都尉崔杞爲兗海沂密觀察使。」可知崔杞即崔戎之後任。馮浩《樊南文集詳注》誤以白氏此詩所指爲崔戎，張採田已辨其非是，其所撰之《玉谿生年譜會箋》卷一云：「杞以駙馬都尉代崔戎鎭兗海，香山所送者必即此人。馮氏疑爲崔戎，蓋未見此《（舊）紀》文耳。」張氏所考與劉師培同，或偶合耳。劉氏《左盦集》卷八《樊南文集詳注書後》云：「桐鄉馮浩《樊南文集詳注》於唐代史乘征引靡遺，惟樊南《爲安平公謝除兗海觀察使表》注補云：『《白香山後集·送兗州崔大夫駙馬赴鎭》：戚里誇爲賢駙馬，儒家認作好詩人。魯侯不得辜風景，沂水年年有暮春。按此詩年時姓地皆可相合，則崔大夫頗疑即是崔戎，但駙馬之稱，本集中不一叙及。《舊書》旣無可徵，《新書·公主表》亦無此下嫁之主，白公只此一絕，更無他篇居證。』按：馮所疑非是。《新唐書·本紀》：『太（大）和八年三月，以

崔戎爲兗海觀察使。』沈氏《新唐書方鎭表考證》云：『太（大）和八年廢沂海節度使爲觀察使，崔戎拜，尋卒，崔杞代。』崔戎、崔杞均鎭沂海，《李集》所言乃崔戎也，《白集》所言乃崔杞也。《新唐書·公主傳》云：『順宗女東陽公主始封信安郡主，下嫁崔杞。此杞爲駙馬之證。《新唐書·宰相世系表》云：『崔戎字可大，兗海觀察使，安平縣公。駙馬都尉。』此崔戎封安平之證，惟《表》不載杞鎭沂海，則《新書》之疏。又考《世系表》崔姓世系，則杞戎同出博陵，杞係二房，戎係大房，皆爲崔懿之後。以行輩推之，戎於杞爲族曾孫，特出鎭沂海則戎先而杞後，惜乎馮氏未諳也。

王彥威

白氏《路逢靑州王大夫赴鎭立馬贈別》（卷三三）、《天寒晚起引酌詠懷寄許州王尙書汝洲李常侍》（卷三四）等詩中之「王大夫」、「王尙書」均指王彥威。城按：王彥威，《舊唐書》卷一五七、《新唐書》卷一六四俱有傳。劉禹錫《唐故監察御史贈尙書右僕射王公（俊）神道碑銘》（《劉集》外九）云：「季子彥威，字子美。……以直諫出爲河南少尹，入爲少府監，司農卿，改淄靑節度使。……出爲衛卿分司東都。尋起爲陳許節度使。……」《舊唐書》卷一五七本傳云：「李宗閔重之，旣秉政，授靑州刺史兼御史大夫、充平盧節度使、淄靑等觀察使。」《舊唐書·文宗紀》：「（大和九年二月）甲申（九日），以司農卿王彥威兼御史大夫、充平盧軍節度使。」白氏《路逢靑州王大夫赴鎭立馬贈別》詩作於大和九年春自洛陽至下邽途中，則知彥威赴鎮必在是年二月末或三月初，中途與居易相遇也。《路逢青州王大夫赴鎮立馬贈別》詩自注云：「前年春，予爲河南尹，王爲少尹。」居易大和七年四月二十五日以病免河南尹，可證是年彥威爲河南少尹，乃自諫議大夫左授也。彥威開成三年七月代殷侑爲忠武軍節度使。見《舊唐詩》本傳，《舊紀》同。白氏《天寒晚起引酌詠懷寄許州王尚書汝州李常侍》詩作於開成三年，此詩自注云：「櫻桃花時，數與許汝二君歡會甚樂。」可證是年七月前彥威仍爲衛尉卿分司東都。劉禹錫有《和陳許王尚書酬白少傅侍郎長句因通簡汝洛陽遊之什》（《劉集》外六）亦係同時之作，時禹錫方以太子賓客分司東都。又按：據《舊傳》，李宗閔秉政，授彥威平盧軍節度使。開成三年，楊嗣復、李鈺爲相，彥威復自衛尉卿分司爲忠武軍節度使，嗣復、鈺皆李宗閔之黨，則彥威必附宗閔之黨者。

皇甫曙

白氏《池上清晨候皇甫郎中》（卷二九）、《和皇甫郎中秋曉同登天宮閣言懷六韻》（卷二九）、《雪中晏起偶詠所懷兼呈張常侍韋庶子皇甫郎中》（卷三〇）、《藍田劉明府攜酎相遇與皇甫郎中卯時同飲醉後贈之》（卷三一）、《玩半開花贈皇甫郎中》（卷三一）、《對晚開夜合花贈皇甫郎中》（卷三一）、《五月齋戒罷宴徹樂聞韋賓客皇甫郎中飲會亦稀又知欲攜酒饌出齋先以長句呈謝》（卷三二）、《龍門送別皇甫澤州赴任韋山人南遊》（卷三二）、《酒熟憶皇甫十》（卷三二）、《初冬月夜得皇甫澤州手札並詩數篇因遣報書偶題長句》（卷三三）、《冬夜對酒寄皇甫十》（卷三三）、《早春持齋答皇甫十見贈》（卷三四）、《閑吟偶贈皇甫郎中親家翁》（卷三四）、《酬皇甫十早春對雪見贈》（卷三四）、《詠懷寄皇甫朗之》（卷三四）、《問皇甫十》（卷三四）、《病中詩》之十四《歲暮呈思黯相公皇甫朗之及夢得尙書》（卷三五）、《皇甫郎中親家翁赴任絳州宴送出城贈別》（卷三五）、《春晚詠懷贈皇甫朗之》（卷三五）、《閑居偶吟招鄭庶子皇甫郎中》（卷三六）、《出齋日喜皇甫十早訪》（卷三六）、《攜酒往朗之庄居同飲》（卷三六）、《初冬即事憶皇甫十》（汪本補遺卷上）、《戲酬皇甫十再勸酒》（花房英樹《白氏文集の批判的研究》引管見抄《白氏文集》）等詩中之「皇甫郎中」、「皇甫十郎中」、「皇甫澤州」、「皇甫十」、「皇甫郎中親家翁」、「皇甫朗之」、「朗之」均指皇甫曙。城按：皇甫曙，字朗之，白居易之親家翁。歷河南少尹、澤州刺史、絳州刺史等官。《唐詩紀事》卷五二云：「曙元和十一年中書舍人李逢吉下登第、逢吉所擢多寒素，時有詩曰：『元和天子丙申年，三十三人同得仙。袍似爛銀文似錦，相將白日上青天。』是歲高澥第一人，劉端夫、劉行方、周匡物、廖有方輩皆預選。寶曆間崔從鎭淮南，曙爲行軍司馬。」則曙爲元和十一年進士。考崔從大和四年三月授淮南節度使代段文昌，見《舊唐書·文宗紀》，《唐詩紀事》誤爲寶曆間。《全唐詩》卷四九〇皇甫曙小傳亦承《唐詩紀事》之誤。《藍田劉明府攜酎相遇與皇甫郎中卯時同飲醉後贈之》詩作於大和七年，《池上淸晨候皇甫郎中》、《雪中晏起偶詠所懷兼呈張常侍韋庶子皇甫郎中》、《玩半開花贈皇甫郎中》、《對晚開夜合花贈皇甫郎中》、《酬皇甫郎中對新菊花見憶》、《答皇甫十郎中秋深酒熟見憶》等詩均作於大和八年，是時曙蓋以郎中分司東都。白氏大和九年作《龍門送別皇甫澤州赴任韋山人南遊》詩云：「隼旟歸洛知何日？鶴駕還嵩莫過春。惆悵香山雲水冷，明朝便是獨遊人。」《酒熟憶皇甫十》詩云：「新酒此時熟，故人何日來？自從金谷別，不見玉山頹。疏索柳花碗，寂寥荷葉杯。今冬問毡帳，雪裏爲誰開？」白氏《和皇甫郎中秋曉同登天宮閣言懷六韻》亦作於大和九年，則曙赴澤州任在大和九年秋。陸心源《唐文續拾》卷五輯錄皇甫曙《金剛經幢記》文後題曰：「開成元年歲次丙辰五月七日建，澤州刺史皇甫曙記。」《唐文續拾》皇甫曙小傳亦云：「曙元和十一年登第，寶曆間崔從鎭淮南，辟行軍司馬，開成中澤州刺史。」《唐文續拾》所載曙「開成中澤州刺史」之語，與白詩相證時間相合，惟云「寶曆間崔從鎭淮南」，誤與《唐詩紀事》同。《初冬月夜得皇甫澤州手札並詩數篇因遣報書偶題長句》詩作於開成元年冬，《冬夜對酒寄皇甫十》詩作於開成二年冬，可知曙開成二年冬猶在澤州。其自澤州刺史遷河南少尹約在開成三年。《早春持齋答皇甫十見贈》、《酬皇甫十早春對雪見贈》等詩均作於開成三年，《病中詩》之十四《歲暮呈思黯相公皇甫朗之及夢得尚書》等詩均作於開成四年，俱爲皇甫曙是時在洛陽之證。至開成五年，曙復自河南少尹除絳州刺史。白氏開成五年作《皇甫郎中親家翁赴任絳州宴送出城贈別》詩云：「慕賢入室交先定，結援通家好復成。新歸不嫌貧活計，嬌孫同慰老心情。洛橋歌酒今朝散，絳路風煙幾日行？欲識離群相戀意，爲君扶病出都城。」劉禹錫亦有《送河南皇甫少尹赴絳州》詩云：「祖帳臨周道，前旌指晉城。午橋群吏散，亥字老人迎。詩酒同行樂，別離方見情。從兹洛陽社，吟詠久書生。」《皇甫郎中親家翁赴任絳州宴送出城贈別》詩之編次在《白集》中《春暖》、《殘春晚起伴客笑談》兩詩之前，則曙之赴絳州必在五年春間。白氏此詩云：「新婦不嫌貧活計，嬌孫同慰老心情。」又白氏開成二年作《閑贈贈皇甫郎中親家翁》詩原注云：「新與皇甫結姻。」則兩家結親當在開成二年。居易無子，詩中「新婦」蓋指皇甫曙之女，即白行簡之子龜郎之妻。後白氏有《閑居偶吟招鄭庶子皇甫郎中》、《攜酒往朗之庄居同飲》等詩均作於會昌二年，此時曙當已罷絳州任返洛陽，其終年未詳。白氏《醉吟先生傳》（卷七〇）云：「與嵩山僧如滿爲空門友，平泉客韋楚爲山水友，彭城劉夢得爲詩友，安定皇甫朗之爲酒友。每一相見，欣然忘歸。」此文作於開成三年，曙方爲河南少尹居洛陽，可知曙乃居易晚年之密友。綜觀白氏集中晚年酬贈皇甫曙之詩約二十餘首，僅次於酬贈劉禹錫者，足證兩人交誼之深，不止於姻親也。

韋長　王智興

白氏大和九年作《偶吟》詩（卷三二）云：「韋荊南去留春服，王侍中來乞酒錢。」城按：「韋荊南」爲韋長。《舊唐書·文宗紀》：「（大和七年八月）戊申，以京兆尹韋長兼御史大夫。……（開成三年正月）丁丑，以前荊南節度使韋長爲河南尹。」吳廷燮《唐方鎮年表》據以繫韋長節度荊南在大和八年。又《舊唐書》卷一六九《賈餗傳》云：「（大和）八年十一月，遷京兆尹。」則賈餗當係韋長之後任。然據白氏此詩，則韋長之赴荊南似在大和九年春。又此詩中之「王侍中」爲王智興。大和初，以平李同捷有功，進位侍中。見《舊唐書》卷一七二本傳。《舊唐書·文宗紀》：「（大和九年五月）癸酉，以河中節度使王智興爲宣武軍節度使，依前守太傅、兼侍中。」此詩必智興赴汴州任過洛時所作。又據《舊唐書·文宗紀》，開成元年七月智興卒於汴州在所，繼其任者爲李紳。

韋縝

白氏《雪中晏起偶詠所懷兼呈張常侍韋庶子皇甫郎中》（卷三〇）、《二月一日作贈韋七庶子》（卷三〇）、《初夏閑吟呈韋賓客》（卷三二）《和韋庶子遠坊赴宴未夜先歸之作兼呈裴員外》（卷三二）、《五月齋戒罷宴徹樂聞韋賓客王智興飲會亦稀又知欲攜酒饌出齋先以長句呈謝》（卷三二）、《韋七自太子賓客再除祕書監以長句賀而餞之》（卷三二）等詩中之「韋庶子」、「韋七庶子」、「韋賓客」、「韋七」均指韋縝。城按：韋縝，兩《唐書》俱無傳。陸增祥《金石續編》有《韋夫人王氏墓志》，哀子前鄉貢進士縝撰並書，即其人也。白氏《雪中晏起偶詠所懷兼呈張常侍韋庶子皇甫郎中》、《和韋庶子遠坊赴宴未夜先歸之作兼呈裴員外》二詩均作於大和八年，《二月一日作贈韋七庶子》詩作於大和九年二月，可知大和九年二月縝仍爲太子庶子分司。《五月齋戒罷宴徹樂聞韋賓客王智興飲會亦稀又知欲攜酒饌出齋先以長句呈謝》、《初夏閑吟兼呈韋賓客》兩詩均作於大和九年。《初夏閑吟兼呈韋賓客》詩云：「孟夏清和月，東都閑散官。」則縝自庶子除太子賓客分司約在大和九年春。《舊唐書·文宗紀》：「（大和九年八月）戊寅，以祕書監鄭覃爲刑部尚書。……（開成元年正月）丁未，以祕書監韋縝爲工部尚書。」白氏《韋七自太子賓客再除祕書監以長句賀而餞之》詩作於大和九年，題下自注云：「往年嘗與予同爲祕監。」詩云：「落星石上蒼苔古，畫鶴廳前白露寒。」其再爲祕書監當在是年秋無疑。考韋縝亦兩除太子賓客：其一在大和九年春爲秘書監之前，其一在開成初官工部尚書之後。劉禹錫《傷韋賓客縝》（《劉集》卷三〇）詩自注云：「自工部尚書除賓客。」可證。白氏《初夏閒吟兼呈韋賓客》詩，花房英樹《白氏文集の批判的研究》誤繫於大和八年，蓋此時縝尚未爲太子賓客也。《全唐詩》卷五〇一姚合《和裴令公遊南庄憶白二十韋七二賓客》詩中之「韋七賓客」亦指韋縝，「白二十」指居易，當爲「白二十二」之訛文。又白氏《吟四雖》（卷二九）詩云「年雖老，猶少於韋長史」，自注云：「分司同官中，韋長史績年七十餘。」韋績生平無考，或縝之昆仲行也。劉禹錫《傷韋賓客縝》詩云：「韋公八十餘，位至六尚書。」則縝之卒當在開成末也。

李　鈺

白氏《惜春贈李尹》（卷三三）、《開成二年三月三日河南尹李待價以人和歲稔將禊於洛濱……》（卷三三）詩中之「李尹」、「李待價」均指李鈺。城按：白氏此二詩均作於開成二年。李鈺，字待價，《舊唐書》卷一七三、《新唐書》卷一八二俱有傳。《舊唐書·文宗紀》：「（開成元年四月己卯）以江州刺史李鈺爲太子賓客分司。」未載鈺之除尹。《舊唐書》卷一七三本傳云：「開成元年四月，以太子賓客分司東都，遷河南尹。」《新唐書》卷一八二本傳云：「及李宗閔以罪去，鈺爲申辯，貶江州刺史。徙河南尹，復爲戶部侍郎。」亦未詳鈺爲尹之年月。又《舊唐書·文宗紀》：「（開成二年三月）戊子，以河南尹李鈺爲戶部侍郎。」考李紳自河南尹授宣武軍節度使在開成元年六月，則鈺必爲紳之後任。又白氏《春盡日天津橋醉吟偶呈李尹侍郎》詩作於開成元年。此「李尹侍郎」爲河南尹李紳。《舊唐書·文宗紀》：「（開成元年）夏四月庚午朔，以河南尹鄭澣爲左丞，以太子賓客分司東都李紳爲河南尹。……六月戊戌朔，癸亥，以河南尹李紳檢校禮部尚書、汴州刺史、充宣武軍節度使。」《舊唐書》卷一七三《李紳傳》：「開成初，鄭覃輔政，起德裕爲浙西觀察使，紳爲河南尹。」《新唐書》卷一八一《李紳傳》：「開成初，鄭覃以紳爲河南尹。河南多惡少，或危帽散衣，擊大球，尸官道，車馬不敢前。紳治剛嚴，皆望風遁去。」《全唐詩》卷四八二李紳《拜三川守詩序》：「開成元年三月二十五日蒙恩除河南尹，四月六日詔下洛陽。」白氏《春盡日天津橋醉吟偶呈李尹侍郎》詩云：「初晴迎早夏，落日送殘春。」則必作於開成元年五月以前，李鈺除河南尹在開成元年六月，必非此詩所指之「李尹」。又按：李鈺爲牛僧孺、李宗閔之黨。《舊唐書》本傳云：「大和五年，李宗閔、牛僧孺爲相，與鈺親厚，改度支郎中、知制誥，遂入翰林充學士。七年三月，正拜中書舍人。九年五月，轉戶部侍郎充職。七月，宗閔得罪，鈺坐累出爲江州刺史。開成元年四月，以太子賓客分司東都，遷河南尹。……三年，楊嗣復輔政，荐鈺以本官同平章事。」武宗即位以嗣復、鈺黨於安王、陳王，俱貶。劉禹錫與李鈺政見異趣，其集中有

《奉送李戶部侍郎自河南尹再除本官歸闕》詩，似爲一般酬應之作。

徐晦　郭求

白氏《吟四雖》詩（卷二九）云：「眼雖病，猶明於徐郎中。家雖貧，猶富於郭庶子。」自注云：「分司同官中，韋長史績年七十餘，郭庶子求貧苦最甚，徐郎中晦因疾喪明。」城按：徐晦，字大章，貞元十八年進士擢第。歷殿中侍御史，尚書郎，中書舍人。大和五年爲太子賓客分司東都。晚年因嗜酒太過喪明。卒於開成二年。見《舊唐書》卷一六五本傳，《登科記考》卷十五。又劉禹錫《寄唐州楊八歸厚》詩自注云：「時徐晦、楊嗣復二舍人與唐州俱同年及第。」《大唐傳載》云：「徐尚書晦、沈吏部傳師，徐公嗜酒，沈公喜餐。楊東川嗣復嘗云：『徐家肺，沈家脾，眞安穩耶！』」白氏《吟四雖》詩作於大和八年，可知是時晦已喪明。又按：郭求，兩《唐書》無傳。京兆人。元和二年賢良方正能言極諫科及第，自藍田尉、史館修撰充翰林學士。大和五年自太子左庶子貶爲婺王府司馬。《元和姓纂》十九鐸：「司農郎中懷州刺史郭齊宗曾孫求，校書郎，京兆人。」《唐摭言》卷二《府元落》：「郭求（元和九年）。」《重修承旨學士壁記》：「郭求，元和十一年十一月六日自藍田尉、史館修撰充。八月，遷左拾遺。十一月八日，出守本官。」勞格《讀書雜識》卷六云：「案《壁記》年月有誤。」故岑仲勉《翰林學士壁記注補》據以考訂謂「此處之『十一年』殆『九年』之誤，而下文『八月』之上殆奪『十年』二字」，其說甚是。又《新唐書》卷一六九《韋貫之傳》：「故罷爲吏部侍郎，於是翰林學士、左拾遺郭求上疏申理，詔兔求學士，出貫之爲湖南觀察使。」據《舊唐書·宣宗紀》，貫之元和十一年八月任寅（九日）罷爲吏部侍郎，九月丙子（十四日），再貶湖南。則郭求罷學士必在是年八九月間。又《舊唐書·文宗紀》：「（大和五年）九月丙申朔，甲辰，貶太子左庶子郭求爲婺王府司馬，以其心疾與同寮忿競也。」則白氏大和八年作此詩時，求蓋已罷太子左庶子職。

裴潾

白氏《偶以拙詩數首寄呈裴少尹侍郎蒙以盛制四篇一時酬和重投長句美而謝之》（卷三〇）、《裴常侍以題薔薇架十八韻見示因廣爲三十韻以和之》（卷三一）、《與裴華州同遇敷水戲贈》（汪本補遺卷上）等詩中之「裴少尹侍郎」、「裴常侍」、「裴華州」均指裴潾。城按：裴潾，河東人，以門蔭入仕。《舊唐書》卷一七一、《新唐書》卷一一八俱有傳。《裴常侍以題薔薇架大八韻見示因廣爲三十韻以和之》詩作於大和七年。《舊唐書》卷一七一本傳云：「大和四年，出爲汝州刺史、兼御史中丞，賜紫。坐違法杖殺人，貶左庶子分司東都。七年，遷左散騎常侍、充集賢殿學士。」與白氏此詩相證，時間正合。大和八年十二月，潾自刑部侍郎出爲華州刺史。《舊唐書·文宗紀》：「（大和八年十二月己亥）以（李）翺爲刑部侍郎代裴潾，以潾爲華州鎮國軍潼關防禦使。」白氏《與裴華州同遇敷水戲贈》詩作於大和九年春自洛陽赴下邽途中。開成元年潾自華州刺史轉兵部侍郎。其爲河南尹在開成二年三月。《舊唐書·文宗紀》：「（開成二年三月壬辰）以兵部侍郎裴潾爲河南尹。」白氏《偶以拙詩數首寄呈裴少尹侍郎蒙以盛制四篇一時酬和重投長句美而謝之》詩云：「高興獨因秋日盡，清吟多與好風俱。」則此詩必作於開成二年秋，潾已除河南尹無疑。考《文饒別集》卷一〇裴潾《題平泉山居詩後》云：「開成二年，有（城按：《全唐詩》卷五〇七無「有」字，當係「春」字之誤）潾自兵部侍郎除河南尹，乃於河南廨中自書於石，立於平泉之山居。開成二年九月二十五日，河南尹裴潾題。」據此則裴潾開成二年官河南尹，非少尹，白氏題作「裴少尹」當係「裴大尹」之衍文。劉禹錫有《裴侍郎大尹雪中遺酒一壺兼示喜眼疾平一絕有閒行把酒之句斐然仰酬》（《劉集》外六）、《和河南裴尹侍郎宿齋天平寺詣九龍祠祈雨二十韻》（《全唐詩》卷三五五），兩詩俱作於開成二年，亦係酬潾之作。又按：此與白氏《江西裴常侍以優禮見待又蒙贈詩輒叙鄙誠用伸感謝》（卷十七）、《初除官蒙裴常侍贈鶻銜瑞草緋袍魚袋因謝惠貺兼抒離情》（卷十七）兩詩中之「裴常侍」顯非一人，蓋兩詩中所指乃裴堪，卒於寶曆元年閏七月，見《舊唐書·敬宗紀》。花房英樹《白氏文集の批判的研究》以爲一人，誤。

沈傳師　沈述師

白氏《與沈楊二舍人閣老同食敕賜櫻桃玩物感恩因成十四韻》（卷十九）、《醉送李協律赴湖南辟命因寄沈八中丞》（卷二〇）詩中之「沈舍人閣老」、「沈八中丞」均指沈傳師。城按：沈傳師，《舊唐書》卷一四九、《新唐書》卷一三二俱有傳。丁居晦《重修承旨學士壁記》：「沈傳師，……長慶元年二月二十四日遷中書舍人。二月十九日出守本官、判史館事。」岑仲勉《翰林學士壁記注補》謂「二月十九日」上奪「二年」兩字，是也。白氏《與沈楊二舍人閣老同食敕賜櫻桃玩物感恩因成十四韻》作於長慶二年，則此時傳師已出守本官。其出爲湖南觀察使在長慶三年六月，《舊唐書·穆宗紀》：「（長慶三年）六月，宰相監修國史杜元穎奏史官沈傳師除鎮湖南。」白氏《醉送李協律赴湖南辟命因寄沈八中丞》詩必作於長慶三年六月以後。又《全唐詩》卷四八〇李紳《趨翰苑遭誣構四十六韻》原注云：「沈八侍郎、武十五侍郎、元九相公、龐嚴京兆、蔣防舍人皆爲塵世。」「沈八侍郎」亦指傳師。又按：白氏《晚春欲攜酒尋沈四著作先以六韻寄之》詩作於開成二年，「沈四著作」乃傳師之弟述師，見《元和姓纂》。《全唐詩》卷五二一杜牧《張好好詩序》云：「牧太（大）和三年佐故吏部沈公江西幕，好好年十三，始以善歌來樂籍中。後一歲，公移鎮宣城，復置好好於宣城籍中。後二歲，爲沈著作述師以雙鬟納之。後二歲，於洛陽東城重睹好好，感舊傷懷，故題詩贈之。」考傳師大和二年十月自尚書右丞出爲江西觀察使，大和四年九月自江西觀察使遷宣歙觀察使，大和七年四月自宣歙觀察使除吏部侍郎，卒於大和九年。見《舊唐書·文宗紀》、岑仲勉《元和姓纂四校記》。與牧序相證，時間俱合。《舊唐書·沈傳師傳》謂傳師卒於大和元年，誤。據以上考證，知傳師行八，《全唐詩》卷四九三沈亞之《題海榴樹呈八叔大人》詩中之「八叔大人」亦指傳師，與白詩中「沈四著作」之行序不合，岑仲勉

《唐人行第錄》謂「四」係「十四」之奪文，其說是也。

李播

白氏《送蘄春李十九使君赴郡》（卷三四）、《寄李蘄州》（卷三四）、《對酒有懷寄李十九郎中》（卷三五）詩中之「李十九使君」、「李蘄州」、「李十九郎中」均指李播。城按：白氏《送蘄春李十九使君赴郡》、《寄李蘄州》兩詩均作於開成三年。岑仲勉《唐人行第錄》李十九條云：「名待考。……《語林》二有吳郡守李穰，不知是此人否？」岑氏所考非是。《唐詩紀事》卷四七李播條云：「登元和進士第，以郎中典蘄州。」《全唐詩話》卷三：「播以郎中典蘄州，有李生攜詩謁之，播曰：『此吾未第時行卷也。』」《全唐文》卷七七二有李商隱《爲汝南（城按：錢振倫《補編》云應作濮陽）公與蘄州李郎中狀》，張采田《玉溪生年譜會箋》卷二繫於開成五年庚申，可知李播赴蘄州任在開成五年之前，與白氏此詩時間相合。錢大昕《十駕齋養新錄》卷十二云：「元和間詩人李播，起家進士，官郎中，蘄州刺史，見《唐詩紀事》。」錢氏亦未考及此即白詩中之「李十九使君」。劉禹錫《送蘄州李郎中赴任》（《劉集》卷二八），亦爲同時酬播之作。又杜牧《樊川文集》卷九《唐故進士龔軺墓志》「會昌五年十二月，某自秋浦守桐廬，路由錢塘，龔軺袖詩以進士名來謁，時刺史趙郡李播曰：……」同集卷一〇《杭州新造南亭子記》：「趙郡李子烈播，立朝名人也，自尙書比部郎中出爲錢塘。」則播字子烈，系出趙郡，會昌五年（據勞格《杭州刺史考》）爲杭州刺史。《樊川外集》有《寄李播評事》、《許秀才至辱李蘄州絕句問斷酒之情因寄》詩均係酬播之作。又按：白氏《對酒有懷寄李十九郎中》詩作於會昌元年，此時播或已罷蘄州任入爲尚書比部郎中，再以尚書比部郎中出爲杭州刺史也。又按：蘄州舊爲蘄春郡，唐時所轄有蘄春縣，以產笛及竹席馳名天下。《方輿勝覽》覽四九《蘄州》：「土產蘄席。」《施注蘇詩》卷二三引《蘄春地志》：「蘄水縣，漢蘄春地也。宋永嘉中立浠水縣。唐改爲蘭溪縣，又改曰蘄水。蘭溪源出苦竹山，笛竹生羅田縣山中，蘄竹亦生於此，用以爲簟。」白氏《寄李蘄州》詩云：「笛愁春盡梅花裡，簟冷秋生薤葉中。」自注云：「蘄州出好笛并薤葉簟。」又白氏《寄蘄州簟與元九因題六韻》詩（卷十六）云：「笛竹出蘄春，霜刀劈翠筠。織成雙人簟，寄與獨眠人。卷作筒中信，舒爲席上珍。滑如鋪薤葉，冷似臥龍鱗。清潤宜乘露，鮮華不受塵。通州炎瘴地，此物最關身。」此詩狀蘄州簟之特色極工，誠爲風土地志之珍貴資料。此外唐人詠蘄州笛簟之詩頗夥，如韓愈《鄭群贈簟歌》云：蘄州笛竹天下知，鄭君所寶尤瑰奇，攜來當晝不得臥，一府爭看黃琉璃。」則蘄簟之爲當時人所珍貴可以想見。劉禹錫《武昌老人說笛歌》云：「往年鎮戍到蘄州，楚山蕭蕭笛竹秋。當時買材恣搜索，典卻身上烏貂裘。古苔蒼蒼封老節，石山孤生飽風雪。商聲五音隨指發，水中龍應行雲絕。……」俱可與白氏之詩相印證。又按：白氏《對酒有懷寄李十九郎中》詩「吟君舊句情難忘，風月何時是盡時」二句自注云：「李君嘗有《悼故妓》詩云：『直應人世無風月，恰是心中忘卻時。』今故云。」此二句《全唐詩》李播下亦未見輯錄，蓋未悉李十九郎中即播也。其書卷四九一錄有李播《見志》云：

「去歲買琴不與價，今年沽酒未還錢。門前債主雁行立，屋裡醉人魚貫眠。」卷七七三有李播《見美人聞琴不聽》云：「洛浦風流雪，陽臺朝暮雲。聞琴不肯聽，似妒卓文君。」

于季友

白氏《寄明州于駙馬使君三絕句》詩（卷三二）中之「明州于駙馬使君」爲于季友。城按：季友爲于頔第四子（此據《舊傳》，《新傳》作于頔第二子），尚憲宗長女永昌公主。附見《舊唐書》卷一五六、《新唐書》卷一七二《于頔傳》。白氏又有《同諸客題于家公主舊宅》詩作於大和七年，詩云：「聞道至今蕭史在，髭鬚雪白向明州。」則此時季友已爲明州刺史。《寄明州于駙馬使君三絕句》之二云：「平陽音樂隨都尉，留滯三年在浙東。」知此詩最早作於大和八年。據《新唐書》卷八三《諸公主傳》，永昌公主卒於元和間。《文苑英華》亦載《同諸客題于家公主舊宅》詩，惟詩中「明州」誤作「韶州」。《文苑英華辨證》卷九云：「白居易《題于家公主舊宅詩》『……髭鬚皓白向韶州』。按：于家公主，憲宗之女永昌公主，下嫁于頔之子季友，……居易所題舊宅在洛中，……其後有《寄明州于駙馬使君》詩『留滯三年在浙東』，又有『近海饒風』、『海味腥咸』之語，皆指明州也。檢《唐史·于頔傳》，不書季友終於何官？而《宰相世系表》，季友絳、宋等州刺史，不及明州，蓋省文也。今《文苑》乃作『韶州』，誤指季友爲于琮，遂改作『韶州』，不可不辯。」汪立名云：「《英華》作『韶』，是誤以于季友爲于琮也。琮尙宣宗廣德公主在大中十三年，相去更遠矣。」汪氏亦承《辨證》之說，而彭叔夏誤引作周益公。岑仲勉《唐集質疑》於明州條亦云：「余按『皓』，《白集》作『雪』，白前詩收《白集》六四，後詩收六五，皆大和三年居易分司東都後所作，今《育王寺碑後記》末，題『大和七年十二月一日明州刺史于季友記』（《萃編》一〇八），時代正合，更足爲彭說之確證。《萃編》疑季友是否同人，《平津續記》言《新表》不載，則未知南宋人早經論定也。」岑氏之說可補彭汪兩氏之不足，然謂此兩詩俱大和三年後作則仍有未諦，蓋前詩七年作，後詩則八年春作也。《寄明州于駙馬使君三絕句》之三云：「何郎小妓歌喉好，嚴老呼爲一串珠。」自注云：「嚴尙書與于駙馬詩云：『莫損歌喉一串珠。』」此嚴尙書爲嚴休復。《舊唐書·文宗紀》：「（大和七年十二月）丁未（二十五日），以河南尹嚴休復檢校禮部尙書、充平盧軍節度淄青登萊棣觀察等使。」時間相合。《舊唐書·文宗紀》又云：「（大和九年六月）壬辰，詔以銀青光祿大夫守中書侍郎同平章事、襄武縣開國侯、食邑一千戶李宗閔貶明州刺史。」則季友或於是年遷官離明州。《明統志》卷四六《寧波府》：「于季友，大和中明州刺史，於州城西南四十里築仲夏堰，溉田至數千頃。」則其在郡亦能興修水利也。又白氏元和二年爲盩厔尉時所作《春送盧秀才下第遊大原謁嚴尙書》詩（卷十三）云：「墨客投何處，並州舊翰林。」此《嚴尙書》乃嚴綬。綬貞元末檢校工部尙書兼太原尹、北都留守、充河東節度使。在鎭九年，元和四年，入拜尙書右僕射。見《舊唐書》卷一四六本傳。考元稹《嚴綬行狀》、《舊唐書》卷一四六、《新唐書》卷一二九本傳，綬元和前除一度召充刑部員外郎，皆任外職。唐代嚴姓曾充翰林者亦僅有晚唐嚴祁，故白氏此詩所云

「並州舊翰林者」，乃通常藻飾之辭耳。詳岑仲勉《翰林學士壁記注補》附《並元至咸通間翰林學士辨疑》考證。

盧貞 盧真

白氏《會昌元年春五絕句》之三《盧尹賀夢得會中作》（卷三五）、《李盧二中丞各創山居俱夸勝絕，然去城稍遠來往頗勞弊居新泉實在宇下偶題十五韻聊戲二君》（卷三六）、《宴後題府中水堂贈盧尹中丞》（卷三六）、《歲暮夜長病中燈下聞盧尹夜宴以詩戲之且爲來日張本也》（卷三六）詩中之「盧尹」、「盧中丞」、「盧尹中丞」均指河南尹盧貞。城按：《會昌元年春五絕句》之三《盧尹賀夢得會中作》、《李盧二中丞各創山居俱夸勝絕，然去城稍遠來往頗勞弊居新泉實在宇下偶題十五韻聊戲二君》詩作於會昌元年，《宴後題府中水堂贈盧尹中丞》、《歲暮夜長病中燈下聞盧尹夜宴以詩戲之且爲來日張本也》作於會昌二年。張采田《玉溪生年譜會箋》卷二會昌四年甲子七月：「（陳直齋）又曰：『盧貞爲尹在會昌四年七月。』當有所本，故編是年，容再詳考。《唐詩紀事》：『貞字子蒙，會昌五年爲河南尹。』本集《賀上尊號表》在五年正月，而云：『臣幸丁昌遠，方守洛京。』則貞尹河南必在前，陳說似可據。香山七老會又有一盧眞，字亦作『貞』，前侍御史內供奉官，年八十三，與此盧貞非一人也。」考今本陳直齋《白文公年譜》無「盧貞爲尹在會昌四年七月」語，張氏謂貞尹河南必在會昌五年前，然未引證白氏酬盧貞諸詩，所考亦疏。又吳廷燮《唐方鎮年表考證》卷下云：「按《白集》會昌四年□月有河南尹盧貞。《樊南文集》有《爲盧尹賀上尊號表》（會昌五年正月上尊號），此貞會昌四年以前爲嶺南之證。」據白氏之詩，則盧貞會昌元年已爲河南尹。其爲嶺南節度最早在會昌五年春之後，《唐方鎮年表考證》謂在會昌四年前，蓋誤。白氏《宴後題府中水堂贈盧尹中丞》詩云：「從我到君十一尹。」十一尹者，《陳譜》會昌二年壬戌云：「前已見七尹外，有高銖、孫簡、盧貞並公爲十一人。」考《舊唐書·文宗紀》：「（開成四年七月）壬寅，以河南尹韋長爲平盧軍節度使，以刑部侍郎高錯（城按：據《舊傳》錯當作銖）爲河南尹。」孫簡除河南尹之年月，不見《舊紀》，惟《新唐書》卷二〇二《孫逖傳》云：「（簡）會昌初遷尚書左丞。」今以白詩考之，盧貞當爲孫簡之後任，簡自河南尹遷尚書左丞亦在會昌元年春，與《新傳》所叙時間相合。白詩所云十一尹者，即白居易、嚴休復、王質、鄭澣、李紳、李鈺、裴潾、韋長、高銖、孫簡、盧貞十一人也。又按：白氏會昌元年作《覽盧子蒙侍御舊詩多與微之唱和感今傷昔因贈子蒙題於卷後》詩（卷三六）云：「早聞元九詠君詩，恨與盧君相識遲。今日逢君開舊卷，卷中多道贈微之。相看掩淚情難說，別有傷心事豈知？聞道咸陽墳上樹，已抽三丈白楊枝。」則此盧貞爲元稹早年之摯友，會昌初方官侍御史內供奉，《元稹集》中如《初寒夜寄盧子蒙》、《城外回謝子蒙見諭》等詩屢及之，亦即白氏《七老會詩》（卷三七）中所記之「前侍御史內供奉盧貞，今年八十三」，與「河南尹盧貞」顯非一人。《唐詩紀事》卷四九《盧貞》云：「盧貞，字子蒙，會昌五年爲河南尹。」大誤。《全唐詩》卷四六三盧貞小傳亦誤兩盧貞一人。白氏《七老會詩》作於會昌五年三月二十一日，詩後稱「時秘書監狄兼謨、河南尹盧貞以年未七十，雖與會而不及到」，此盧貞會昌五年春猶尹河南之證。又《新唐書》卷一一五《狄仁傑傳》云：「武宗子峴封爲益王，命兼謨爲傅，俄領天平節度使。辭疾，以秘書監歸洛陽。遷東都留守，卒。」考武宗會昌二年十月封子峴爲益王，見《新唐書·武宗紀》。《唐方鎮年表》卷三繫兼謨爲天平節度在會昌三年及四年，則以秘書監歸洛陽在會昌四年以後，與白氏詩時間相合。又白詩中「前侍御史內供奉官範陽盧貞」，馬元調本、汪立名本、《全唐詩》俱作「盧眞」，《新唐書·白居易傳》云：「嘗與胡杲、吉旼、鄭據、劉眞、盧貞、張渾、狄兼謨、盧貞讌集，皆高年不事者，人慕之，繪爲《九老圖》。」則《新傳》「貞」亦作「眞」。考《易·蒙》云：「利貞。」孔疏：「貞，正也。言蒙之爲義，利以養正。故彖云：蒙以養正，乃聖功也。」疑「子蒙」二字與「貞」字有關。故「盧眞」當作「盧貞」，《新傳》、馬本、汪本、《全唐詩》俱非。又《新唐書·白居易傳》謂狄兼謨及河南尹盧貞預居易《九老圖》之列，亦誤。《甌北詩話》卷四云：「香山《九老圖》故事，《新唐書》謂居易與胡杲、吉旼、鄭據、劉眞、盧貞、張渾、狄兼謨、盧貞讌集，皆高年不事者。人慕之，繪爲《九老圖》。此未考《香山集》也。其自序《七老會詩》謂胡、吉、劉、鄭、盧、張六賢皆多年壽，余亦次焉。在履道坊合成尚齒之會，七老相顧，以爲希有，各賦七言六韻一章以紀之，時會昌五年三月二十一日也。秘書監狄兼謨，河南尹盧眞（城按：眞當作貞）以年未七十，雖與會而不及列。後序又云：其年夏，又有二老李元爽、僧如滿，年貌絕倫，亦來斯會，續命書姓名年齒，寫其形貌，附於圖右，與前七老題爲《九老圖》，是七老內無狄、盧二人，增元爽、如滿爲九老也。……宋元豐五年，文潞公以太尉留守西京，時富韓公以司徒致仕，公慕白氏天九老會，乃集洛中卿大夫年德高者，爲耆英會，就資聖院建大廈曰耆英堂，閩人鄭奐繪像堂中。時富公年七十九，潞公與司封郎中席汝言皆七十九，朝議大夫王尙恭七十六，太常少卿趙丙、秘書監劉凡、衛州防禦使馮行已七十五，天章閣待制楚建中、朝議大夫王愼言皆七十二，大中大夫張問、龍圖閣直學士張燾皆七十。時宣徽使王拱宸留守北京，貽書願與斯會，年七十一。獨司馬溫公年未七十，潞公素重其人，用唐九老狄兼謨故事，請入會，見朱子《名臣言行錄》。」甌北據白詩糾《新唐書》之繆，其說良是，而所錄《名臣言行錄》載唐九老狄兼謨故事，復存而不辨，何自相矛盾若此耶！

石雄

白氏《河陽石尙書破回鶻迎貴主過上黨射鷺鷥繪畫爲圖猥蒙見示稱嘆不足以詩美之》詩（卷三七）中之「河陽石尙書」爲河陽節度使石雄。《舊唐書》卷一六一《石雄傳》：「會昌初，回鶻寇天德，詔命劉沔爲招撫回鶻使。三年，回鶻大掠雲朔北邊，牙於五原。沔以太原之師屯於雲州。沔謂雄曰：『黠虜離散，不足驅除，國家以公主之故，不欲急攻。今觀其所爲，氣凌我輩，若稟朝旨，或恐依違，我輩捍邊，但能除患，專之可也。公可選驍健，乘其不意，徑趨虜帳，彼以疾雷之勢，不暇枝梧，必棄公主亡竄，事苟不捷，吾自繼進，亦無患也。』雄受教，自選勁騎，得沙陀李國昌三部落兼契苾、拓拔雜虜三千騎，月暗，夜發馬邑，徑趨烏介之牙。時虜帳逼振武，雄既入城，登堞視其衆寡，見氈車數十，後者皆衣朱碧，類華人服飾。雄令諜者訊之：『此何大人？』虜曰：『此公主帳也。』雄喻其人曰：『國家兵馬欲取可汗，公主至此，家國也。須謀歸路，俟兵合時不得動帳幕。』雄乃大率城內牛馬雜畜，鼓噪從之，直犯烏介牙帳。炬火燭天，鼓噪動地，可汗惶駭莫測，率騎而奔。雄率勁騎追至殺胡山，急擊之，斬首萬級，生擒五千，羊馬車帳皆委之而去，遂迎公主還太原，以功加左散騎常侍、豐州刺史、兼御史大夫、天德防禦等使。……俄而昭義劉從諫卒，其子稹擅主軍務，朝議問罪。令徐師李彥佐爲潞府西南面招撫使，以晉州刺史李丕爲副。時王宰在萬善柵，劉沔在石會，相顧未進。雄受代之翌日，越烏嶺，破賊五砦，斬獲千計。武宗聞捷大悅，謂侍臣曰：『今之義而有勇，罕有雄之比者。』雄既率先破賊，不旬日，王宰收天井關，何弘敬、王元逵亦收磁、洛等郡。先是潞州狂人折腰於市，謂人曰：『雄七千人至矣。』劉從諫捕而誅之。及稹危蹙，大將郭誼密款請斬稹歸朝，軍中疑其詐。雄倡言曰：『賊稹之叛，郭誼爲謀主，今請斬稹即誼自謀，又何疑焉！』武宗亦以狂人之言，詔雄以七千兵受降，雄即徑馳潞州降誼，盡擒其黨與。賊平，進加檢校司空。」《新唐書》卷一七一本傳略同。考雄充河陽節度使在會昌四年十二月。《新唐書》本傳云：「雄以七千人徑薄潞受誼降，進檢校兵部尚書，徙河陽。」《通鑑》卷二四八武宗會昌四年：「（十二月）河中節度使石雄爲河陽節度使。」則白氏之詩必作於會昌五年春。花房英樹《白氏文集の批判的研究》繫此詩於會昌三年，後其《白居易研究》附《白居易年譜》又繫此詩於會昌四年，俱非是。

李德裕

白氏《奉和李大夫題新詩二首各六韻》（卷二〇）、《小童薛陽陶吹觱篥歌》（題下自注：「和浙西李大夫作。」）（卷二一）詩中之「李大夫」均指李德裕。城按：李德裕，《舊唐書》卷一七四，《新唐書》卷一八〇俱有傳。德裕，吉甫之子。初，吉甫在相位時，牛僧孺，李宗閔應制舉直言極諫科。二人對詔，深詆時政之失，吉甫泣訴於上前。由是，考策官皆貶。元和初，用兵伐叛，始於杜黃裳誅蜀。吉甫經畫，欲定兩河，方欲出師而卒，繼之元衡、裴度。而韋貫之、李逢吉沮議，深以用兵爲非，而韋李相次罷相，故逢吉常怒吉甫、裴度。而德裕於元和時，久之不調，而逢吉、僧孺、宗閔以私怨排擯之。至是，李逢吉間帝暗庸，訹度使與元稹相怨，奪其宰相而已代之。欲引牛僧孺益樹黨，乃出李德裕爲浙西觀察使。俄而僧孺入相，由是牛、李之憾結矣。李德裕自御史中丞出爲浙西觀察使在長慶二年九月，《舊唐書·穆宗紀》：「（長慶二年）九月，御史中丞李德裕爲潤州刺史、兼御史大夫、浙江西道都團練觀察處置等使，以代竇易直。」又《舊唐書·文宗紀》：「（大和三年七月）乙巳，以禮部尚書、翰林侍講學士丁公著檢校戶部尚書、兼潤州刺史、充浙江西道觀察使。以前浙西觀察使、檢校禮部尚書李德裕爲兵部侍郎。」故德裕爲李逢吉、李宗閔所擯，居浙西達八年之久。白氏《奉和李大夫題新詩二首各六韻》詩作於長慶三年爲杭州刺史時，李德裕已出爲浙西觀察使，其所作之原詩已佚。

《小童薛陽陶吹觱篥歌》亦係和德裕之作，劉禹錫有《和浙西李大夫霜夜對月聽小童吹觱篥歌依和本韻》（《劉禹錫集》外七），元稹亦均有和篇，已佚。德裕原詩今已不全，《全唐詩》卷四七五存有逸句云：「君不見秋山寂歷風飆歇，半夜青崖吐明月。寒光乍出松篠間，萬籟蕭蕭從此發。忽聞歌管吟朔風，精魂想在幽巖中。」此四人中，惟居易接近牛僧孺黨，與德裕之政見有異，若元稹、劉禹錫則與德裕素分至深，今觀白詩專就陽陶之言，未及德裕一字，不心許之意，可以想見。孫光憲《北夢瑣言》云：「白少傅居易，文章冠世，不躋大位。先是，劉禹錫大和中爲賓客時，李太尉德裕，同分司東都，禹錫謁於德裕曰：『近曾得白居易文集否？』德裕曰：『累有相示，别令收貯，然未一披，今日爲吾子覽之。』及取看，盈其箱笥，沒其塵坌，既啓之而復卷之。謂禹錫曰：『吾於此人，不足久矣。其文章精絕，何必覽焉？但恐回吾之心。』其見抑也如此。衣冠之士並皆忌之，咸曰：有學士才，非宰臣器。識者於其答制中見經綸之用，爲時所排，此賈誼在漢文之朝，不爲卿相知，人皆惜之。葆光子曰：李衛公之抑忌白少傅，舉類而知也。初，文宗命德裕論朝中朋黨，首以楊虞卿，牛僧孺爲言，楊、牛，即白公密友也。其不引翼，義在於斯，非抑文章也。虜其朋比而掣肘也。」錢易《南部新書》乙集則易以劉三復云：「白傅與贊皇不協，白每有所寄文章，李緘之一篋，未嘗開。劉三復或請之，曰：『見詞翰，則回吾心矣。』」考李德裕大和九年四月丙戌自浙西觀察使爲太子賓客分司東都。庚子貶袁州長史。開成元年三月壬寅移任滁州刺史。七月壬午，爲太子賓客。十一月庚辰，檢校戶部尚書、充浙西觀察使。劉禹錫大和九年十月乙未，自汝州刺史移任同州刺史。開成元年秋，爲太子賓客分司東都。俱見

《舊唐書·文宗紀》。可知兩人在大和間無「同分司東都」之可能。《北夢瑣言》所記蓋誤。劉三復在德裕幕府多年，且與居易素無關係，德裕或有向其流露對居易不滿之可能。然居易偕德裕政見之異轍，則於兩書證之益顯。白氏《小童薛陽陶吹觱篥歌》亦係集中描繪音樂之傑構。故何義門論此篇云：「贊皇公每得居士詩，閟之篋中，此篇亦其藏，恐開視回心之一邪？」（北京圖書館藏失名臨何焯校一隅草堂刊本《白香山詩集》）何氏之言，洵不誣也。又馮翊《桂苑叢談》云：「咸通中，丞相姑臧公拜端揆日，自大梁移鎮淮海。……以其郡無勝遊之地，且風亭月榭既已荒涼，花圃釣臺未愜深旨。一朝命於戲馬亭西連玉勾斜道，開辟池沼，構葺亭臺。揮斤既畢，萃其所芳。春九旬，都人士女得以遊觀。一且聞浙右小校薛陽陶監押度支運米入城。公喜其姓同曩日朱崖左右者，遂令詢之，果是其人矣。公愈喜，似獲古物。乃命衙庭小將代押，留止別館。一日公召陶同遊，問及往日蘆管之事。陶因獻朱崖，陸暢、元、白所撰歌一曲，公亦喜之。即於茲亭奏之，其管絕微，每於一觱篥中常容三管也。聲如天際自然而來，情恩寬閒。公大佳賞之，亦贈其詩，不記終篇。其發端云：『虛心纖質雁銜餘，鳳吹龍吟定不知。』於是賜賚甚豐，出其二子，皆授牢盆倅職。初公構池亭畢未有名，因名賞心。」《桂苑叢談》所記可爲白詩注腳，亦我國唐代音樂史之珍貴資料。所謂「丞相姑臧公」，蓋指咸通中之淮南節度使李蔚，其祖上公，元和初爲陝虢觀察使，宜其備諳德裕在時之事。又《全唐詩》卷五一一張祜《聽薛陽陶吹蘆管》詩：「紫清人下薛陽陶，末曲新笳調更高。」卷六六五羅隱《薛陽陶觱篥歌》詩「平泉上相東征日，曾爲陽陶歌觱篥。吳江太守會稽侯，相次三篇皆俊逸，」句自注云：「平泉爲李德裕，曾作

《薛陽陶觱篥歌》。蘇州刺史白居易，越州刺史元稹並有和篇。」羅氏之作，堪稱詩史，而未及劉禹錫和作（《全唐詩》卷四二三）。考元稹《奉和浙西大夫李德裕述夢四十韻大夫本題言贈於夢中詩賦以寄一二僚友故今所和者亦止述翰宛舊遊而已次本韻》自注云：「近蒙大夫寄《觱篥歌》，酬和才畢，此篇續至。」可知劉詩《和浙西李大夫霜夜對月聽小童吹觱篥歌依韻》與《浙西李大夫述夢四十韻並浙東元相公酬和斐然繼聲》俱係寶曆二年在和州刺史任所作。白氏《小童薛陽陶吹觱篥歌》云：「近來吹者誰得名？關璀老死李兗生。兗今又老誰其嗣？薛氏樂童年十二。」李兗之事跡見於《國史補》卷下云：「李兗善歌，初於江外，而名動京師。崔昭入朝，密載而至。乃邀賓客，請第一部樂及京邑之名倡，以爲盛會。紿言表弟，請登末坐，令兗弊衣以出，合坐嗤笑。頃命酒。昭曰：『欲請表弟歌。』坐中又笑，及轉喉一發，樂人皆大驚曰：『此必李八郎也。』遂羅拜階下。」據此，則李兗除善歌外，亦當時觱篥名手，惜《樂府雜錄》等書俱未載其生平，幸賴白氏此詩以傳。又按：白氏《李德裕相公貶崖州三首》詩云：「樂天嘗任蘇州日，要勒須教用禮儀。從此結成千萬恨，今朝更中白家詩。」「昨夜新生黃雀兒，飛來直上紫藤枝。擺頭撼腦花園裡，將爲春光總屬伊。」「閒園不解栽桃李，滿地唯聞種蒺藜。萬里崖州君自去，臨行惆悵欲怨誰？」此三首詩見那波本卷二〇，各本俱未載。考李德裕罷相後貶潮州司馬在大中元年七月（《新唐書·宣宗紀》謂在大中元年十二月），至大中三年九月，復貶崖州司戶參軍（《舊唐書》卷一七四《李德裕傳》謂大中二年冬再貶崖州），見《舊唐書·宣宗紀》。居易卒於會昌六年八月，德裕貶時，白氏已逝，故此三詩爲僞作無疑。

張聿

白氏《歲暮枉衢州張使君書並詩因以長句報之》詩（卷二〇）云：「西州彼此意何如？官職蹉跎歲欲除。浮石潭邊停五馬，望濤樓上得雙魚。萬言舊手才難敵，五字新題思有餘。貧薄詩家無好物，反投桃李報瓊琚。」此「衢州張使君」即張聿。城按：張聿，《舊唐書》、《新唐書》均無傳。貞元二十年九月，自秘書省正字允翰林學士。元和二年出守本官。歷湖州長史及都水使者等職。長慶初自工部員外郎出爲衢州刺史。見白氏《張聿可衢州史制》（卷四八）、《張聿都水使者制》（卷五五）、丁居晦《重修承旨學士壁記》。元稹《永福寺石壁法華經記》云：「其輸錢之貴者若……衢州刺史張聿。」又據《嚴州圖經》卷一，聿寶曆間自屯田郎中拜睦州刺史，當在刺衢州後。聿又嘗爲華亭令。《清異錄》卷一：「張聿宰華亭，治政凜然，凡有府使賦外之需，直榜立門，民感其誠，指爲赤心榜。」又白氏此詩自注云：「張曾萬言登科。」《登科記考》卷十九長慶三年日試萬言張□條云：「張涉登萬言科在天寶時，德宗朝已放歸田里，不應至長慶中爲衢州刺史，蓋張使君於是年登科也。」據白氏《張聿可衢州刺史制》，張聿，長慶二年七月前已爲衢州刺史，不應三年始應萬言登科。徐氏所考蓋誤。

郭行餘

白氏《贈楚州郭使君》（卷二五）、《和郭使君題枸杞》（卷二五）兩詩中之「郭使君」均指郭行餘。

城按：行餘爲甘露事變之重要人物。《舊唐書》卷一六九、《新唐書》卷一七九俱有傳。《舊唐書·郭行餘傳》：「大和初，累官至楚州刺史。五年，移刺汝州，兼御史中丞。九月（城按：當爲九年之訛文），入爲大理卿。李訓在東都時，與行餘親善，行餘數相餉遺，是用爲九列。十一月，訓欲竊發，令其募兵，乃授邠寧節度使。訓敗族誅。」白氏《贈楚州郭使君》、《和郭使君題枸杞》二詩俱作於寶曆二年歲暮，據此，則行餘寶曆間已爲楚州刺史，《舊傳》所記「大和初累官至楚州刺史」，誤。又《全唐文》卷七二九郭行餘小傳云：「元和時第進士，累權京兆尹，大和初遷楚州刺史。」亦係承襲《舊傳》之誤。劉禹錫有《罷郡歸洛途次山陽留辭郭中丞使君》詩（《劉禹錫集》外一）中之「郭中丞使君」亦爲郭行餘。白氏《和郭使君題枸杞》詩云：「山陽太守政嚴明，吏靜人安無犬驚。不知靈藥根成狗，怪得時聞吠夜聲。」劉禹錫有《楚州開元寺北院枸杞臨井繁茂可觀群賢賦詩因以繼和》詩云：「僧房藥樹依寒井，井有香泉樹有靈。翠黛葉生籠石甃，殷紅子熟照銅瓶。枝繁本是仙人杖，根老新成瑞犬形。上品功能甘露味，遙知一勺可延齡。」考劉詩「根老新成瑞犬形」中之「犬」字，結廬本誤作「木」，今證白詩，《四部叢刊》影印崇蘭室本《劉禹錫集》及《文苑英華》俱作「犬」字是。又蘇軾《和陶詩》云：

「苓龜亦晨吸，杞狗或夜吠。耘樵得甘芳，齕嚙謝炮製。」可爲白、劉兩家詩之續作。

白居易交遊三考

徐凝 李善白

白氏《期宿客不至》詩（卷二七）云：「風飄雨灑簾帷故，竹映松遮燈火深。宿客不來嫌冷落，一樽酒對一張琴。」此詩狀冷落之情景極工，故《唐宋詩醇》卷二六云：「唐人七絕每著意前半，此詩上二句字字用意，已寫透冷落光景，下二句一拍自合。」可謂至評。詩中之宿客乃指詩人徐凝。徐凝有《和侍郎邀宿不至》詩（《全唐詩》卷四七四）云：「蟾蜍有色門應鎖，街鼓無聲夜自深。料得白家詩思苦，一篇詩了一彈琴。」即此篇之和作。徐凝，兩《唐書》俱無傳。《唐才子傳》卷六：「凝，睦州人。元和間有詩名，方干師事之。與施肩吾同里閈，日親聲調，無進取之意，交眷悉激勉，始遊長安。不忍自衒鬻，竟不成名。將歸，以詩辭韓吏部云：『一生所遇惟元白，天下無人重布衣。欲別朱門淚先盡，白頭遊子白身歸。』知者憐之。遂歸舊隱，潛心詩酒，人間榮耀，徐山人不復貯齒頰中也。老病且貧，意泊無惱，優悠自終。集一卷，今傳。」據此，則徐凝以布衣終。《唐詩紀事》謂「凝官至侍郎」，《全唐詩》卷四七四徐凝小傳謂凝「元和中官至侍郎」，俱誤。徐凝有《寄白司馬》詩（《全唐詩》卷四七四）云：「三條九陌花時節，萬戶千條看牡丹。爭遣江州白司馬，五年風景憶長安。」居易元和十年貶江州司馬，詩云「五年風景憶長安」，可知爲元和十四年所寄，二人此時已有交往。白氏長慶三年爲杭州刺史時所作《戲題木蘭花》詩（卷二〇）云：「紫房日照燕脂拆，素艷風吹膩粉開。怪得獨饒脂粉態，木蘭曾作女郎來。」徐凝《和白使君木蘭花》詩（《全唐詩》卷四七四）云：「枝枝轉勢雕弓動，片片搖光玉劍斜。見說木蘭征戍女，不知那作酒邊花。」亦作於同時，爲徐凝與居易在杭州相酬唱之證。《雲溪友議》云：「白居易初爲杭州刺史，令訪牡丹花。獨開元寺僧惠澄近於京師得之，始植於庭，闌圍甚密，他處未之有也。時春景方深，惠澄設油幕以覆其上，牡丹自此東越分而種之矣。會稽徐凝自富春來，未識白公，而先題詩曰：『此花南地知難種，慚愧僧門用意栽。海燕解憐頻睥睨，胡蜂未識更徘徊。虛生芍藥徒勞妬，羞殺玫瑰不敢開。唯有數苞紅幞在，含芳只待舍人來。』白尋到寺看花，乃命徐生同醉而歸。時張祜榜舟而至，甚若疏誕，然張、徐二生未之習稔，各希首荐焉。白曰：『二君論文，若廉、白之鬥鼠穴，勝負在於一戰也。』遂試『長劍倚天外』賦、『餘霞散成綺』詩，試訖解送，以凝爲元，祜次之。……自又以祜《宮詞》四句之中皆數對，何足奇乎？不如徐生云：『今古長如白練飛，一條界破青山色。』祜嘆曰：『榮辱糾紛，亦何常也。』遂行歌而邁，凝亦鼓枻而歸。自是二生終生偃仰，不隨鄉試矣。」《唐詩紀事》卷五二及《詩話總龜·志氣門》錄《古今詩話》一則，與

《雲溪友議》略同，俱誤爲徐凝長慶時始識白居易，其所記之事，未必可信，然亦不失爲徐凝在杭州與居易交往之旁證。徐凝自江南至洛陽，約爲大和四年，白氏大和三年作《王子晉廟》詩（卷二八）云：「子晉廟前山月明，人間往往夜吹笙。鸞吟鳳唱聽無拍，多似霓裳散序聲。」大和四年作《夜題玉泉寺》詩（那波本卷五七）云：「遇客多言愛山水，逢僧盡道厭囂塵。玉泉潭畔松間宿，要且經年無一人。」上述之《期宿客不至》詩，亦作於大和四年。此數年間，徐凝與居易酬唱之作有《和夜題玉泉等》（《全唐詩》卷四七四，下同）云：「歲歲雲山玉泉寺，年年車馬洛陽塵。風清月冷水邊宿，詩好官高能幾人？」《和秋遊洛陽》云：「洛陽自古多才子，唯愛春風爛漫遊。今到白家詩句出，無人不詠洛陽秋。」《侍郎宅泛池》云：「蓮子花邊回竹岸，雞頭葉上蕩蘭舟。誰知洛北朱門裡，便到江南綠水遊。」惟《和川守侍郎緱山題仙廟》一詩則最早當作於居易大和四年十二月二十八日除河南尹後。詩云：「王子緱山石殿明，白家詩句詠吹笙。安知散席人間曲，不是寥天鶴上聲？」據詩意則必爲居易《王子晉廟》詩之和作無疑。徐凝約於大和末自洛陽返睦州，其《自鄂渚至河南將歸江外留辭侍郎》云：「一生所遇唯元白，天下無人重布衣。欲到朱門淚先盡，白頭遊子白身歸。」考韓愈卒於長慶四年十二月，元稹大和四年正月自尚書左丞除武昌軍節度使，視詩意及前引凝與居易酬唱諸詩，則凝必先赴鄂州元稹處再至洛陽，其所留辭之「侍郎」亦必爲白居易無疑，《唐才子傳》謂係留辭韓愈之詩，蓋誤。岑仲勉《讀全唐詩札記》謂此詩「侍郎」上應補「韓」字，亦承《唐才子傳》之誤。徐凝自洛陽歸睦州後，開成二年居易復寄《憑李睦州訪徐凝山人》詩（卷三四）云：「郡守輕詩客，鄉人薄釣翁。解憐徐處士，唯有李郎中。」題下自注云：「凝即睦州之民也。」城按：李睦州爲睦州刺史李善白。宋陳公亮《嚴州圖經》卷一：「李善白，大和九年十月□日自（下缺）」又云：「鄭仁弼，開成二年八月七日自衛尉少卿拜。」據此則善白當爲鄭仁弼之前任，開成三年已不在睦州，故此詩應作於開成二年，花房英樹《白氏文集の批判的研究》繫於開成三年，疑誤。又《全唐詩》卷四七四有徐凝《酬相公再遊雲門寺》及《春陪相公看花宴會》二詩，俱爲大和三年前在越州酬和元稹之作。同卷又有《奉酬元相公上元》詩云：「出擁樓船千萬人，入爲臺輔九霄身。如何更羨看燈夜，見曾宮花拂面春。」此詩卞孝萱《元稹年譜》繫於長慶四年，疑或作於大和四年赴鄂渚謁元稹時，可證其受元稹之知遇亦頗深也。

袁滋

白氏《旅次華州贈袁右丞》（卷五）、《得袁相書》（卷一四）詩中之「袁右丞」、「袁相」均指袁滋。城按：《旅次華州贈袁右丞》詩約作於貞元十七年至貞元十九年之間。時袁滋以尙書右丞爲華州刺史。《舊唐書》卷一八五下《袁滋傳》：「貞元十九年，韋皐始通西南蠻夷……（滋）以本官兼御史中丞、持節充入南詔使。未行，遷祠部郎中，使如故。來年夏，使還，擢爲諫議大夫。俄拜尙書右丞，知吏部選事，出爲華州刺史、兼御史中丞、潼關防禦使、鎭國軍使。……征金吾衛大將軍，……楊於陵代其任。……上始監國，與杜黃裳俱爲相，拜中書侍郎、平章事。」《新唐書》卷一五一本傳不著袁滋何年爲華州刺史。《舊唐書》卷十三《德宗紀》：「（貞元十六年三月）壬子，以尚書右丞袁滋爲華州刺史。」《紀》與《傳》不合。考《舊唐書》卷一六四《楊於陵傳》云：「貞元末，實輩敗，遷於陵爲華州刺史。」《舊唐書》卷十四《憲宗紀》：「（永貞元年十月）丙午，以華州刺史楊於陵爲越州刺史、浙東觀察使。」李實貞元二十一年二月辛酉自京兆尹貶爲通州長史，則於陵繼袁滋爲華州刺史亦必在此時，而袁滋亦必於貞元二十一年二、三月間離華州任也。白氏此詩云：「德星降人福，時雨助歲功。……政通氣亦和，黍稷三年豐。」可知此詩必作於袁滋刺華州已滿三年之時，花房英樹《白氏文集の批判的研究》繫此詩於永貞元年，非是。又按：《金石萃編》卷一〇四所載《軒轅鑄鼎原銘》爲袁滋所書，《追樹十八代祖晉司空河東太守猗氏侯太原王公神道碑》爲袁滋篆額，此兩碑均建於貞元十七年滋爲華州刺史時，以此證之，當以《舊紀》作十六年爲是，而《舊傳》作二十年使南詔後，誤也。今以白氏之詩相證，益見岑氏論斷之精。詳見岑仲勉《貞石證史》。考袁滋永貞元年七月拜中書侍郎、同中書門下平章事。元和八年正月爲襄州刺史、山南東道節度使。九年九月移江陵尹、荆南節度使。見《舊唐書》卷一四《順宗紀》及卷一五《憲宗紀》。居易元和九年作《得袁相書》詩時，滋仍在襄州任，蓋居易於是年冬始召爲太子左贊善大夫也。又集中有《除袁滋襄陽節度制》（卷五五），作於白氏出翰林後，當係僞作無疑。又《舊唐書》卷一五五《竇鞏傳》：「袁滋鎭滑州，辟爲從事。滋改荆、襄二鎭皆從之掌管記之任。」鞏乃居易、元稹之知交，則彼此間之淵源殊非淺鮮也。

竇鞏

白氏《東南行一百韻寄……竇七校書》（卷十六）、《宿竇使君庄水亭》（卷二五）、《戲和微之答竇七行軍之作》（卷二八）等詩中之「竇七校書」、「竇七」、「竇使君」，均指竇鞏。城按：竇鞏，字友封，元和二年進士。袁滋鎮滑州，辟爲從事。滋改荆、襄二鎮，皆從之掌管記之任。平盧薛平又辟爲副使。入朝拜侍御史，歷司勛員外郎、刑部郎中。元稹觀察浙東，奏爲副使。稹移鎮武昌，鞏又從之。見《舊唐書》卷一五五、《新唐書》卷一七五本傳。《登科記考》卷十六。《全唐文》卷七六一褚藏言《竇鞏傳》：「府君諱鞏，字友封，元和二年進士。……故相左轄元稹觀察浙東，固請公副戎，分實舊交，辭不能免，遂除秘書少監兼中丞加金紫。無何元公下世，公亦北歸，道途遘疾，迨至輦下，告終於崇德里之私第，享年六十」。此謂鞏卒於長安崇德里私第，與《舊傳》所稱「終於鄂渚」有異。鞏何時爲校書，各書均未載。白氏《東南行一百韻寄……竇七校書》詩作於元和十二年，是時鞏或已爲外任，而唐人喜以內職相稱也。此詩「談憐鞏囁嚅」句下自注云：「竇七鞏，善談謔，而口微吃，衆或呼爲吃鞏。」（按：此注各本《白集》俱無，據花房英樹《白氏文集の批判的研究》轉引金澤文庫舊藏本《白集》。）關於竇鞏口吃之記載頗屢見不鮮，亦唐代詩人之趣聞，然皆本之白詩。如《舊唐書》卷一五五本傳云：「性溫雅，多不能持論，士友言議之際，吻動而不發，白居易等目爲囁嚅翁。」《新唐書》卷一七五本傳亦云：「平居與人言不出口，時號爲囁嚅翁云。」此外又如《唐才子傳》卷四：「鞏平居與人言言不出口，時號爲嚅翁云。」與《新傳》同。《詩藪》外編卷四：「竇鞏性溫裕，不能持論，每議事之際，吻動而不發。白居易目爲囁嚅翁。蘇味道遇事持兩端，號爲模棱手，二事雅堪作對。又李林宗亦謂樂天囁嚅公，豈即以樂天譏竇語耶？」清郭麐《靈芬館詩話》卷一：「竇友封與人言若不出口，號囁嚅翁。李逢吉呼樂天亦爲囁嚅翁，東坡所謂『試問囁嚅翁』，指樂天也。」考《施注蘇詩》卷六『小蠻知在否，試問囁嚅翁』句注云：「李林宗，字直木，嘗謂樂天爲囁嚅翁。」或爲胡郭兩書之所本，則居易亦爲囁嚅翁矣。又白氏《宿竇使君庄水亭》詩云：「使君何在在江東，池柳初黃杏欲紅。有興即來閒便宿，不知誰是主人翁？」此詩居易作於大和二年春奉使洛陽時。竇鞏方在浙東爲元稹副使，或亦得稱使君。鞏在長安曾居永寧坊及崇德坊，見《兩京城坊考》卷三。東都宅則未詳。又白氏《戲和微之答竇七行軍之作》作於大和四年爲太子賓客分司時。元稹大和四年正月自浙東移鎮武昌，鞏亦從之爲副使。《全唐詩》卷二七一有竇鞏《忝職武昌初至夏口書事獻府主相公》云：「白髮放櫜鞬，梁王愛舊全。竹籬江畔宅，梅雨病中天。時奉登樓宴，閒修上水船。邑人興謗易，莫遣鶴支錢。」《全唐詩》卷四二三有元稹《戲酬副使中丞（原注云：竇鞏）見示四韻》詩，即此詩之原作。考《全唐文》卷六三六有李翱《賀行軍陸大夫書》，可證「行軍」即「行軍司馬」之簡稱，則鞏或爲武昌軍節度副使並兼任行軍司馬也。遠溯元稹貶江陵前，已與竇鞏有深厚之交誼。元和六年鞏赴其兄黔州竇群（時爲黔中觀察使，見《舊唐書·憲宗紀》）處省親，途經江陵，與元稹相會。竇鞏《江陵遇元九李六二侍御紀事書情呈十二韻》（《全唐詩》卷二七一）詩云：「自見人相愛，如君愛我稀。」「肯滯荆州掾，猶香柏署衣。」元稹《酬友封話舊叙懷十二韻》和詩云：「風波千里別，書信二年稀。乍見悲兼喜，猶驚是與非。」「魏闕何由到，荆州且共依。」此外，元稹又有《答友封見贈》、《酬竇校書二十韻》、《和友封題開善寺十韻》、《送友封》等詩，俱係元和六年在江陵酬竇鞏之作。竇詩中之「李六侍御」爲李景儉，時亦貶官爲江陵戶曹參軍。至元和十年正月，元稹在唐州奉詔反長安，先回江陵府料理家事，然後入京。竇鞏時在荆南節度使袁滋幕，作《送元稹西歸》詩云：「南州風土滯龍媒，黃紙初飛敕字來。二月曲江連舊宅，阿婆情熟牡丹開。」所詠與元稹赴京之時地俱合。又元稹《答友封見贈》詩云：「荀令香銷潘簟空，悼亡詩滿舊屏風。扶床小女君先識，應爲些些似外翁。」「扶床小女」指韋叢所生之女保子。「外翁」指元稹岳父韋夏卿，視詩意蓋夏卿早爲鞏所熟稔。考竇鞏之兄竇群早在貞元中即爲蘇州刺史韋夏卿以丘園茂異荐。及夏卿入爲吏部侍郎，改京兆尹，中謝日，因對復荐群，徵拜左拾遺，遷侍御史。見《舊唐書》卷一五五《竇群傳》。據此則知元稹或因韋氏而結納竇氏昆仲，居易則復因元稹而與竇鞏訂交也。

崔韶

白氏《東南行一百韻寄通州元九侍御澧州李十一舍人果州崔二十二使君開州韋大員外庾三十二補

闕杜十四拾遺李二十助教員外竇七校書》（卷十六）、《宿西林寺早赴東林滿上人之會因寄崔二十二員外》（卷十六）、《聞李十一出牧澧州崔二十二出牧果州因寄絕句》（卷十六）、《京使回累得南省諸公書因以長句詩寄謝蕭五劉二元八吳十一韋大陸□郎中崔二十二牛二李七庾三十二李六李十楊三樊大楊十二員外》（卷十八）等詩中之「果州崔二十二使君」、「崔二十二員外」、「崔二十二」均指崔韶。城按：崔韶。兩《唐書》俱無傳。《舊唐書》卷十五《憲宗紀》：「（元和十一年九月）辛未，……禮部員外郎崔韶爲果州刺史，並爲補闕張宿所搆，言與貫之朋黨故也。」又《舊唐書》卷一五五《李建傳》：「與宰相韋貫之友善，貫之罷相，建亦出爲澧州刺史。」則崔韶蓋與李建同爲韋貫之黨人而貶官者。據元稹《酬樂天東南行詩一百韻》詩序云：「（元和）十三年，予以赦當遷，簡省書籍，得是八篇，吟嘆方極。適崔果州使至，爲予致樂天去年十二月二日書，書中寄予百韻至兩韻，凡二十四章。」可知白氏《東南行一百韻……》詩作於元和十二年，汪立名《白香山年譜》繫此詩於元和十三年，誤。白氏《聞李十一出牧澧州崔二十二出牧果州因寄絕句》詩云：「平生相見即眉開，靜念無如李與崔。各是天涯爲刺史，緣何不覓九江來？」此詩作於元和十二年。白氏《東南行一百韻……》詩「播遷分郡國，次第出京都」句自注云：「十年春，微之移佐通州。其年秋，予出佐潯陽。明年冬，杓直出牧澧州，崔二十二出牧果州，韋大出牧開州。」杓直即李建字，與《舊紀》相證，時間正合。崔韶元和末自果州徵還爲戶部員外郎，約卒於長慶二年春夏之際。故白氏長慶二年七月作《商山路有感》詩序云：「前年夏，予自忠州刺史除書歸闕。時刑部李十一侍郎、戶部崔二十（城按：此下各本脫「二」字）員外亦自澧、果二郡守徵還，相次入關，皆同此路。二君已逝，予獨南行。追嘆興懷，慨然成詠。後來有與予杓直虞平遊者，見此短什，能無惻惻乎！」據此知崔韶字虞平，居易與其交誼之深並不下於李建，殊非泛泛也。又白氏長慶二年作《晚歸有感》詩（卷十一）云：「朝弔李家孤，暮問崔家疾。回馬獨歸來，低眉心鬱鬱。平生所善者，多不過六七。如何十年間，零落三無一。劉曾夢中見，元向花前失。漸老與誰遊？春城好風日。」此詩自注云：「時李十一侍郎諸子尙居憂，崔二十二員外三年卧病。劉三十二校書歿後，嘗夢見之。元八少尹今春櫻桃花時長逝。」「劉三十二校書」爲劉敦質，約卒於貞元二十年。「元八少尹」爲元宗簡，卒於長慶二年春夏之交。可知崔韶之卒去元宗簡不久，在居易赴任杭州刺史之前。又白氏寶曆元年作《崔侍御以孩子三日示其所生詩見示因以二絕和之》詩中之「崔侍御」，花房英樹《白氏文集の批判的研究》誤以爲爲崔韶，蓋此時崔韶已逝，當係另一人。又白氏《代謝好答崔員外》詩（卷十九）云：「青娥小謝娘，白髮老崔郎。」「別後曹家碑背上，思量好字斷君腸。」此「崔員外」亦非崔韶。考白氏《霓裳羽衣歌》（卷二一）云：「移領錢塘第二年，始有心情問絲竹。玲瓏箜篌謝好箏，陳寵觱篥沈平笙。清弦脆管纖纖手，教得《霓裳》一曲成。」自注云：「自玲瓏以下皆杭之伎名。」據此，似居易刺杭後始識謝好，則《代謝好答崔員外》一詩或作於長慶二年以後，此時崔韶已逝，「崔員外」似爲另一人，俟考。又按：卞孝萱《元稹年譜》繫元稹《送嶺南崔侍御》、《送崔侍御之嶺南二十韻》、《和樂天送客遊嶺南二十韻》三詩及白氏原唱《送客春遊嶺南》詩（卷十七）於元和五年至九年間，並考證云：「元稹《送崔侍御之嶺南二十韻》自注：『自江陵士曹拜。』」白居易《送客春遊嶺南二十韻》自注：『並擬微之送崔二十二之作。』對照起來看，元稹所送之江陵府士曹參軍崔侍御即崔二十二韶。」考元稹元和五年三月間所作《元和五年予官不了罰俸西歸三月六日至陝府與吳十一兄端公崔二十二院長思愴曩遊因投五十韻》詩中之「崔二十二」爲崔韶，可知崔韶此時方爲監察御史，並未遠赴江陵府。又《唐會要》卷八〇：「楊炎初謚肅愍，左丞孔戣駁，請下太常重議，太常博士崔韶請謚曰平厲。」據《新唐書》卷一六三《孔戣傳》及《舊唐書·宣宗紀》，孔戣爲尚書左丞在元和七、八年間，則崔韶在長安爲太常博士當亦在此時。元稹在江陵所作《送崔侍御之嶺南二十韻》及《送嶺南崔侍御》兩詩中之「崔侍御」疑同爲一人。《送崔侍御之嶺南二十韻》詩「蕭何歸舊印」句下自注，《全唐詩》作「自江陵士曹拜」，而文學古籍刊行社影印明楊循吉鈔本及四部叢刊影印明董氏刊本《元氏長慶集》則俱作「自江陵工曹拜」。元稹在江陵又作有《紀懷贈李六戶曹崔二十功曹五十韻》詩云：「旅寓誰堪托？官聯自可憑。甲科崔並騖，柱史李齊升。」《舊唐書》卷一七七《崔琯傳》云：「貞元十八年進士擢第。又制策登科。釋褐諸侯府。」《登科記考》卷十六元和元年才識兼茂明於體用科「崔琯」下考云：「《冊府元龜》作『韶』，《唐會要》作『綰』，皆誤。」據元稹「甲科崔並騖」詩句，則此「崔二十功曹」疑即元和元年與元稹同登才識兼茂明於體用科之崔琯。又考《白氏長慶集》卷十七《送客春遊嶺南二十韻》詩編於《贈內子》及《自題》兩詩之間，乃元和十三年在江州所作，則元稹《和樂天送客遊嶺南二十韻》一詩亦必是年（元和十三年）所作，《元稹年譜》繫於元稹貶江陵士曹時，非是。又白氏《送客春遊嶺南二十韻》詩自注云：「並擬微之送崔二十二之作。」此注宋紹興本作

「並擬微之送崔二十一」，時崔韶方爲果州刺史，安能遠遊嶺南？疑各本白氏此詩中之「崔二十二」、「崔二十一」俱爲「崔二十」之訛，姑附考於此。

韋處厚　韋弘景

白氏《東南行一百韻寄……開州韋大員外……》（卷十六）、《京使回累得南省諸公書因以長句詩寄謝蕭五劉二元八吳十一韋大陸郎中……》（卷十八）、《和李澧州題韋開州經藏詩》（卷十八）、《題道宗上人十韻並序》（卷二一）、《祭中書韋相文》（卷六九）中之「韋大員外」、「韋大郎中」、「韋開州」、「中書韋相」、「韋相公」均指韋處厚、城按：韋處厚字德載，京兆萬年人。進士擢第。寶曆二年十二月，拜中書侍郎、同中書門下平章事。見《舊唐書》卷一五九、《新唐書》卷一四二本傳、《舊唐書》卷十七上《文宗紀》。《舊唐書》卷十五《憲宗紀》：「（元和）十一年九月，……考功郎中韋處厚爲開州刺史。」據白氏元和十二年所作《東南行一百韻寄……開州韋大員州……》詩，仍稱處厚爲「韋大員外」，則其遷郎中必在開州徵還之後，疑《舊紀》所記有誤。又按：處厚與韋貫之善，元和十一年開州之貶，即緣韋貫之諫鎭蔡用兵之故。處厚在開州時作《盛山十二詩》，元和十五年二月，自戶部郎中知制誥充翰林侍講學士，長慶二年四月，遷中書舍人（見岑仲勉《翰林學士壁記注補》）。韓愈爲作詩序云：「於時應而和者凡十人，及此年，韋侯爲中書舍人侍講《六經》禁中，和者通州元司馬爲宰相，洋州許使君爲京兆，忠州白使君爲中書舍人，李使君爲諫議大夫，黔府嚴中丞爲秘書監，溫司馬爲起居舍人，皆集闕下。」謂元稹、許康佐、白居易、李景儉、嚴謩、溫造，其中多半亦爲居易之知交也。劉禹錫《唐故中書侍郎平章事韋公集紀》即爲處厚作，其中亦稱處厚爲崔群之摯友，崔群與居易、禹錫皆同甲子而至交，可知居易、禹錫亦皆與處厚相善。後處厚爲相日，居易刑部侍郎之除，禹錫集賢學士之命，不盡由裴度之援，而處厚亦與有力焉。白氏《聞新蟬贈劉二十八》詩（卷二六）云：「蟬發一聲時，槐花帶雨枝。只應催我老，兼遣報君知。白髮生頭速，青雲入手遲。無過一杯，相勸數開眉。」劉禹錫有《答白刑部新蟬》詩。據《舊紀》，居易大和二年二月自秘書監遷刑部侍郎，蓋由於裴度、韋處厚兩人之推荐。處厚即以是年之末暴卒於位，度亦行將出鎮，居易所以不得不於三年乞歸也。《聞新蟬贈劉二十八》詩當作於二年之秋，是時禹錫已除主客郎中入京，其和詩亦作於此時。以官職論，居易正在最得意之時，而詩中有「催我老」、「入手遲」之語，疑居易求入相而未遂致有此感慨耳。又白氏《題道宗上人十韻》詩序云：「普濟寺律大德宗上人法堂中，有故相國鄭司徒、歸尚書、陸刑部、元少尹及今吏部鄭相、中書韋相、錢左丞詩。覽其題，皆與人唱酬；閱其人，皆朝賢；省其文，皆義語。……」《祭中書韋相公文》云：「元和中，出守開、忠二郡日，公先以《喻金鎌偈》相問，往復再三。由是法要心期，始相會合。長慶初，俱爲中書舍人日，尋詣普濟寺宗律師所，同受八戒，各持十齋。由是香火因緣，漸相親近。及公居相位，走在班行，公府私家，時一相見，佛乘之外，言不及他。誓趨菩提，交相度脫。……」則居易與處厚俱係佛門信徒，由來已久，各貶遠郡之日，即以此相質難也。處厚卒於大和二年十二月，見《舊唐書》卷十七上《文宗紀》。白氏《祭中書韋相公文》作於大和三年六月，文云：「去年臘月，勝業宅中，……曾未經旬，公即捐館。……」與《舊紀》合。又《和自勸》詩作於大和三年初，此詩自注云：「韋中書、孔京兆、錢尚書、崔華州十五日間相次病逝」，此「韋中書」亦指處厚。

白氏《喜與韋左丞同入南省，因叙舊以贈之》詩（卷二五）中之「韋左丞」指韋弘景。城按弘景，《舊唐書》卷一五七、《新唐書》卷一一六俱有傳。《舊唐書》卷十七《文宗紀》：「（大和二年）二月丁亥朔，以兵部侍郎王起爲陝虢觀察使代韋弘景，以弘景爲尚書左丞。」居易大和二年二月自秘書監除刑部侍郎，與弘景同官尚書省，唐尚書省爲南省，故白氏詩題稱「喜與韋左丞同入南省，因叙舊以贈之」。又丁居晦《重條承旨學士壁記》云：「韋弘景，元和四年七月一日自左拾遺、集賢院直學士充。」則與居易同爲翰林學士，故白氏詩云：「早年同遇陶鈞主，利鈍精粗共在熔。」並自注云：「憲宗朝與韋同入翰林。」《汪譜》繫此詩於大和元年，誤。

杜元穎

白氏《東南行一百韻寄……杜十四拾遺……》（卷十六）、《昨以拙詩十首寄西川杜相公相公亦以新作十首惠然報示首數雖等工拙不倫重以一章用伸答謝》（卷二六）等詩中之「杜十四拾遺」、「杜相公」

均指杜元穎。城按：杜元穎，貞元十六年與居易同登進士第。《舊唐書》卷一六三、《新唐書》卷九六俱有傳。《舊唐書》卷一六三本傳云：「元和中爲左拾遺，右補闕，召入翰林充學士。」《新唐書》卷九六本傳略同。然其轉歷之階均記而未詳。惟丁居晦《重修承旨學士壁記》云：「杜元穎，元和十二年□月十三日自太常博士充。二十日改右補闕。」所記殆最得其實。白氏《東南行一百韻寄……杜十四拾遺……》詩作於元和十二年，以此證之，元穎蓋以拾遺改太博召入。隨復改官補闕，仍充翰林學士。白氏《代書》（卷四三）云：「持此札爲予謁庾三十二補闕、翰林杜十四拾遺、金部元八員外、監察牛二侍御、秘書蕭正字，藍田楊主簿兄兄。」此文作於元和十二年三月十三日，居易是時尚未得其詳，故仍稱拾遺也。岑仲勉《翰林學士壁記注補》據鄞本校補元穎入充翰林學元和十二年二月十三日，所考良是。元穎長慶元年二月十五日守戶部侍郎、同中書門下平章事。三年冬出爲劍南西川節度使。大和三年十二月貶爲循州司馬。六年卒於貶所。白氏《昨以拙詩十首寄西川杜相公相公亦以新作十首惠然報示首數雖等工拙不倫重以一章用伸答謝》一詩作於大和二年爲刑部侍郎時，元穎方以劍南西川節度使居成都，故詩云「詩家律手在成都」也。元穎逝後，居易有《七年元日對酒五首》（卷三一）之五弔之云：「同歲崔何在？同年杜又無。應無藏避處，只有且歡娛。」自注云：「余與吏部崔相公甲子同歲，與循州杜相公及第同年。秋冬二人俱逝。」此詩作於大和七年。崔爲崔群。《舊唐書》卷十七《文宗紀》：「（大和六年十二月丁未）責授循州司戶杜元穎卒，贈湖州刺史。」考大和六年十二月己未朔，《舊紀》所載丁未有誤。據白氏詩注，元穎當卒於是年十一月間，蓋唐實錄書法於外臣之卒，率以報到日爲準，固因追書不便，尤與廢朝有關也。又《東南行一百韻寄……杜十四拾遺……》詩「崔杜鞭齊下」一句下，花房英樹《白氏文集の批判的研究》引金澤文庫舊藏本《白氏文集》增出自注云：「予與崔廿二、杜廿四同年進士，與元九韋大同敕制科。」此「杜廿四」當作「杜十四」，「廿」字誤。又白氏《初到江州寄翰林張李杜三學士》詩，作於元和十年秋貶江州時。此數年間張李杜爲翰林學士者，唯張仲素十一年八月充，杜元穎十二年充，李肇十三年七月充，十三年冬居易亦改忠州刺史矣。非「初到江州」所記有訛，則「張、李、杜」三姓有誤。見丁居晦《重修承旨學士壁記》及岑仲勉《翰林學士壁記注補》。又《舊唐書·杜元穎傳》云：「元穎，貞元末進士登第，再辟使府。」《因話錄》卷二《商部》上云：「族祖天水昭公（趙宗儒），以舊相爲吏部侍郎，考前進士杜元穎宏詞登科，鎮南又奏爲從事。」元和五年元稹貶江陵府士曹參軍時，江陵尹、荆南節度使爲趙宗儒，杜元穎亦在其座主趙宗儒幕中。又元稹元和九年所作《送杜元穎》詩云：「江上五年同送客，與君長達北歸人。今朝又送君先去，千里洛陽城裏塵。」《三月三十日程氏館餞杜十四歸京》詩云：「我正南冠縶，君尋北路回。」可知元穎乃元和九年三月底由江陵返長安。又《登科記考》卷十八載杜元穎於元和十一年茂才異等科云：「按《舊書》本傳不言應制舉，第言元和中爲左拾遺、右補闕，召入翰林充學士。吳元濟平，以書詔之勤賜緋魚袋，轉司勛員外郎、知制誥，蓋以制舉登科授拾遺補闕也。按：丁居晦《重修承旨學士壁記》云：杜元穎，元和十二年□月十三日，自太常博士充翰林學士，二十日改右補闕，□月十八日賜緋。蔡州平在次年十月，元穎時已入翰林，故知登科在此年。」則元穎離江陵赴長安後，復應制舉，中茂才異等科，授左拾遺，改太常博士，召入翰林學士也。附考於此，以補史傳之不足。

韓　愈

白氏《同韓侍郎遊鄭家吟詩小飲》（卷十一）、《和韓侍郎苦雨》（卷十九）、《久不見韓侍郎戲題四韻以寄之》（卷十九）、《和韓侍郎題楊舍人林池見寄》（卷十九）、《酬韓侍郎張博士雨後遊曲江見寄》（卷十九）等詩中之「韓侍郎」均指韓愈。城按：韓愈，字退之，登進士第。自比部郎中轉考功郎中、知制誥，拜中書舍人。元和十四年，以諫迎佛骨貶爲潮州刺史。十五年，徵還爲國子祭酒。長慶元年七月，轉兵部侍郎。尋又改吏部侍郎。長慶四年十二月卒。見《舊唐書》卷一六〇、《新唐書》卷一七六本傳、《舊唐書·穆宗紀》。《舊唐書·穆宗紀》：「（長慶二年二月）甲子，詔雪王廷湊，仍授大都督府長史、御史大夫、充成德軍節度、鎮冀深趙等州觀察等使。三軍將士，待之如初。仍令兵部侍郎韓愈往彼宣諭。」則愈自兵部轉吏部最早須在是年三月以後，故白氏贈詩時，愈方爲兵部侍郎也。今白氏集中所存贈愈之詩共五首，《和韓侍郎苦雨》詩云：「潤氣凝柱礎，繁聲注瓦溝。闇留窗不曉，涼引簟先冬。葉濕蠶應病，泥稀燕亦愁。仍聞放朝夜，誤出到街頭。」知此詩作於長慶元年秋爲主客郎中、知制誥時。《同韓侍郎遊鄭家吟詩小飲》、《久不見韓侍郎戲題四韻以寄之》、《和韓侍郎題楊舍人林池見寄》、《酬韓侍郎張博士雨後遊曲江見寄》四詩均作於長慶二年春爲中書舍人時。考元稹、白居易、韓愈俱爲唐代古文及詩歌之革新者，元稹、白居易在當時古文革新運動中之影響並不亞於韓愈。故白氏《餘思未盡加爲六韻重寄微之》詩（卷二三）云：「制從長慶辭高古，詩到元和體變新。」此下並自注云：「微之長慶初知制誥，文格高古，始變俗體，繼者效之也。」《舊唐書》卷一六六《元稹·白居易傳》云：「史臣曰：……若品調律度，揚搉古今，賢不肖皆賞其文，未如元、白之盛也。昔建安才子，始定霸於曹、劉；永明辭宗，先讓功於沈、謝。元和主盟，微之，樂天而已。臣觀元之制策，白之奏議，極文章之壼奧，盡治亂之根荄。……贊曰：文章新體，建安、永明。沈、謝既往，元、白挺生。……」《舊傳》所論絕非溢美之辭，當時文之盟主，舍元、白兩人莫屬。元稹、白居易與韓愈文學革新運動之志趣既相同，早於元和初年既已訂交。如韓愈元和四年爲元稹前妻韋叢作墓志銘，元稹元和五年爲東臺監察御史時向韓愈索辛夷花（元稹《辛夷花》詩云：「韓員外家好辛夷，開時乞取三兩枝。」），元稹外貶江陵期間亦曾有書信與韓愈相往還等。然元、白及韓愈之交誼至長慶間以黨爭而隙終（主要由於牛僧孺、李德裕黨爭之影響），蓋長慶初之政局，人事極爲紛紜，韓愈爲裴度之舊僚，元、白兩人則交誼深厚，裴度與元稹齟齬，必各樹黨援。如宰相李逢吉惡李紳，欲逐之，以愈爲京兆尹、紳爲御史中丞，紳果劾愈，遂兩罷之。後稹於長慶二年六月罷相，居易即於是年七月出守杭州，此間之關係至爲微妙也。故白氏詩中於韓愈每有微辭，如《久不見韓侍郎戲題四韻以寄之》云：「近來韓閣老，疏我我心知。」實暗寓調侃之意。據《舊唐書·穆宗紀》，愈自國子祭酒遷兵部侍郎在長慶元年七月，此詩又云：「春風滿鬢絲」，必爲長慶二年春作無疑，花房英樹《白氏文集の批判的研究》據《汪譜》係於長慶元年，誤。韓愈長慶二年有《早春與張十八博士籍遊楊尚書林亭寄第三閣老兼呈白馮二閣老》詩，白氏《和韓侍郎題楊舍人林池見寄》詩云：「渠水暗流春凍解，風吹日炙不成凝。鳳池冷暖君諳在，二月因何更有冰。」似已於當時政局之紛紜有預感矣。韓愈又有《同水部張員外曲江春遊寄白二十二舍人》詩云：「漠漠輕陰晚自開，青天白日映樓臺。曲江水滿花千樹，有底忙時不肯來？」此詩蓋暗刺居易公忙不來同遊，亦白詩「疏我我心知」之意。居易則另有《酬韓侍郎張博士雨後遊曲江見寄》詩答之云：「小園新種紅櫻樹，閑繞花行便當遊。何必更隨鞍馬隊，沖泥踏雨曲江頭。」亦反譏退之爲趨炎附勢，意極明顯。惟張籍長慶元年官國子博士，其改官水部員外郎在長慶二年三月前後（參見《中華文史論叢》一九七九年第一輯作《白氏長慶集人名箋證》），正當新舊職交替之際，韓愈詩中稱新職水部員外郎，而白氏和詩則仍稱舊職也。又《白集》中《韓愈比部郎中史館修撰制》乃係僞文。據洪興祖《韓子年譜》引《實錄》，韓愈元和八年三月乙亥自國子博士除比部郎中、史館修撰，時居易已出翰林。且官制實名國子博士，不名太學博士，太學者乃普通文學所用之代稱，不應施於行制，《實錄》正言國子，制文僞造，顯而易見。顧《洪譜》引此制仍綴云「白居易詞也」，可見白集之羼亂，北宋已然。參見岑仲勉《白氏長慶集僞文》考證。又白氏大和三年作《老戒》詩（卷二六）云：「我有白頭戒，聞於韓侍郎。」則去韓愈之卒已五載矣。

李夷簡

白氏《聞李尚書拜相因以長句寄賀微之》詩（卷十七）中之「李尚書」乃李夷簡。此詩作於元和十三年，元稹有《酬樂天聞李尚書拜相以詩見賀》詩，即此詩之和作。考元和十二年十月至元和十三年三月間，李姓入相者，除李夷簡外，尚有李鄘。《舊唐書》卷十五《憲宗紀》：「（元和十二年十月）甲申（《新表》作甲戌），以淮南節度使檢校左僕射李鄘爲門下侍郎、同中書門下平章事。」又云：「（元和十三年）三月庚子（《新表》作戊戌），以御史大夫李夷簡爲門下侍郎、同平章事。宰相李鄘守戶部尚書，罷知政事。……（七月）辛丑，以門下侍郎、同平章事李夷簡檢校左僕射、同平章事、楊州大都督府長史、淮南節度使。」城按：夷簡元和八年正月檢校戶部尚書、成都尹、充劍南西川節度使，十三年二月召爲御史大夫，再入相。亦見《舊唐書·憲宗紀》及《新唐書》卷一三一本傳。故白氏此詩稱之曰尚書。又白詩約作於元和十三年四五月間，元稹和詩云：「尚書入用雖旬月，司馬銜冤已十年。若待更遭秋瘴後，便愁平地有重泉。」其和作必與白詩相去不久，如詩指李鄘，則元詩「旬月」、「秋瘴」之句便不可解。故「李尚書」係「夷簡」可斷言無疑。花房英樹《白氏文集の批判的研究》謂指李鄘，失考。又白氏此詩云：「憐君不久在通川，知己新提造化權。夔卨定求才濟世，張雷應辯氣沖天。那知淪落天涯日，正是陶鈞海內年。肯向泥中拋折劍，不收重鑄作龍泉。」元稹及李夷簡友情契合，故此詩謂夷簡入相，元稹必得志。蓋唐中葉後，親知在相位，必得其左右，乃常人意中所有之事耳。唐人常以「造化權」等詞語稱宰相。殊不以爲嫌，如劉禹錫《和東川王相公新漲驛池八韻》詩（《劉禹錫集》外五）云：「今日池塘上，初移造物權。」亦此意也。

裴　堪　熊孺登

白氏《江西裴常侍以優禮見待又蒙贈詩輒叙鄙誠用伸感謝》（卷十七）、《初除官蒙裴常侍贈鶻銜瑞草緋袍魚袋用謝惠貺兼抒離情》（卷十七）詩中之「江西裴常侍」、「裴常侍」均指江西觀察使裴堪。城按：《舊唐書·憲宗紀》：「（元和七年）十一月甲申，以同州刺史裴堪爲江西觀察使。」光緒《江西通志》卷八：「裴堪，江西觀察使、洪州刺史，元和中任。」考裴堪，長慶初致仕，卒於寶曆元年，離江西之時不詳，據白氏《江西裴常侍以優禮見待又蒙贈詩輒叙鄙誠用伸感謝》及《初除官蒙裴常侍贈鶻銜瑞草緋袍魚袋用謝惠貺兼抒離情》兩詩及劉禹錫《送湘陽熊判官孺登府罷歸鍾陵因寄呈江西裴中丞二十三兄》詩，可證元和十三年底居易遷忠州刺史時，裴堪仍在江西任。吳廷裴《唐方鎮年表》係裴次元於元和十三年，誤。白氏又有《除裴堪江西觀察使制》（卷五五），岑仲勉《白氏長慶集僞文》謂係僞作，所考良是。惟其《唐人行第錄》中「裴中丞二十三兄」謂指裴誼，則大誤。詳見拙作《從唐代文學的人名工具書談到岑著唐人行第錄》（光明日報《文學遺產》第四四〇期）一文考證。又白氏有

《洪州逢熊孺登》詩（卷十七）云：「靖安院裏辛夷下，醉笑狂吟氣最粗。莫問別來多少苦，低頭看取白髭鬚。」靖安院指元稹靖安里宅，則孺登亦元稹之贄友，元和初年共相往還於長安者。《唐才子傳》卷六：「孺登，鍾陵人，有詩名。元和中爲西川從事，與白舍人、劉賓客善，多贈答。亦祇役湘中數年。凡下筆，言語妙天下。」光緒《江西通志》卷一三四引《豫章書》云：「熊孺登，鍾陵人，元和進士，官藩鎮從事。有詩名，與白樂天、劉夢得相唱和。白有《洪州逢孺登》詩云：『靖安院裏辛夷下，醉笑狂吟氣最粗。』劉有《送孺登歸鍾陵》詩云：『篋留馬卿賦，袖有劉宏書。』有詩一卷。」考劉詩即《送湘陽熊判官孺登府罷歸鍾陵因寄呈江西裴中丞二十三兄》詩，以白詩證之，當作於元和十三年。又白氏《與元微之書》（卷四五）云：「僕初到潯陽時，有熊孺登來，得足下前年病甚時一札，上報疾狀，次叙病心，終論平生交分，且云危惙之際，不暇及他，唯收數帙文章，封題其上曰：他時送達白二十二郎，便請以代書。」則居易元和十年初到潯陽時，孺登亦嘗至江州，蓋先官西川，再赴湘中也。

李程

白氏《行次夏口先寄李大夫》（卷十七）、《重贈李大夫》（卷十七）兩詩中之「李大夫」均指李程。

城按：李程字表臣，《舊唐書》卷一六七、《新唐書》卷一三一俱有傳。《舊唐書》本傳云：「（元和）十三年六月，出爲鄂州刺史、鄂岳觀察使。」考居易於元和十四年二月間自江州溯江西去忠州，約月末至夏口，蒙李程盛情款待。劉禹錫有《鄂渚留別李二十一表臣大夫》、《出鄂州界懷表臣二首》、《重寄表臣二首》等詩均係酬李程之作，知兩人交誼亦甚厚也。又按：《舊唐書》卷十六《穆宗紀》：「（長慶二年十二月癸丑）以前黔中觀察使崔元略爲鄂、岳、蘄、黄、安等州觀察使。」劉禹錫《爲鄂州李大夫祭柳員外文》云：「予來夏口，忽復三年。」則李程長慶初仍在鄂、岳，元略必爲程之後任。又《舊唐書·李程傳》：「（貞元）二十年，入朝爲監察御史。其年秋，召充翰林學士，順宗即位，爲王叔文所排，罷學士。」據此，則程與王叔文、劉禹錫之政見異趣，禹錫後過鄂州時，或已釋前嫌也。惟岑仲勉《翰林學士壁記注補》云：「今據《丁記》則程並未罷，然《翰林院故事》只記至水外而止，何也？」岑氏雖對此提出異問，然未能遽定《舊傳》爲誤。但白氏《重贈李大夫》詩云：「早接清班登玉陛，同承別詔直金鑾。鳳巢閣上容身穩，鶴鎖籠中展翅難。流落多年應是命，量移遠郡未成官。慚君獨不欺顦顇，猶作銀臺舊眼看。」考李程，貞元二十年九月二十七日自監察御史充翰林學士，元和三年七月二十三日知制誥。其年出院。授隨州刺史。見丁居晦《重修承旨學士壁記》。故居易與李程同在翰林，詩云：「早接清班登玉陛，同承別詔直金鑾。」蓋記實也。則《舊傳》所云「順宗即位，爲王叔文所排，罷學士」，以白詩相證，益見其中所記之繆。

白敏中

白氏《喜敏中及第偶示所懷》（卷十九）、《送敏中歸豳寧幕》（卷二五）、《見敏中初到邠寧秋日登城樓詩詩中頗多鄉思因以寄和》（卷三五）、《和敏中洛下即事》（卷三六）、《送敏中新授戶部員外郎西歸》（卷三六）等中之「敏中」均指白敏中。城按：敏中字用晦，居易從弟。長慶二年登進士第。見《舊唐書》卷一六六、《新唐書》卷一一九本傳、《登科記考》卷十九。《唐摭言》卷八云：「王相起，長慶中再主文柄，志欲以白敏中爲狀元，病其人與賀拔惎爲交友，惎有文而落拓。因密令親知申意，俾敏中與惎絕。前人復約敏中，爲具以待之。敏中欣然曰：『皆如所教。』既而惎果造門，左右紿以敏中他適，惎遲留不言而去。俄頃，敏中躍出，連呼左右召惎，於是悉以實告。乃曰：『一第何門不致，奈輕負至交！』相與歡醉，負陽而寢。前人睹之，大怒而去。懇告於起，且云不可必矣。起曰：『我比只得白敏中，今當更取賀拔惎矣。』」（按汪本所引較今本《唐摭言》增「遂以第一人處惎而敏中居二焉」十三字。）考《舊唐書·穆宗紀》：「（長慶年三月）敕今年錢徽下進士及第鄭郎等一十四人，宜令中書舍人王起、主客郎中知制誥白居易等重試以聞。」又云：「（冬十月）辛未，以中書舍人、知貢舉王起爲禮部侍郎。」則敏中必不在白居易長慶元年試榜下登進士第，而於次年獲雋焉。白氏《喜敏中及第偶示所懷》一詩作於長慶二年，詩云：「莫學爾兄年五十，蹉跎始得掌絲綸。」乃指長慶元年五十整數拜中書舍人而言，非必謂五十歲時敏中始登進士第也。花房英樹《白氏文集の批判的研究》據《陳譜》、《汪譜》繫此詩於長慶元年誤。《舊唐書》本傳云：「長慶初，登進士第，佐李聽，歷河東、鄭滑、邠寧三府節度掌書記，試大理評事。」白氏《唐故溧水縣令太原白府君墓志銘》（卷七〇）云：「後夫人高陽敬氏，父諱某，某官。生一子二女，女皆早夭，子曰敏中。進士出身，前試大理評事，歷河東、鄭滑、邠寧三府掌書記。」知敏中長慶二年即赴李聽河東節度幕。寶曆元年，復從李聽於滑州。又據《舊唐書·文宗紀》，李聽，大和三年十二月自太子少師爲邠寧節度使，大和六年三月，自邠寧節度使移任武寧軍節度使。則敏中爲邠寧節度掌書記當在大和三年，白氏《送敏中歸豳寧幕》詩作於大和五年，時間正合。此詩云：「司徒知我難爲別，直遇秋歸未訝遲。」司徒即李聽。《舊唐書》卷一三三《李聽傳》云：「居無何，復檢校司徒，起爲邠寧節度使。」李聽大和六年移任武寧軍節度使。敏中是否入武寧軍幕不可考，惟《新傳》謂其改殿中侍御史前歷右拾遺，而白氏大和八年作《唐故溧水縣令太原白府君墓志銘》亦未詳此職，疑非其丁母憂前之官歷，俟考。敏中大和七年丁憂，疑服滿後授右拾遺，其遷殿中侍御史約在開成二、三年間。白氏《見敏中初到邠寧秋日登城樓詩詩中頗多鄉思因以寄和》詩云：「想爾到邊頭，蕭條正值秋。二年貧御史，八月古邠州。絲管聞雖樂，風沙見亦愁。望鄉心若苦，不用數登樓。」此詩自注云：「從殿中侍御史出副邠寧。」《新唐書》本傳云：「遷右拾遺，改殿中侍御史，爲符澈邠寧副使。澈卒，以能政聞，御史中丞高元裕荐爲侍御史，再轉左司員外郎。」《舊唐書》本傳云：「會昌初，爲殿中侍御史分司東都，尋除戶部員外郎還京。」考《新傳》「苻澈」誤作「符澈。」

澈開成四年六月除邠寧節度使，見《舊唐書·文宗紀》。敏中出副邠寧當亦在是年六月之後，白氏詩云：「想爾到邊頭，肅條正值秋。二年貧御史，八月古邠州。」時間正合。又據白氏此詩「從殿中侍御史出副邠寧」自注，則敏中爲殿中侍御史當在開成二、三年間無疑。《舊傳》謂「會昌初爲殿中侍御史分司東都」，誤。白氏《和敏中洛下即事》詩自注謂「時敏中爲殿中分司」，亦係「侍御史分司」之誤。似應以《新傳》爲正。又考《重修承旨學士壁記》云：「白敏中，會昌二年九月十三日自右司員外郎充。」白氏會昌元年作《送敏中新授戶部員外郎西歸》詩云：「千里歸程三伏天，官新身健馬翩翩。行沖赤日加餐飯，上到青雲穩著鞭。長慶老郎唯我在，客曹故事望君傳。前鴻後雁行難續，相去迢迢二十年」可知敏中除戶部員外郎在右司員外郎之前，《新傳》所稱「左司員外郎」亦係「右司員外郎」之誤，《郎官石柱題名考》卷二已辨之。又《郎官石柱題名》戶外有敏中名。《冊府元龜》卷五五〇謂敏中「開成末爲戶部員外郎」，亦誤。又《全唐詩》卷五八〇白敏中小傳謂其「累擢侍御史、左司員外郎」，亦係沿襲《新傳》之誤。

楊嗣復

白氏《京使回累得南省諸公書因以長句詩寄謝……楊三樊大楊十二員外》（卷十八）、《與沈楊二舍人閣老同食敕賜櫻桃玩物感恩成十四韻》（卷十九）、《和韓侍郎題楊舍人林池見寄》（卷十九）、《和楊郎中賀楊僕射致仕後楊侍郎門生合宴席上作》（卷二五）、《同夢得寄賀東西川二楊尚書》（卷三三）、《夢得相過援琴命酒因詠所懷兼寄繼之待價二相府》（卷三四）、《和楊尚書罷相後夏日遊永安水亭兼招本曹楊侍郎同行》（卷三五）、《早熟》（卷三五）、《寄潮州繼之》（卷三五）、《得潮州楊相公繼之書並詩以此寄之》（卷三七）、《六年立春人日作》（卷三七）等詩中之「楊三」、「楊舍人」、「楊侍郎」、「西川楊尚書」、「繼之相府」、「楊尚書」、「楊相」、「潮郡遷客」，均指楊嗣復。城按：楊嗣復，字繼之，於陵子。與牛僧孺、李宗閔皆權德輿貢舉門生，情義相得，進退取舍，多與之同，故爲牛黨之重要人物。《舊唐書》卷一七六、《新唐書》卷一七四俱有傳。《舊唐書》本傳云：「元和十年，累遷至刑部員外郎。鄭餘慶爲詳定禮儀使，奏爲判官，改禮部員外郎。」《舊唐書·憲宗紀》：「（元和十三年八月）乙亥，敕應同司官有大功以上親者，但非連判及勾檢之官並官長，則不在回避改換之限。時刑部員外郎楊嗣復以父於陵除戶部侍郎，遂以近例避嫌，請出省，不從，因有是敕。」可知元和十三年八月，嗣復猶爲刑部員外郎。白氏《京使回累得南省諸公書因以長句詩寄謝……楊三樊大楊十二員外》詩作於元和十四年，據《舊傳》，嗣復當已改官禮部員外郎。白氏《與沈楊二舍人閣老同食敕賜櫻桃玩物感恩成十四韻》、《和韓侍郎題楊舍人林池見寄》兩詩均作於長慶二年。《舊唐書·楊嗣復傳》云：「長慶元年十月，以庫部郎中知制誥，正拜中書舍人。」《舊唐書·穆宗紀》：「（長慶元年十二月戊寅）兵部郎中知制誥馮宿、庫部郎中知制誥楊嗣復各罰一季俸料，亦坐與景儉同飲，然先起，不貶官。」則嗣復長慶元年十二月獲爲庫部郎中、知制誥，白氏此兩詩均作於長慶二年春間，嗣復此時是否已正拜中書舍人，不可考，然唐人知制誥亦得稱爲舍人。白氏《和楊郎中賀楊僕射致仕後楊侍郎門生合宴席上作》詩作於大和元年，詩中之「楊郎中」乃楊汝士，「楊僕射」乃嗣復於陵。據《舊唐書·楊嗣復傳》，長慶四年，牛僧孺作相，欲荐拔大用，又以楊於陵東都留守，乃令嗣復權知禮部侍郎，主寶曆元、二年貢舉。文宗即位，拜戶部侍郎。又《舊唐書·文宗紀》：「（寶曆二年十一月）癸巳，以前東都留守楊於陵爲太子少傅。……（大和元年四月）癸巳，以太子少傅楊於陵守右僕射致，仕俸料全給。」《舊唐書》卷一六四《楊於陵傳》：「寶曆二年授檢校右僕射兼太子太傅，旋以左僕射致仕，詔給全俸，懇讓不受。」《舊傳》謂於陵「以左僕射致仕」，與《舊紀》以「右僕射致仕」異。但《舊唐書·楊嗣復傳》亦謂於陵之終官爲太子少傅，疑《舊唐書·楊於陵傳》謂其「檢校右僕射兼太子太傅」之記載有誤。又《李文公集》卷十四《楊於陵墓志》云：「又一年，改東都留守。……既三年，方將告休，會以疾而罷。……疾平，遷檢校左僕射兼太子少傅。……遂西至京師。」則於陵自洛陽至長安蓋在寶曆末大和初，與白詩相證，時間相合。又《新唐書·楊嗣復傳》：「嗣復領貢舉時，於陵自洛入朝，乃率門生出迎，置酒第中。於陵坐堂上，嗣復與諸生坐兩序。始於陵在考功，擢浙東觀察使李師稷及第，時亦在焉。人謂上下門生，世以爲美。」《唐摭言》卷三：「寶曆年中，楊嗣復相公具慶下繼放兩榜。時先僕射自東洛入覲，嗣復率生徒迎於潼關。既而大宴於新昌里第，僕射與所執坐於正寢，公領諸生翼坐兩序。時元、白俱在，皆賦詩於席上。」《新傳》及《唐摭言》所記俱可爲白氏《和楊郎中賀楊僕射致任後楊侍郎門生合宴席上作》一詩之注腳。（按：《唐摭言》所記有誤，詳見《中華文史論叢》第九輯拙作《白氏長慶集人名箋證》。）嗣復大和四年丁父憂免官，大和七年三月起爲尚書左丞。其年李宗閔罷相，李德裕輔政，嗣復出爲劍南東川節度使。大和九年三月，以李宗閔復知政事，嗣復自劍南東川節度使移任劍南西川節度使。至開成元年十二月，嗣復宗人楊汝士（居易妻兄）亦自兵部侍郎出爲劍南東川節度使，故白氏開成二年作《同夢得寄賀東西川二楊尚書》詩云：「龍節對持眞可愛，雁行相接更堪夸。兩川風景同三月，千里江山屬一家。魯衛定知聯氣色，潘楊亦覺有光華。應憐洛下分司伴，冷宴閒遊老看花。」末二句言居易以太子少傅分司東都。劉禹錫有《寄賀東川楊尚書慕巢兼寄西川繼之二公近從兄弟情分偏睦早添遊舊因成是詩》詩，亦同時之作。嗣復開成二年十月入爲戶部侍郎，領諸道鹽鐵轉運使。三年正月，與同列李珏並以本官同平章事，領使如故。故白氏開成三年作《夢得相過援琴命酒因彈秋思偶詠所懷兼寄繼之待偕二相府》詩云：「我正風前弄《秋思》，君應天上聽《雲韶》。時和始見陶鈞力，物遂方知盛聖朝。」「待偕」，李珏字也。武宗立，李德裕自淮南入輔政。開成五年八月，出嗣復爲湖南觀察使。《舊唐書·楊嗣復傳》云：「武宗之立，既非宰相本意，甚薄執政之臣。其年秋，李德裕自淮南入輔政。九月，出嗣復爲湖南觀察使。」《舊唐書·武宗紀》：「（開成五年八月十七日）門下侍郎、同平章事楊嗣復檢校吏部尚書、潭州刺史、充湖南都團練觀察使。」《舊紀》所記與《舊傳》異。惟據白氏開成五年作《和楊尚書罷相後夏日遊永安水亭兼招本曹楊侍郎同行》詩所云「竹亭陰合偏宜夏，水檻風涼不待秋，」則嗣復是年夏已罷相，足可糾《傳》、《紀》之誤。錢大昕《廿二史考異》云：「嗣復罷相，《紀》在八月，而《傳》云九月，亦不合。」以白詩相證，則錢氏所考亦疏。此詩中之「楊侍郎」爲楊汝士。汝士開成四年九月自劍南東川節度使入爲吏部侍郎，嗣復開成五年二月兼吏部尚書、同平章事（見《新唐書》卷六三《宰相表》下），故云「本曹楊侍郎」。嗣復自湖南觀察使貶爲潮州刺史約在開成五年冬。至會昌元年春再貶爲潮州司馬。白氏《寄潮州繼之》詩云：「相府朝陽俱夢中，夢中何者是窮通？他時事過方應悟，不獨榮空辱亦空。」此詩作於會昌元年，蓋是時嗣復已貶潮州司馬。《舊唐書·武宗紀》：「（會昌元年）三月，貶湖南觀察使楊嗣復湖州司馬。桂管觀察使李珏端州司馬。」《舊紀》蓋漏書先貶潮州刺史一職。考張採田《玉溪生年譜會箋》卷二開成五年庚申八月：「嗣復之貶，旣與李珏同事，則參之《傳》、《紀》，當是李珏先貶昭州刺史，再貶端州司馬；嗣復先貶潮州刺史，再貶潮州司馬也。其貶州潮刺史，證以《舊傳》所載劉弘逸、薛季稜事，必在本年之冬甫到湖南任時。」張慶所考良是，惟云嗣復「再貶湖州司馬」，則係未察《舊紀》之誤。岑仲勉《玉溪生年譜會箋平質》云：「楊嗣復貶湖州司馬，《箋》二據《舊紀》。按沈本『湖』作『潮』。《東觀奏記》謂五相擠嶺外，湖非嶺外，亦非遠竄之所，《舊》、《新》本傳均作『潮』，近是。」岑氏糾張氏之繆，頗精審。又考白氏會昌三、四年間作《得潮州楊相公繼之書並詩以寄之》及《六年六春日人日作》詩云：「試作循潮封眼看，何由得見洛陽春。」（此詩自注：「分司致仕官中，吉傳、鄭咨議最老，韓庶子、劉員外尤貧，循、潮、封三郡遷客，皆洛下舊遊也。」）知嗣復久居潮州，至會昌六年春猶未遷官。「循」指會昌四年十一月牛僧孺循州長史之貶，「封」指李宗閔長流封州，俱見《通鑑》卷二四八。《舊唐書·楊嗣復傳》亦云：「宣宗即位，徵拜吏部尚書。大中二年，自潮陽還，至岳州病，一日而卒。」《新唐書·楊嗣復傳》云：

「宣宗立，起爲江州刺史。以吏部尙書召，道岳州卒，年六十六。」《通鑑》卷二四八會昌六年八月：「以循州司馬牛僧孺爲衡州長史，封州流人李宗閔郴州司馬，恩州司馬崔珙爲安州長史，潮州刺史楊嗣復爲江州刺史，昭州刺史李鈺爲郴州刺史。僧孺等五相皆武宗所貶逐，至是同日北遷。宗閔未離封州而卒。」與白詩相證，時間亦合。惟《舊傳》謂嗣復「大中二年，自潮陽還」，《通鑑》謂「潮州刺史楊嗣復爲江州刺史，昭州刺史李鈺爲郴州刺史」，亦俱誤。蓋「潮州刺史」當作「潮州司馬」，「昭州刺史」當作「端州司馬」也。

王　建

白氏《寄王秘書》（卷十九）、《送陝州王司馬建赴任》（卷二六）、《別陝州王司馬》（卷二七）詩中之「王秘書」、「陝州王司馬」均指王建。城按：王建，兩《唐書》無傳。《唐詩紀事》卷四四：「建，大歷進士，爲昭應丞、大府寺丞，終於司馬。」《直齋書錄解題》卷十九《詩集類》上：「建長於樂府，與張籍相上下，大歷十年進士也。歷官昭應縣丞，太（大）和中爲陝州司馬。」《唐才子傳》卷四：「建字仲初，潁川人。大歷十年丁澤榜第二人及第。（城按：據中華書局本《王建詩集》考證，疑在貞元中及第。又據王建《山中寄及第故人》等詩，則建似未中進士第，《唐才子傳》、《登科記考》均誤沿大歷之說，俟考。）釋褐授渭南尉，調昭應縣丞諸司，歷荐遷太府寺丞，秘書丞，侍御史。大和中出爲陝州司馬。」白氏《寄王秘書》詩云：「霜菊花萎日，風梧葉碎時。怪來秋思苦，緣詠秘書詩。」此詩作於長慶元年秋爲主客郎中、知制誥時，建方爲秘書郎。白氏《授王建秘書郎制》（《文苑英華》卷四〇〇、《全唐文》卷六五七）云：「敕太府丞王建：太府丞與秘書郎，品秩同而祿廩一……可秘書郎。」此制作於長慶元年。張籍有《酬秘書王丞見寄》詩（《全唐詩》卷三八五）云：「藝閣水曹雖最冷，與君長喜得身閒。」考張籍除水部員外郎在長慶二年三月前後（參見《中華文史論叢》第九輯拙作《白氏長慶集人名箋證》一文），見白氏《喜張十八博士除水部員外郎》詩（卷十九）、《張籍司水部員外郎制》（卷四九）。則王建長慶二年春復自秘書郎遷秘書丞。是年秋間，張籍出使在外，白氏有《逢張十八員外籍》詩（卷二〇），蓋作於赴杭州刺史途中，張籍使回，相遇於道旁也。《全唐詩》卷三八四又有張籍《使至藍溪驛寄太常王丞》詩，亦作於此次出使之時，可證王建是年秋復自秘書丞遷太常寺丞。

白氏大和二年所作《送陝州王司馬建赴任》詩云：「陝州司馬云何如？養靜資貧兩有餘。公事閒忙同少尹，料錢多少敵尚書。只攜美酒爲行伴，唯作新詩趁下車。自有鐵牛無詠者，料君投刃必應虛。」此時之陝虢觀察使爲王起，見《舊唐書·文宗紀》。王起亦居易之摯友，則建或亦起之至交，獲其援手而居此「養靜資貧兩有餘」之散秩也。又詩云「自有鐵牛無詠者」，蓋陝州古稱鐵牛城。《淸統志·陝州》云：「鐵牛在州城北黃河中，頭跨南，尾在河北，世傳禹鑄以鎭河患。唐賈至嘗作《鐵牛頌》。」故白氏大和二年又有《送陝西王大夫》詩（卷二五）云：「金馬門前回劍珮，鐵牛城下擁旌旗。」據白氏詩，知王建受陝州司馬亦在大和二年。《全唐詩》卷三八五有張籍《贈別王侍御赴任陝州司馬》詩，原注云：

「一作贈王司馬赴陝州。」岑仲勉《唐人行第錄》王六建條據以謂「建正由侍御史改官陝州司馬者」。考劉禹錫《送王司馬之陝州》詩（《劉禹錫集》卷二八云：「暫輟清齋出太常，空攜詩卷赴甘棠。」此詩題下原注云：「自太常寺丞授，工（城按：「工」字據《文苑英華》及紹興本、董本《劉禹錫集》）爲詩。」又據《新唐書·百官志》，侍御史爲從六品下，太常寺爲從五品下，建自秘書丞改官太常寺丞，其間絕無經侍御史一階之可能，故知王建非自侍御史除陝州司馬，而係自太常丞除授，劉詩乃確鑿之旁證無疑。《唐才子傳》所記蓋誤，張籍詩稱「王侍御」者，或係歷來傳刻之誤，未足爲據，岑氏亦失考。白氏《別陝州王司馬》詩則作於大和三年，時居易長假告滿，免刑部侍郎官，詔授太子賓客分司東都。自長安返洛陽，路過陝州，陝虢觀察使王起及陝州司馬王建相迎宴敘。故詩云：「笙歌惆悵欲爲別，風景闌柵初遇春。爭得遺君詩不苦？黃河岸上白頭人。」則居易過陝州必在是年四月間，是時建仍在陝州司馬任也。又白氏《題別遺愛草堂兼呈李十使君》（卷一十一）詩，《全唐詩》既收卷二九九王建下。此詩斷爲白氏所作無疑，《全唐詩》王建名下誤收。

賈　餗

白氏《醉後走筆酬劉五主簿長句之贈兼簡張大賈二十四先輩昆季》（卷十二）、《看常州柘枝贈賈使君》（卷二三）、《赴蘇州至常州答賈舍人》（卷二四）、《自到郡齋僅經旬日方專公務未及宴遊偷閒走筆題二十四韻兼寄常州賈舍人湖州崔郎中仍呈吳中諸客》（卷二四）、《戲和賈常州醉中二絕句》（卷二四）、《夜聞賈常州崔湖州茶山境會想羨歡宴因寄此詩》（卷二四）等詩中之「賈二十四先輩」、「賈使君」、「賈舍人」、「常州賈舍人」均指賈餗，城按：賈餗亦甘露事變之重要人物。《舊唐書》卷一六九、《新唐書》卷一七九俱有傳。餗字子美，貞元十九年進士擢第，元和三年又登制策甲科，文史兼美，四遷至考功員外郎。長慶初與居易俱爲制策考官。尋以本官知制誥，遷庫部郎中充職。四年，爲張又新所構，出爲常州刺史。大和初，入爲太常少卿。二年，以本官知制誥。三年七月，拜中書舍人。九年四月，拜中書侍郎、同平章事。其年十一月，李訓事發，與王涯、舒元輿等皆族誅。死非其罪，世多冤之。見《舊唐書》卷一六九、《新唐書》卷一七九本傳、《登科記考》卷十五及卷十七。居易與賈餗弟兄相識甚早，其元和四年作《醉後走筆酬劉五主簿長句之贈兼簡張大賈二十四先輩昆季》詩（按：花房英樹《白氏文集の批判的研究》據《汪譜》誤繫此詩於元和三年。詩云：「二張得儁名居甲」，二張者，張徹及弟張復，張徹元和四年始中進士第，見《登科記考》卷十七）云：「劉兄文高行孤立，十五年前名翕習。是時相遇在符離，我年二十君三十。張賈兄弟同里巷，乘閒數數來相訪。」可知兩人貞元七年即已在符離訂交。與《新唐書·賈餗傳》「少孤，客江淮間」之記載相合。白氏《看常州柘枝贈賈使君》詩作於長慶四年五月後罷杭州刺史返洛陽途中，則賈餗是時已在常州刺史任。寶曆元年三月四日，居易除蘇州刺史，二十九日發東都，過汴州渡淮水，經常州，復與賈餗重相見，有《赴蘇州至常州答賈舍人》詩云：「杭城隔歲轉蘇臺，還擁前時五馬回。」考賈餗兩爲知制話，至大和三年七月始正拜中書舍人，然唐人知制誥亦得稱爲舍人也，白氏寶曆元年五月五日到蘇州任，僅經旬日，復有《自到郡齋僅經旬日方專公務未及宴遊偸閒走筆題二十四韻兼寄常州賈舍人湖州崔郎中仍呈吳中諸客》詩寄賈餗云：「常未征黃霸，湖猶借寇恂。愧無鐺腳政，徒忝犬牙鄰。」「湖洲崔郎中」蓋指湖州刺史崔玄亮。是年又有《戲和賈常州二絕句》，其一云：「聞道毗陵詩酒興，近來積漸學姑蘇。」則餗詩亦受白詩之影響。《夜聞賈常州崔湖州茶山境會想羨歡宴因寄此詩》作於寶曆二年春間，此爲現存白氏集中酬餗最後之作，可證是時餗猶未離常州刺史任。詩云：「遙聞境會茶山夜，珠翠歌鐘俱繞身。盤下中分兩州界，燈前合作一家春。青娥遞舞應爭妙，紫筍齊嘗各鬥新。自嘆花時北窗下，蒲黃酒對病眠人。」茶山即湖州長興縣顧渚山。產紫笋茶，每歲入貢。《咸淳陵志》卷二七：「垂腳、啄木二嶺在（宜興）縣南。唐遇春貢，湖、常二守會境上。白樂天詩云：『盤下中分兩州界，燈前各作一家春。』」《嘉泰吳興志》卷十八云：「陸羽《茶經》曰：浙西以湖州上，常州次。湖州生長興縣顧渚山中，常州義興縣生君山懸腳嶺北峰下。……每造茶時，兩州刺史親至其處。故白居易詩云。」明李日華《恬致堂詩話》卷四云：「唐時顧渚山有明月峽金沙泉出紫筍茶，毗陵、吳興二太守就泉上造茶，大張宴會。」各書所記俱爲白詩絕好之注腳。又白氏《夜泛陽塢入明月灣即事寄崔湖州》詩自注云：「嘗羨吳興每春茶山之遊。自入太湖，羨意減矣，故云。」與此詩可互證。杜牧《樊川詩集》中有《題茶山》、《茶山下作》、《入茶山下題水口草市絕句》、《春日茶山病不飲酒因呈賓客》等詩，俱爲茶山記實之作，可資參證。

舒元輿

白氏《九日代羅樊二妓招舒著作》（卷二二）、《苦熱中寄舒員外》（卷二二）、《舒員外遊香山寺數日不歸兼辱尺書大夸勝事時正值坐衙慮囚之際走筆題長句以贈之》（卷二二）、《濟源上枉舒員外兩篇因酬六韻》（那波本卷五二）、《秋日與張賓客舒著作同遊龍門醉中狂歌凡百三十八字》（卷二九）、《履信池櫻桃島上醉後走筆送舒員外兼寄宗正李卿考功崔郎中》（卷二九）、《菩提寺上方晚望香山寺寄舒員外》（卷三〇）、《酬舒三員外見贈長句》（卷三一）、《送舒著作重授省郎赴闕》（卷三一）等詩中之「舒著作」、「舒員外」、「舒三員外」均指舒元輿。城按：舒元輿爲甘露事變中之重要人物。《舊唐書》卷一六九、《新唐書》卷一七九俱有傳。《舊唐書·舒元輿傳》：「舒元輿者，江州人。元和八年登進士第，釋褐諸府從事。大和初，入朝爲監察，轉侍御史。……尋轉刑部員外郎。元輿自負奇才，銳於進取，乃進所業文章，乞試效用，宰執謂其躁競。五年八月，改授著作郎分司東都。」白氏《九日代羅樊二妓招舒著作》、《苦熱中寄舒員外》、《舒員外遊香山寺數日不歸兼辱尺書大夸勝事時正值坐衙慮囚之際走筆題長句以贈之》、《濟源上枉舒員外兩篇因酬六韻》四詩俱作於大和六年爲河南尹時。白氏是年有《早冬遊王屋自靈都抵陽臺上方望天　偶吟成章寄溫谷周尊師中書李相公》詩（卷二二）云：「霜降山水清，王屋十月時。」《濟源上枉舒員外兩篇因酬六韻》詩云：「歇手不判案，舉頭仍見山。雖來馬鞍上，不離詩酒間。濟源三臨泛，王屋一登攀。猶嫌百里近，只得十日閒。明朝卻歸府，塵事如循環。賴聽瑤華唱，稍開風土顏。」可知是年十月間，偕元輿同遊濟源十日。《酬舒三員外見贈長句》詩作於大和七年春，是時元輿仍在洛陽。詩云：「自請假來多少日，五旬光景似須臾。已判到老爲狂客，不分當春作病夫。楊柳花飄新白雪，櫻桃子綴小紅珠。頭風不敢多少飲，能酌三分相勸無？」當爲三月天氣，此時居易請假已達五旬，故知長告必在正月末或二月初。《舊唐書·舒元輿傳》又云：「時李訓丁母憂在洛，與元輿性俱詭激，乘險蹈利，相得甚歡。及訓爲文宗寵遇，復召爲尚書郎。九年，以右司郎中知臺雜（《新傳》謂「再遷左司郎中，御史大夫李固言表知雜事」），七月，權知中丞事。九年（城按：當作九月），拜御史中丞、兼判刑部侍郎。是月以本官同平章事，與訓同知政事。」《冊府元龜》卷九四五《總錄部》：「舒元輿爲著作郎分司東都，日與李訓深相結納。大和末訓居中用事，亟加遷擢，自右司郎中兼侍御史知雜事爲權知御史中丞。」《舊傳》、《新傳》、《冊府元龜》俱未詳元輿召爲省郎之時間。白氏《送舒著作重授省郎赴闕》、《履信池櫻桃島上醉後走筆送舒員外兼寄宗正李卿考功崔郎中》二詩作於大和七年，前詩云：「三歲相依在洛都，遊花宴月飽歡娛。」五年至七年故曰「三歲相依在洛都」也。後詩云：「歲晚無花空有葉，風吹滿地乾重疊。踏葉悲秋復憶春，池邊樹下重殷勤。……不論崔李上青雲，明日舒三亦抛我。」則元輿赴長安必在秋末冬初之際。大和九年十一月二十一日，李訓、鄭注謀誅宦官，甘露變起，中尉仇士良率兵誅宰相王涯、賈餗、舒元輿、李訓，新除太原節度使王璠、郭行餘、鄭注、羅立言、李孝本、韓約等十餘家皆族誅。白氏以詩傷之，其《詠史》詩（卷三〇）云：

「秦磨利刀斬李斯，齊燒沸鼎烹酈其，可憐黃綺入商洛，閒卧白雲歌紫芝。彼為葅醢機上盡，此作鸞鳳天外飛。去者逍遙來者死，乃知禍福非天為。」題下自注云：「九年十一月作。」傷掉之意，極為顯然。又《九年十一月二十一日感事而作》詩（卷三二）云：「禍福茫茫不可期，大都早退似先知。當君白首同歸日，是我青山獨往時。顧索琴書應不暇，憶牽黃犬定難追。麒麟作脯龍為醢，何似泥中曳尾魚？」題下自注云：「其日獨遊香山寺。」後詩較前詩為含蓄，然傷悼之意則同。如舒元輿、賈餗、郭行餘輩與居易之交誼殊非泛泛，其疾惡宦官之初心固不減早年，故二詩決不可以消極頹廢視之也。《東坡志林》云：「樂天為王涯所讒，謫江州司馬。甘露之禍，樂天在洛，適遊香山寺，有『白首同歸』之句，不知者以為幸之也，樂天豈幸人之禍者哉！蓋悲之也。」陳振孫《白文公年譜》：大和九年乙卯：「又有《二十日獨遊香山感事》詩云：『當君白首同歸日，是我青山獨往時。』時新有甘露之禍。初江州之貶，王涯有力焉，說者因有是謂公幸之，惟東坡蘇公云：『樂天豈幸人之禍者哉！蓋悲之也。以愚觀之，其悲涯輩之禍，而幸己之不與者乎。鸞皇蓋自況也。公又嘗有詩云：『今日憐君嶺南去，當時笑我洛中來。』未知為何人作，亦此意也。」據《舊唐書·文宗紀》甘露事變為大和九年十一月二十一日，《陳譜》引詩題誤作「二十日」。瞿佑《歸田詩話》卷上：「樂天晚年，優遊香山、綠野，近乎明哲保身者。甘露之禍，王涯、賈餗、舒元輿輩皆預焉。樂天有詩云：『當君白首同歸日，是我青山獨往時。』或謂樂天幸之，非也。樂天豈幸人之禍者哉！蓋悲之也。晉潘岳贈石崇有『白首同所歸』之句，及遭刑，俱赴東市。崇顧岳曰：『可謂白首同所歸矣。』樂天蓋用此事。」汪立名云：「按：『白首同所歸』乃潘岳、石崇臨刑時語。太（大）和九年甘露事，李訓、鄭注、舒元輿、王涯、賈餗皆被害。味詩中同歸句，本就事而言，不專指王涯也。公自蘇州召還，秩位漸崇，見機行退，宦官之禍，固早計及者，何致追憾王涯。況公之遷謫，本由宦官惡之，附宦官者成之，豈反以中人誅夷士大夫爲快？幸禍之說蓋出於章子厚，諺所謂以小人心度君子腹耳。」以上各家之說均本之東坡，其中尤以汪氏之說爲長。胡震亨《唐音癸籤》責東坡爲白曲諱，其論似苛。又宋馬永卿《嬾眞子》卷四云：「『禍福茫茫不可期，……何似泥中曳尾龜？』右白樂天《遊玉泉寺》詩。李訓、鄭注初用事，公知其必敗，輒自刑部侍郎乞分司而歸，時宰相王涯好琴，舒元輿好獵，故及之，而曳尾龜所以自喻也。龍酯事見《左氏》，麟脯事見《列仙傳》。」其說亦附會。況居易大和三年自刑部侍郎罷歸東都時，李訓等尚未用事，白氏此詩係遊香山寺作，馬氏題作《遊玉泉寺》，亦誤。元輿文檄豪健，一時推許，所爲《牡丹賦》尤工。死後，文宗觀牡丹，憑殿誦賦，爲泣下。非獨傷元輿，亦自傷也。

劉禹錫

白氏《除日答夢得同發楚州》（卷二一）、《耳順吟寄敦詩夢得》（卷二一）、《憶舊遊（寄劉蘇州）》（卷二一）、《酬集賢劉郎中對月見寄兼懷元浙東》（卷二二）、《答劉和州》（卷二四）、《酬劉和州戲贈》（卷二四）、《重答劉和州》（卷二四）、《與夢得同登栖靈塔》（卷二四）、《醉贈劉二十八使君》（卷二五)、《和劉郎中傷鄂姬》(卷二五)、《雪中寄令狐相公兼呈夢得》(卷二五)、《有雙鶴留在洛中忽見劉郎中依然鳴顧劉因爲鶴嘆二篇寄予予以二絶句答之》(卷二五)、《代迎春花招劉郎中》(卷二五)、《杏園花下贈劉郎中》(卷二五)、《花前有感兼呈崔相公劉郎中》(卷二五)、《代夢得吟》(卷二五)、《和集賢劉學士早朝作》(卷二六)、《和劉郎中望終南山秋雪》(卷二六)、《令狐相公拜尚書後有喜從鎭歸朝之作劉郎中先和因以繼之》(卷二六)、《聞新蟬贈劉二十八》(卷二六)、《和劉郎中學士題集賢閣》(卷二六)、《和劉郎中曲江春望見示》(卷二六)、《寄劉蘇州》(卷二六)、《酬夢得秋夕不寐見寄》(卷二六)、《憶夢得》(卷二六)、《贈夢得》(卷二七)、《答夢得聞蟬見寄》(卷二七)、《和令狐相公寄劉郎中兼見示長句》(卷二七)、《醉中重留夢得》(卷二七)、《府齋感懷酬夢得》(卷二八)、《和夢得冬日晨興》(卷二八)、《贈晦叔憶夢得》(卷二八)、《立秋夕有懷夢得》(卷二九)、《懶放二首呈劉夢得吳方之》(卷二九)、《洛陽春贈劉李二賓客》(卷二九)、《夢劉二十八因詩問之》(卷三〇)、《酬牛相公宮城早秋寓言見示兼呈夢得》(卷三〇)、《小臺晚坐憶夢得》(卷三〇)、《早春醉吟寄太原令狐相公蘇州劉郎中》(卷三一)、《和夢得》(卷三一)、《答夢得秋日書懷見寄》(卷三一)、《答夢得八月十五日夜玩月見寄》(卷三一)、《初冬早起寄夢得》(卷三一)、《喜劉蘇州恩賜金紫遙想賀以詩慶之》(卷三一)、《劉蘇州以華亭一鶴遠寄以詩謝之》(卷三一)、《早春懷蘇州寄夢得》(卷三一)、《劉蘇州寄釀酒糯米李浙東寄楊柳枝舞衫偶因嘗酒試衫輒成長句寄謝之》(卷三二)、《詠老贈夢得》(卷三二)、《閒卧寄劉同州》(卷三二)、《喜見劉同州夢得》(卷三三)、《裴令公席上贈別夢得》(卷三三)、《喜夢得自馮翊歸洛

《酬夢得窮秋夜坐即事見寄》（卷三三）、《答夢得秋庭獨坐見贈》（卷三三）、《長齋月滿攜酒先與夢得對酌醉中同赴令公之宴戲贈夢得》（卷三三）、《吴秘監每有美酒獨酌獨醉但蒙詩報不以飲招輒此戲酬兼呈夢得》（卷三三）、《酬夢得霜夜對月見懷》（卷三三）、《酬令公雪中見贈訝不與夢得同相訪》（卷三三）、《題酒　呈夢得》（卷三三）、《與夢得偶同到敦詩宅感而題壁》（卷三三）、《池上早春即事招夢得》（卷三三）、《因夢得題公垂所寄蠟燭因寄公垂》（卷三三）、《贈夢得》（卷三三）、《同夢得寄賀東西川二楊尚書》（卷三三）、《晚春酒醒尋夢得》（卷三三）、《同夢得酬牛相公初到洛中小飲見贈》（卷三三）、《分司洛中多暇數與諸客宴遊醉後狂吟偶成十韻因招夢得賓客兼呈思黯寄章公》（卷三四）、《夢得臥病攜酒相尋先以此寄》（卷三四）、《令狐相公與夢得交情素深眷予分亦不淺一聞薨逝相顧泫然旋有使來得前月未歿之前數日書及詩寄贈夢得哀吟悲嘆寄情於詩詩成示予感而繼作》（卷三四）、《洛下雪中頻與劉李二賓客宴集因寄汴州李尚書》（卷三四）、《看夢得題答李侍郎詩詩中有文星之句因戲和之》（卷三四）、《新歲贈夢得》（卷三四）、《戲贈夢得兼思黯》（卷三四）、《春和思黯自題南庄見示兼呈夢得》（卷三四）、《酬夢得以予五月長齋延僧徒絕賓友見戲十韻》（卷三四）、《早夏曉興贈夢得》（卷三四）、《奉和思黯相公以李蘇州所寄太湖石奇狀絕倫因題二十韻見示兼呈夢得》（卷三四）、《晚夏閒居絕無賓客欲尋夢得先寄此詩》（卷三四）、《酬夢得早秋夜對月見寄》（卷三四）、《與夢得沽酒閒飲且約後期》（卷三四）、《夢得相過援琴命酒因彈秋思偶詠所懷兼寄繼之待價二相府》（卷三四）、《酬夢得暮秋晴夜對月相憶》（卷三四）、《同夢得和思黯見贈來詩中先叙三人同宴之歡次有嘆鬢髮漸衰嫌孫子催老之意因繼妍唱兼吟鄙懷》（卷三四）、《初冬即事呈夢得》（卷三四）、《酬夢得比萱草見贈》（卷三四）、《病中詩五十首之十四》（卷三五）、《歲暮呈思黯相公皇甫朗之》（卷三五）、《歲暮病懷贈夢得》（卷三五）、《酬夢得貧居詠懷見贈》（卷三五）、《酬夢得見喜疾瘳》（卷三五）、《夢得前所酬篇有煉盡美少年之句因思往事兼詠今懷重以長句答之》（卷三五）、《前有別柳枝絶句夢得繼和云春盡絮飛留不得隨風好去落誰家又復戲答》（卷三五）、《談氏外孫生三日喜是男偶吟成篇兼戲呈夢得》（卷三五）、《會昌元年春五絶句》之五《勸夢得酒》（卷三五）、《偶吟自慰兼呈夢得》（卷三五）、《雪暮偶與夢得同致仕裴賓客王尚書飲》（卷三五）、《開成二年夏聞新蟬贈夢得》（卷三六）、《和思黯居守獨飲獨醉見示六韻時夢得和篇先成頗爲麗絶因添兩韻繼而美之》（卷三六）、《和夢得洛中早春見贈七韻》（卷三六）、《贈夢得》（卷三六）、《雪夜小飲贈夢得》（卷三六）、《哭劉尚書夢得》（卷三六）、《送劉郎中赴任蘇州》（汪立名本《白香山詩集·補遺》）、《福先寺雪中餞劉蘇州》（汪立名本《白香山詩集·補遺》）、《小庭寒夜寄夢得》（汪立名本《白香山詩集·補遺》）、《得夢得新詩》（汪立名本《本白香山詩集·補遺》）等詩中之「夢得」、「劉蘇州」、「集賢劉郎中」、「劉和州」、「劉二十八使君」、「劉郎中」、「集賢劉學士」、「劉郎中學士」、「劉賓客」、「蘇州劉郎」、「劉同州」、「劉二十八郎中」俱指劉禹錫。城按：劉禹錫，字夢得，彭城人（城按：彭城乃劉禹錫之郡望，據卞孝萱《劉禹錫年譜》考證，應爲洛陽人）。貞元九年進士。順宗即位，王叔文用事，引禹錫及柳宗元入禁中，所言必從。擢屯田員外郎，判度支鹽鐵案，叔文敗，貶連州刺史。未至，斥朗州司馬。元和十年召還，作

《遊玄都觀》、《詠看花君子》，語涉譏刺，執政不悅，復出爲播州刺史，旋改授連州。寶曆二年，自和州刺史徵還（城按：《舊唐書》卷一六〇本傳謂大和二年自和州刺史徵還，誤），拜主客郎中分司東都。大和二年春，爲主客郎中，至長安。大和五年十月，自禮部郎中、集賢學士出爲蘇州刺史。大和八年七月，移任汝州刺史。開成元年秋，自汝州刺史授太子賓客分司東都。會昌二年七月，卒。年七十一歲。贈戶部尙書。禹錫晚年與白居易友善，詩筆文章，時無出其右者，號稱「劉白」。見《舊唐書》卷一六〇）、《新唐書》卷一六八本傳、《舊唐書》卷十五《憲宗紀》、《舊唐書》卷十七《文宗紀》、劉禹錫《子劉子自傳》、卞孝萱《劉禹錫年譜》。

白氏《答劉禹錫白太守行》詩（卷二一）作於寶曆二年，是年劉禹錫有《白太守行》詩，白氏詩爲和作。考白氏在蘇州所作之《華嚴經社石記》（卷六八）題云：「寶曆二年九月二十五日前蘇州刺史白居易記」，則知其九月二十五日前仍未離蘇州。白氏此詩云：「今年去郡日，稻花白霏霏。」所指當是晚稻之花。東南諸省晚稻熟於立冬前後，據此，居易離蘇州時必在十月初旬。又白氏有《寶曆二年八月三十日夜夢後作》詩云：「塵纓忽解誠堪喜，世網重來未可知。莫忘全吳館中夢，嶺南泥雨步行時。」八月三十日蓋即居易罷蘇州刺史任之日，去「稻花白霏霏」之時僅月餘。然居易刺蘇甫一年，非報滿之時，何至請百日長告而亟亟去官？蓋寶曆元年乃李逢吉用事之時，而二年則裴度復入知政事，故由度之援手，去官還京，相繼有秘書監、刑部侍郎之授。禹錫《白太守行》謂「棄官歸舊溪」，恐尙未深悉居易內中隱情。

寶曆二年冬，劉禹錫亦自和州刺史徵還，與居易相遇於揚子津，同遊揚州。白氏《醉贈劉二十八使君》詩（卷二五）云：「爲我引杯添酒飲，與君把箸擊盤歌。詩稱國手徒爲爾，命壓人頭不奈何。舉眼風光長寂寞，滿朝官職獨蹉跎。亦知合被才名折，二十三年折太多。」禹錫之和詩《酬樂天揚州初逢席上見贈》詩云：「巴山楚水凄涼地，二十三年棄置身。懷舊空吟聞笛賦，到鄉翻似爛柯人。沉舟側畔千帆過，病樹前頭萬木春。今日聽君歌一曲，暫憑杯酒長精神。」城按：劉禹錫、白居易貞元末同在長安，曾否過從，集中無明文可據，《劉禹錫集》中有《翰林白二十二學士見寄詩一百篇因以答貺》詩，知居易元和二年至六年爲翰林學士時曾有寄劉之詩，今本《白集》中未收，或係編集時所遺，然由此可證劉、白元和初雖未見面，已有往還。又白氏大和五年冬所作《初見劉二十八郎中有感》詩（那波本卷五七），作於《醉贈劉二十八使君》詩之後，題中亦稱「初見」，則「初逢」、「初見」均係久別初逢之意，並非初次相見。又據元稹元和十年春在藍橋所作《留呈夢得子厚致用》詩，則劉禹錫自朗州召還與元稹同返長安，必有與白居易晤面之可能。由此可以斷言，劉、白在揚州絕非初次見面，所謂「初逢」、「初見」均爲「久別重逢」之意。又按：白氏《醉贈劉二十八使君》詩云：「二十三年折太多」，劉詩亦謂「二十三年棄置身」，彼此皆言二十三年。當有實據。惟禹錫永貞元年貶官，永貞一年，元和十五年，長慶四年，寶曆二年，合計實止二十二年。揚州初逢在寶曆二年歲杪，豈大和元年預計入耶？

白氏《答劉和州》、《酬劉和州戲贈》兩詩俱作於寶曆元年，《重答劉和州》詩作於寶曆二年。陳振孫《白文公年譜》謂《答劉和州》詩作於洛陽赴蘇州途中，非是。白氏詩云「歷陽湖上又秋風」，則當作於寶曆元年秋至蘇州後。劉禹錫有《白舍人見酬拙詩因以寄謝》（外集卷一）詩，即此詩之和篇。禹錫刺和州時，酬和白氏詩尚有《白舍人曹長寄新詩有遊宴之盛因以戲酬》及《蘇州白舍人寄新詩有嘆早白無兒之句因以贈之》兩詩，《白舍人曹長寄新詩有遊宴之盛因以戲酬》詩云：「蘇州刺史例能詩，西掖今來替左司。二八城門開道路，五千兵馬引旌旗。水通山寺笙歌去，騎過紅橋劍戟隨。若共吳王鬥百草，不如應是欠西施。」白氏《重答劉和州》詩云：「分無佳麗敵西施，敢有文章替左司？隨分笙歌聊自樂，等閒篇詠被人知，花邊妓引尋香徑，月下僧留宿劍池。可惜當時好風景，吳王應不解吟詩。」城按：「左司」，韋應物也。貞元四年，由尚書左司郎中出爲蘇州刺史。（沈任《韋刺史傳》誤作貞元二年，見《文史》第五輯傅璇琮《韋應物系年考證》。）白氏《吳郡詩石記》（卷六八）亦云：「貞元初，韋應物爲蘇州牧，房孺復爲杭州牧，皆豪人也。」王阮亭不喜白詩，其《戲仿元遺山論詩絕句三十五首》有句云「獨愧文章替左司」，立論過偏，蓋亦不能知白詩之佳處。實則白氏較之韋氏殊無愧色，且有過之。翁方綱《石州詩話》辨之云：「白詩所云『敢有文章替左司』，是因守蘇州而云爾，豈其關涉詩品耶！白公之爲廣大教化主，實其詩合賦比興之全體，合風雅頌之諸體，他家所不能奄有也。」所論甚是。

居易與禹錫十一月間，停留半月，至揚州復同遊棲靈寺塔，白氏作《與夢得同登棲靈塔》詩云：「半月悠悠在廣陵，何樓何塔不同登。共憐筋力猶堪在，上到棲靈第九層。」禹錫和作《同樂天登棲靈寺塔》詩（外集卷一）云：「步步相攜不覺難，九層雲外倚欄杆。忽然語笑半天上，無限遊人舉眼看。」此兩詩非但寫繪棲靈寺塔高達九層之壯觀，並抒發兩人政治觀點相同之眞摯友情，而流露出無限積極向上，抱負即將施展之樂觀精神。故必用此兩詩作爲注腳，始能深入理解劉詩「病樹前頭萬木春」之佳處。城按：棲靈寺塔在揚州大明寺，棲靈寺亦爲大明寺之別稱。棲靈寺塔焚於會昌時。李白《秋日登揚州西靈塔》詩王琦注引《太平廣記》云：「揚州西靈塔，中國之尤峻特。唐武宗未折寺之前一年，天火焚塔俱盡，白雨如瀉。旁有草堂，一無所損。」贊寧《宋高僧傳》卷十九《唐揚西靈塔寺懷信傳》云：「會昌三年癸亥歲，武宗爲趙歸眞排毀釋門，將欲堙滅教法。……後數日，天火焚塔俱盡。」則棲靈寺塔焚毀於會昌三年。

白氏《自問行何遲》詩（卷二二）云：「前月發京口，今晨次淮涯。二旬四百里，自問行何遲？」可知居易及禹錫於寶曆二年十二月間始行抵楚州。又據白氏《除日答夢得同發楚州》及禹錫《歲杪將發楚州呈樂天》（《外集》卷一）兩詩，知兩人遲至除夕始離去，蓋由於楚州刺史郭行餘之挽留。白氏《贈楚州郭使君》（卷二五）、《和郭使君題枸杞》（卷二五）、禹錫《罷郡歸洛途次山陽留辭郭中丞使君》（《外集卷一》）兩詩俱爲是年贈郭行餘之作。白氏《和郭使君題枸杞》詩云：「山陽太守政嚴明，吏靜人安無犬驚。不知靈藥根成狗，怪得時間吠夜聲。」禹錫和詩《楚州開元寺北院枸杞臨井繁茂可觀群賢賦詩因以絕和》（《外集》卷一）云：「僧房藥樹依寒井，井有香泉樹有靈。翠黛葉生籠石甃，殷紅子熟照銅瓶。枝繁本是仙人杖，根老新成瑞犬形。上品功能甘露味，遠知一勺可延齡。」城按：劉詩

「犬」字，結一廬本《劉集》誤作「木」，今以白詩「不知靈藥根如狗，怪得時聞吠夜聲」相證，《四部叢刊》影印崇蘭室本《劉集》及《文苑英華》作「犬」，是。又蘇軾《和陶詩》云：「苓龜亦晨吸，杞狗或夜吠。耘樵得甘芳，齕嚙謝炮製。」亦可爲劉、白詩之注腳。

禹錫大和二年春始自洛陽至長安，以主客郎中充集賢學士。錢大昕《十駕齋養新錄》卷六云：「《劉禹錫傳》：由和州刺史入爲主客郎中，復作《遊玄都觀》詩。且言：始謫十年，還京師，道士植桃，其盛如霞。又十四年過之，無復一存，唯兔葵燕麥動搖春風耳。……俄分司東都。今以劉禹錫集》考之，《再遊玄都絕句》在大和二年三月，是歲歲次戊申。而自和州刺史除主客郎中分司東都，則在大和元年六月，是分司在前，題詩在後也。以郎中分司東都，本是一事，初未到京師也。次年以裴度荐，起元官直集賢院，方得還都。《玄都詩》正在此時，距元和十年乙未自朗州被召，恰十四年矣。集中又有《蒙恩轉儀曹郎依前充集賢學士舉韓湖州自代》詩，可見初入集賢猶是主客郎中，後乃轉禮部也。史云：以荐爲禮部郎中、集賢直學士，猶未甚核。至《玄都詩》雖含譏刺，亦詞人感慨今昔之常情，何至遂薄其行。史家不考年月，誤仞分司與主客爲兩任，疑由題詩獲咎，遂甚其詞耳。」錢氏指斥《新唐書·劉禹錫傳》之誤，所考良是。禹錫分司東都時，作有《鶴歎二首》詩（《外集》卷一），其一云：「寂寞一雙鶴，主人在西京。故巢吳苑樹，深院洛陽城。徐引竹間步，遠含雲外情。誰憐好風月，鄰舍夜吹笙。（自注：東鄰即王家。）」其二云：「丹頂宜承日，霜翎不染泥。愛池能久立，看月未成栖。一院春草長，三山歸路迷。主人朝謁早，貪養汝南雞。」詩前劉有自序云：「友人白樂天，去年罷吳郡，挈雙鶴雛以歸，予相遇於揚子津，閒玩終日，翔舞調態，一符相書，信華陽之尤物也。今年春，樂天爲秘書監，不以鶴隨，置之洛陽第……」居易有《有雙鶴留在洛中忽見劉郎中依然鳴顧劉因爲鶴嘆二篇寄予予以二絕句答之》詩，即爲劉詩《鶴嘆二首》之和篇。劉詩中之「去年」謂寶曆二年，「今年」謂大和元年，紀年明確，故知禹錫大和元年作詩時方爲主客郎中分司東都，居易則爲秘書監在長安。居易作此詩答劉時，當爲大和二年已奉使至洛陽。白氏《臨都驛答夢得六言二首》（卷二五）亦作於洛陽，禹錫答詩有《答樂天臨都驛見贈》及《再贈樂天》二詩（《外集》卷一）當是居易奉使東都，大和二年春返長安，禹錫送至洛陽近郊臨都驛。

大和二年春，禹錫爲主客郎中，至長安，與居易朝夕相見，兩人酬唱益多，茲列表如下（見下頁）。

白居易	劉禹錫
《代迎春花招劉郎中》	
《杏園花下贈劉郎中》	《杏園花下酬樂天見贈》
《花前有感兼呈崔相公劉郎中》	
《和集賢劉學士早朝作》	《闕下待漏傳點呈諸同舍》
《和劉郎中望終南秋雪》	《終南積雪》
《令狐相公拜尚書後有喜從鎭歸朝之作劉郎中	《和令狐相公初歸京國賦詩言懷》

先和因以繼之》	
《聞新蟬贈劉二十八》	《答白刑部新蟬》
《和劉郎中學士題集賢閣》	《題集賢閣》
《聽田順八歌》	《與歌童田順郎》
《送河南尹馮學士赴任》	《同樂天送河南馮尹學士》
《鏡換杯》	《和樂天以鏡換酒》
《贈王山人》	《同白二十二贈王山人》

白氏《和劉郎中傷鄂姬》詩云：「不獨君嗟我亦嗟，西風北雪殺南花。不知月夜魂歸處，鸚鵡州頭第幾家？（自注：姬，鄂人也。）」禹錫《有所嗟》詩云：「庾令樓中初見時，武昌春柳門腰肢。相逢相笑盡如夢，爲雨爲雲今不知。」又云：「鄂渚濛濛煙雨微，女郎魂逐暮雲歸。只應長在漢陽渡，化作鴛鴦一隻飛。」則知鄂姬乃禹錫長慶四年自夔州東下過武昌時所納之姬人。城按：禹錫《有所嗟》二首，《全唐詩》亦編入元稹卷內，題爲《所思二首》，以詩之風格而言，似亦未敢遽定，然以白詩證之，當屬劉作無疑，蓋此時元稹觀察浙東，未赴鄂渚也。

白氏《早春同劉郎中寄宣武令狐相》詩亦大和二年奉使洛陽所作，禹錫有《洛中逢白監同話遊梁之樂因寄宣武令狐相公》詩，令狐楚亦有《節度宣武酬樂天夢得》詩，三首用韻俱同，自是互酬之作。城按：居易與禹錫曾於大和元年春路過汴州，應宣武軍節度使令狐楚之款接，停留小遊，至大和二年春已將一年，故白氏詩云：「梁園不到一年強」，令狐楚詩亦云：「蓬萊仙監客曹郎，曾枉高車客大梁。」蓋即指此。同時白氏又有《雪中寄令狐相公兼呈夢得》詩云：「兔園春雪梁王會，想對金罍詠玉塵。今日相如身在此，不知客右坐何人？」此借漢之梁孝王以喻汴帥，蓋以孝王好賓客，鄒陽、牧乘、司馬相如皆以文士在其左右，與令狐楚情事粗合。

白氏《杏園花下贈劉郎中》詩云：「怪君把酒偏惆悵，曾是貞元花下人。自別花來多少事，東風二十四回春。」禹錫和詩《杏園花下酬樂天見贈》詩云：「二十餘年作逐臣，歸來還見曲江春。遊人莫笑白頭醉，老醉花間有幾人？」城按：白詩稱「東風二十四回春」，蓋永貞元年至大和二年適爲二十四年也。是時張籍亦同遊，故有《同白侍郎杏園贈劉郎中》詩。

白氏《花前有感兼呈崔相公劉郎中》詩云：「落花如雪鬢如霜，醉把花看益自傷。少日爲名多檢束，長年無興可顚狂。四時輪轉春常少，百刻支分夜苦長。何事同生壬子歲，老子崔相及劉郎？」城按：崔群，大和元年正月，自宣歙觀察使入爲兵部尙書。大和三年二月，又自兵部尙書出爲荆南節度使。見《舊唐書》卷十七上《文宗紀》。則白氏作此詩時，崔群仍官兵部尙書在長安。考白居易、崔群、劉禹錫三人俱生於代宗大曆七年壬子，故白氏詩云：「何事同生壬子歲，老於崔相及劉郎？」

白氏《和集賢劉學士早朝作》詩云：「吟罷昨日早朝詩，金御爐前喚仗時。煙吐白龍頭宛轉，扇開青雉尾參差。暫留春殿多稱屈，合入綸闈即可知。從此摩霄去非晚，鬢間未有一莖絲。」城按：禹錫有《闕下待漏傳點呈諸同舍》詩（《外集》卷一）云：「禁漏晨鐘聲欲絕，旌旗組綬影相交。殿含佳氣當龍首，閣倚晴天見鳳巢。山色葱蘢丹檻外，霞光泛灔翠松梢。多慚再入金門籍，不敢爲文學《解嘲》。」疑即此詩所和之篇。觀居易此詩，可見當時物望固以禹錫宜掌綸誥。一二年間即可正拜中書舍人，繼入政地，而以集賢散秩爲可惜也。又按：《舊唐書》卷一四八《裴垍傳》：「垍奏：集賢御書院請准《六典》，登朝官五品以上爲學士，六品以下爲直學士，自非登朝官，不問品秩，均爲校理。」據錢大昕說，登朝官即指常參官，謂文官五品以上及兩省供奉官、監察御史、員外郎，太常博士也。

白氏《共劉郎中望終南山秋雪》詩云：「遍覽古今集，都無《秋雪》詩。《陽春》先唱後，陰嶺未消時。草訝霜凝重，松疑鶴散遲。清光莫獨占，亦對白雲司。」禹錫有《終南積雪》詩（《外集》卷一）云：「南嶺見秋雪，千門坐早寒。閒時駐馬望，高處卷簾看。霧散瓊枝出，日斜鉛粉殘。偏宜曲江上，倒影入清瀾。」此爲白氏和詩之原作，亦禹錫永貞事變後第一次入長安逢秋景也。城按：秋雪詩蓋始自禹錫。宋長白《柳亭詩話》云：「白樂天《望終南秋雪和劉郎中》云：『偏覽古今集，都無秋雪詩。』余於丙午七月，過飛狐峪，時大雪繽紛，千山玉立。又於丁卯六月過太白山，其最高處如水精屏。士人僉謂積年之雪，盛夏不清。故知秋雪秦晉之界時時有之。但求諸吟詠，誠有如香山所云者，要亦景象特殊，難於著筆耳。」何義門亦云：「第五句的是秋雪。秋雪詩自劉始。」

白氏《令狐相公拜尚書後有喜從鎮歸朝之作劉郎中先和因以繼之》詩云：「車騎從新梁苑回，履聲珮響入中臺。鳳池望在終重去，龍節功成且納來。金勒最宜乘雪出，玉觴何必待花開？尚書首唱郎中和，不計官資只計才。」禹錫有《和令狐相公初歸京國賦詩言懷》詩（《外集》卷一）云：「凌雲羽翩掞天才，揚歷中樞與外臺。相印昔辭東閣去，將星還拱北辰來。殿庭捧日彯纓入，閣道看山曳履回。口不信功心自適，吟詩釀酒待花開。」城按：令狐楚原詩已佚。《舊唐書》卷十七上《文宗紀》：「（大和二年十月）癸酉，以尚書右僕射、同平章事竇易直檢校左僕射、同平章事，充山南東道節度使，臨漢監牧等使代李逢吉，以逢吉爲宣武軍節度使代令狐楚，以楚爲戶部尚書。」禹錫《唐故相國贈司空令狐公集紀》（《劉集》卷十九）云：「文宗纂服，三年冬，上表以大臣未識天子，願朝正月。制曰：可。操節入覲，遷戶部尚書。」與《舊紀》合。張採田《玉溪生年譜會箋》卷十六：「《舊傳》作大和二年九月徵爲戶部尚書，小誤。今從《紀》。」張氏所考是也。

白氏《送河南尹馮學士赴任》詩云：「石渠金谷中間路，軒騎翩翩十日程。清洛飲水添苦節，碧嵩看雪助高情。謾夸河北操旄鉞，莫羨江西擁旆旌（原注：時新除二鎮節度）。何似府寮京令外，別教三十六峰迎。」禹錫《同樂天送河南馮尹學士》詩（《外集》卷二）云：「可憐玉馬風流地，暫輟金貂侍從才。閣上掩書劉向去，門前修刺孔融來。崤陵路靜寒無雨，洛水橋長晝起雷。共羨府中棠棣好，先於城外百花開。」城按：河南尹馮學士爲馮宿。敬宗即位，改左散騎常侍兼集賢殿學士。大和二年十一月，拜河南尹。四年十二月，入爲工部侍郎。見《舊唐書》卷一六八本傳、卷十七上《文宗紀》、卷十七下《文宗紀》。白氏又有《馮閣老處見與嚴郎中酬和詩因戲贈絕句》（卷十九）、《送馮舍人閣老往襄》（卷十九）、《同崔十八宿龍門兼寄令狐尚書馮常侍》（那波本卷五七）等詩，均係酬宿之作。又《唐詩紀事》卷四三：「馮宿尹河南，樂天、夢得以詩送之，宿酬云：『共稱洛邑難其選，何意天書用不才？遙約和風新草木，且令新雪淨塵埃。臨歧有愧傾三省，別酌無辭醉百懷。明歲杏園花下集，須知春色自東來。（原注：每春常接諸公杏園宴會。）」何義門謂白詩「不及夢得之詩，亦嫌太工」，亦頗有見地。白詩中之「河北操旄鉞」指李祐除橫海軍節度使，「江西擁旆旌」指沈傳師除江西觀察使，俱在大和二年十月以後。

白氏《鏡換杯》詩云：「欲將珠匣青銅鏡，換取金樽白玉巵。鏡裏老來無避處，樽前愁至有消時。茶能散悶爲功淺，萱縱忘憂得力遲。不似杜康神用速，十分一盞便開眉。」禹錫和詩《和樂天以鏡換酒》詩（《外集》卷一）云：「把取菱花百煉鏡，換他竹葉十分杯。嚬眉厭老終難去，蘸甲須歡便到來。妍醜太分迷忌諱，松喬俱傲絕嫌猜。校量動力相千萬，好去從空白玉臺。」城按：禹錫詩與白詩相較，似更多寄托，「妍醜太分」、「松喬俱傲」二語，禹錫生平不得志之感盡之矣。

白氏《聞新蟬贈劉二十八詩》云：「蟬發一聲時，槐花帶兩枝。只應催我老，兼遣報君知。白髮生頭速，青雲入手遲。無過一杯酒，相勸數開眉。」禹錫和詩《答白刑部新蟬詩》（《外集》卷一）云：「蟬聲未發前，已自感流年。一入淒涼耳，如聞斷續絃。晴清依露葉，晚急畏霞天。何事秋卿詠，逢時一悄然？」城按：據《舊紀》，居易大和二年二月自秘書監遷刑部侍郎，蓋由於裴度、韋處厚兩人之推荐。處厚即以是年之末暴卒於位，度亦行將出鎮，居易所以不得不於三年乞歸也。《聞新蟬》詩當作於二年之秋，是時禹錫已除主客郎中入京，其和詩亦作於是時，以官職論，居易正在最得意之時，而詩中有「催我老」、「入手遲」之語，疑居易求入相而未遂，致有此感慨耳。

白氏《贈王山人》詩云：「玉芝觀裏王居士，服氣餐霞善養身。夜後不聞龜喘息，秋來唯長鶴精神。容顏盡怪長如故，名姓多疑不是眞。貴重榮華輕壽命，知君悶見世間人。」禹錫《同白二十二贈王山人》詩（《外集》卷一）云：「愛名之世忘名客，多事之時無事身。古老相傳見未久，歲華雖變貌常新。飛章上達三清路，受籙交平五岳神。笑聽鼕鼕朝暮鼓，只能催得市朝人。」城按：此「王山人」疑爲傳授劉禹錫「甘露飲」之王旻山人。李時珍《本草綱目》卷十一《金石》之五《朴消·附方》云：「涼膈驅積。王旻山人甘露飲：治熱壅，涼胸膈，驅積滯。……劉禹錫《傳信方》。」考此「王山人」非卷五《贈王山人》詩中之王質夫。質夫死於元和十五年。又疑非王起之子王龜。劉禹錫《荐處士王龜狀》（《劉集》卷十七）云：「今見處士王龜，即居守之第三子也。……自到洛都，便居山寺，耽玩墳籍，放情煙霞。」時地俱不合，蓋王起爲東都留守在開成五年，白、劉之兩詩均作於長安也。

大和三年暮春，居易罷刑部侍郎，以太子賓客分司東都。是年禹錫亦遷禮部郎中、集賢學士。兩人唱和之詩：白氏有《酬集賢劉郎中對月見寄兼懷元浙東》（卷二二）、《和春深二十首》（卷二六）、《贈夢得》（卷二五）、《春詞》（卷二五）、《酬令狐相公春日尋花見寄六韻》（卷二六）、《和劉郎中曲江春望》（卷二六）、《送東都留守令狐尚書赴任》（卷二六）等，禹錫有《月夜憶樂天兼寄微之》（《外集》卷二）、《同樂天和微之深春二十首》（《外集》卷二）、《答樂天歲贈》（《外集》卷一）、《和樂天春詞》（《外集》卷一）、《曲江春望》（《外集》卷一）、《和令狐相公春日尋花有懷白侍郎閣老》（《外集》卷一）、《同樂天送令狐相公赴東都留守》（《外集》卷一）等。

白氏《酬令狐相公春日尋花見寄六韻》詩云：「病卧帝王州，花時不得遊。……吟君悵望句，如到曲江頭。」禹錫《和令狐相公春日尋花有懷白侍郎閣老》詩云：「芳菲滿雍州，鸞鳳許同遊。花徑須深入，時光不少留。……共憶秋官處，餘霞曲水頭。」城按：令狐楚原詩已佚。楚大和二年十月自宣武節度使入爲戶部尚書，大和三年三月復出爲東都留守。居易、禹錫作詩時，楚尚在長安，而詩云「花時不得遊」，劉詩云「共憶秋官處」，則白氏必在病告中也。

白氏《送東都留守令狐尚書赴任》詩云：「翠華黃屋未東巡，碧洛青嵩付大臣。地稱高情多水竹，山宜閒望少風塵。龍門即擬爲遊客，金谷先憑作主人。歌酒家家花處處，莫空管領上陽春。」禹錫《同樂天送令狐相公赴東都留守》詩云：「尙書劍履出明光，居守旌旗赴洛陽。世上功名兼將相，人間聲價是文章。衙門曉闢分天仗，賓幕初開辟省郎。從發坡頭向東望，春風處處有甘棠。」城按：大和三年三月，令狐楚自戶部尙書出爲東都留守，見《舊唐書·文宗紀》。赴任時，居易、禹錫在長安置酒送之，居易詩云：「龍門即擬爲遊客，金谷先憑作主人。」蓋此時回洛之意已決。

白氏《春詞》詩云：「低花樹映小妝樓，春入眉心兩點愁。斜倚欄干背鸚鵡，思量何事不回頭？」禹錫《和樂天春詞》詩云：「新妝宜面下朱樓，深鎖春光一院愁。行到中庭數花朵，蜻蜓飛上玉搔頭。」城按：居易、禹錫兩詩均有所刺而作。蓋韋處厚暴卒於大和二年十二月，李宗閔將入相，二人失所憑依。又大和三年正月，王涯自山南西道節度使入爲太常卿，爲大用張本，居易江州之謫，涯有力焉。居易因不能與之同立於朝，故三年春辭刑部侍郎歸洛陽。題爲《春詞》者，記三者春初之事也。在白氏集中，此詩之前一首《繡婦嘆》云：「連枝花樣繡羅襦，本擬新年餉小姑。自覺逢春饒悵望，誰能每日趁功夫？針頭不解愁眉結，線縷難穿淚臉珠。雖憑繡床都不繡，同床繡伴得知無？」後一首《恨詞》云：「翠黛眉低斂，紅珠淚暗銷。曾來恨人意，不省似今朝。」與此詩立意俱同，絕非一般閨怨之作。禹錫和詩「蜻蜓飛上玉搔頭」句刺新貴尤爲明顯。

白氏《酬集賢劉郎中對月見寄兼懷元浙東》詩云：「月在洛陽天，天高淨如水。下有白頭人，攬衣中夜起。思遠鏡亭上，光深書殿裏。眇然三處心，相去各千里。」禹錫《月夜憶樂天兼寄微之》詩云：「今宵帝城月，一望雪相似。遙想洛陽城，淸光正如此。知君當此夕，亦望鏡湖水。展轉相憶心，月明千萬里。」城按：元浙東爲元稹。《會稽掇英總集》卷十八《唐太守題名記》：「元稹，長慶三年八月，自同州防禦使授。大和三年九月，除尙書左丞。」劉、白兩詩俱作於大和三年夏秋間。時居易居洛陽。元稹在越州，尙未聞內召之命。禹錫在長安，已爲禮部郎中、集賢學士。故白氏詩云：「眇然三處心，相去各千里。」

白氏《和春深二十首》詩（卷二六）亦爲大和三年所作。劉禹錫有《同樂天和微之深春二十首》詩（《劉集》外二）。城按：元稹《春深詩》已佚。白氏《和微之詩二十三首序》（卷二二）云：「微之又以近作四十三首寄來，命僕繼和，其間瘀絮四百字、車斜二十篇者流，皆韻劇辭殫，瓌奇怪譎。」蓋指此。劉詩原注亦云：「同用家花車斜四韻。」劉、白兩詩中故實，深可考見唐代中葉長安風俗之一斑，凡治唐史者均不可忽視。又卞孝萱《劉禹錫年譜》據元稹《生春二十首》下自注「丁酉歲」繫劉詩於元和十二年丁酉，失考。

劉禹錫、白居易與令狐楚俱情誼篤好，禹錫與令狐訂交於貞元末爲監察御史時，友情尤爲深厚。永貞事變後，令狐楚避嫌，不敢與劉往還，音信隔十餘年。至元和十五年，楚貶衡州刺史，方與禹錫會面。禹錫內召長安後，與楚唱和益多，編爲《彭陽唱和集》卷三。白氏《和令狐相公寄劉郎中兼見示長句》詩（卷二七）作於大和五年爲河南尹時，禹錫爲禮部郎中、集賢學士在長安，令狐楚則爲天平軍節度使在鄆州。白氏詩云：「日月天衢仰面看，尚淹池鳳滯臺鸞。碧幢千里空移鎮，赤筆三年未轉官。別後縱吟終少興，病來雖飲不多歡。酒軍詩故如相遇，臨老猶能一據鞍。」城按：令狐楚《寄禮部劉郎中》詩云：「一別三年在上京，仙垣終日選群英。除書每下皆先看，唯有劉郎無姓名。」禹錫《酬令狐相公見寄》詩（《劉集》外三）云：「群玉山頭住四年，每聞笙鶴看諸仙。何時得把浮丘袂，白日將升第九天。」即酬《寄禮部劉郎中》一詩所作。視詩意，楚以不能提挈禹錫踐歷樞要爲恨，禹錫仍以其再入秉政相期。白氏所和蓋即令狐楚寄禹錫之詩。

大和五年十月，劉禹錫自禮部郎中、集賢學士除蘇州刺史。白氏《送劉郎中赴任蘇州》詩（那波本卷五七、汪本補遺卷上）云：「仁風膏雨去隨輪，勝境歡遊到逐身。水驛路穿兒店月，花船棹入女湖春。宣城獨詠窗中岫，柳惲單題汀上蘋。何似姑蘇詩太守，吟詩相繼有三人。」禹錫《赴蘇州酬別樂天》詩（《劉集》外二）云：「吳郡魚書下紫宸，長安廄吏送朱輪。二南風化承遺愛，八詠聲名躡後塵。梁氏夫妻爲寄客，陸家兄弟是州民。江城春日追隨處，共憶東歸舊主人。」是年冬白氏於洛陽福先寺置酒餞別，故有《福先寺雪中餞劉蘇州》詩（那波本卷五七、汪本補遺卷上）云：「送君何處展離筵，大梵王宮大雪天。庾嶺梅花落歌管，謝家柳絮撲金田。亂從紈袖交加舞，醉入籃輿取次眠。卻笑召鄒兼訪戴，只持空酒駕空船。」禹錫《福先寺雪中酬別樂天》詩（《劉集》外二）云：「龍門賓客會龍宮，東去旌旗駐上東。二八笙歌雲幕下，三千世界雪花中。離堂未暗排紅燭，別曲含淒向曉風。才子從今一分散，便將詩詠向吳儂。」城按：白氏《與劉蘇州書》（卷六八）云：「去年冬，夢得由禮部郎中、集賢學士遷蘇州刺史。……自大和六年冬送夢得之任之作始。」文中之「六年」乃「五年」之誤。《白香山詩集·後集》卷十一《寄劉蘇州》詩汪立名校語云：「《姑蘇志》，禹錫以大和五年冬除蘇州刺史，六年二月至任。此云六年，蓋傳寫之誤。」汪氏說是。考禹錫《蘇州刺史謝上表》云：「臣即以今月六日到任上訖，……大和六年二月六日。」又其《蘇州舉韋中丞自代狀》云：「伏奉去年十月十二日敕，授使持節蘇州諸軍事、守蘇州刺史。」可知禹錫除蘇州刺史在大和五年十月。《陳譜》大和六年任子：「冬，劉禹錫除蘇州，過洛，留十五日，朝觴夕詠，頗極平生之歡。」蓋係承襲《白集》傳刻之誤。又白氏同時作《醉中重留夢得》詩（卷二七）云：「劉郎劉郎莫先起，蘇臺蘇臺隔雲水。酒盞來從一百分，馬頭去便三千里。」禹錫《醉答樂天》詩云：「洛城洛城何日歸？故人故人今轉稀。莫嗟雪裏暫時別，終擬雲間相逐飛。」即用白氏此詩之體，此唐人法也。

禹錫大和八年七月自蘇州刺史移任汝州刺史，在任兩年餘。其間唱和之詩：

白居易	劉禹錫
《寄劉蘇州》	《酬樂天見寄》
《酬夢得秋夕不寐見寄》	《秋夕不寐寄樂天》
《憶夢得》	《答樂天見憶》
《失婢》	《和樂天誚失婢牓者》
《府齋感懷酬夢得》	《答樂天所寄詠懷且釋其枯樹之嘆》
《贈晦叔憶夢得》	《河南白尹有喜崔賓客歸洛兼見懷長句因而繼和》
《立秋夕有懷夢得》	《酬樂天七月一日夜即事見寄》
《早春醉吟寄太原令狐相公蘇州劉郎中》	《和樂天洛下醉吟寄太原令狐相公兼見懷》
《和夢得》	《郡齋書懷寄河南白尹兼簡分司崔賓客》
《贈草堂宗密上人》	《送宗密上人歸南山草堂寺因詣河南尹白侍郎》
《微之敦詩晦叔相次長逝巋然自傷因成二絕》	《樂天見示傷微之敦詩晦叔三君子皆有深分因成是詩》
《自問》	《吟樂天自問愴然有作》
《答夢得秋日書懷見寄》	《秋日書懷寄白賓客》
《同諸客題于家公主舊宅》	《題于家公主舊宅》

《答夢得八月十五日夜玩月見寄》	《八月十五日夜半雲開然後玩月因書一時之景寄樂天》
《喜劉蘇州恩賜金紫遙想賀宴以詩慶之》	《酬樂天見貽賀金紫之什》
《和夢得冬日晨興》	《冬日晨興寄樂天》
《劉蘇州以華亭一鶴遠寄以戲謝之》	
《初冬早起寄夢得》	《酬樂天初冬早寒見寄》
《劉蘇州寄釀酒糯米李浙東寄楊柳枝舞衫偶因嘗酒試衫輒成長句寄謝》	《酬樂天衫酒見寄》

白氏大和六年《寄劉蘇州》詩云：「去年八月哭微之，今年八月哭敦詩。何堪老淚交流日，多是秋風搖落時。泣罷幾回深自念，情來一倍苦樂思。同年同病同心事，除卻蘇州更是誰？」禹錫同年所作《酬樂天見寄》詩（《劉集》外二）云：「元君後輩先零落，崔相同年不少留。華屋坐來能幾日？夜臺歸去便千秋。背時猶自居三品，是老終須卜一丘。若使吾徒還早達，亦應簫鼓入松楸。」城按：元稹（微之）卒於大和五年七月二十二日，崔群（敦詩）卒於大和六年八月，元稹短白、劉之年七歲，崔群與居易、禹錫同生於大歷七年壬子，故白詩云：「去年八月哭微之，今年八月哭敦詩。」劉詩云：「元君後輩先零落，崔相同年不少留。」

白氏大和六年作《失婢》詩云：「宅院小牆庳，坊門帖牓遲。舊思漸自薄，前事悔難追。籠鳥無常主，風花不戀枝。今宵在何處？唯有月明知。」禹錫《和樂天誚失婢牓者》詩云：「把鏡朝猶在，添香夜不歸。鴛鴦拂瓦去，鸚鵡透籠飛。不逐張公子，即隨劉武威。新知正相樂，從此脫青衣。」城按：白詩與劉詩俱爲逃婢而作，含有爲無告女子鳴不平之意，不可以遊戲筆墨視之。又劉禹錫有《調瑟詞》（《劉集》卷二一），其引云：「里有富豪翁，厚自奉養而嚴督臧獲。力屈形削，然猶役之無藝極。一旦不堪命，亡者過半，追亡者亦不來復。翁頓沮而追昨非之莫及也。余感之，作《調瑟詞》。」此亦爲逃奴而作。當時奴婢主酷虐，可以想見。

白氏《哭崔兒》詩（卷二八）云：「掌珠一顆兒三歲，鬢雪千莖父六旬。豈料汝先爲異物，常憂吾不見成人。悲腸自斷非因劍，啼眼加昏不是塵。懷抱又空天默默，依前重作鄧攸身。」又《初喪崔兒報微之晦叔》詩（卷二八）云：「書報微之晦叔知，欲題崔字淚先垂。世間此恨偏敦我，天下何人不哭兒？蟬老悲鳴拋蛻後，龍眼驚覺失淚時。文章十帙官三品，身後傳誰庇蔭誰？」禹錫《吟白樂天哭崔兒二篇愴然寄贈》詩（《劉集》外集卷二）云：「吟君苦調我沾纓，能使無情盡有情。四望車中心未釋，千秋亭下賦初成。庭梧已有雛栖處，池鶴今無子和聲。從此期君比瓊樹，一枝吹折一枝生。」城按：白氏兩詩均作於大和五年，禹錫和詩則係大和六年作於蘇州。阿崔乃居易五十八歲所生之子，三歲而夭。白氏大和三年作《予與微之老而無子發於言嘆著在詩篇今年冬各有一子戲作二什一以相賀一以自嘲》詩之二云：「五十八翁方有後，靜思堪喜亦堪嗟。」

白氏《贈晦叔憶夢得》詩（卷二八）云：「自別崔公四五秋，因何臨老轉風流？歸來不說秦中事，歇定唯謀洛下遊。酒面浮花應是喜，歌眉斂黛不關愁。得君更有無厭意，猶恨樽前欠老劉。」禹錫《河南白尹有喜崔賓客歸洛兼見懷長句因而繼和》詩（《劉集》外集卷二）云：「幾年侍從作名臣，卻向青雲索得身。朝士忽爲方外士，主人仍是眼中人。雙鸞遊處天京好，五馬行時海嶠春。遙羨光陰不虛擲，肯令絲竹暫生塵？」城按：此兩詩俱作於大和六年。晦叔爲崔玄亮。玄亮大和六年拜太子賓客分司東都，大和七年，授虢州刺史。是時在洛陽。禹錫方在蘇州，故白詩謂「猶恨樽前欠老劉」。

白氏《立秋夕有懷夢得》詩（卷二九）云：「露簟荻竹清，風扇蒲葵輕。一與故人別，再見新蟬鳴。是夕涼飆起，閒境入幽情。回燈見栖鶴，隔竹聞吹笙。夜茶一兩杓，秋吟三數聲。所思渺千里，雲水長洲城。」禹錫《酬樂天七月一日夜即事見寄》詩（《劉集》外集卷二）云：「夜樹風韻清，天河雲彩輕。故花多露草，隔樹聞鶴鳴。搖落從此始，別離含遠情。聞君當是夕，倚瑟吟商聲。外物豈不足，中懷向誰傾？秋來情念去，同聽嵩陽笙。」城按：劉詩與白詩格韻皆同，可知此必爲白詩之和作。又白詩有「再見新蟬鳴」之句，則必作於大和七年秋，蓋禹錫以大和五年冬與居易別，至是凡兩度逢秋也。

白氏《和夢得》詩（卷三一）云：「綸閣沉沉無寵命，蘇臺籍籍有能聲。豈惟不得清文力，但恐空傳冗吏名。郎署回翔何水部，江湖留滯謝宣城。所嗟非獨君如此，自古才難共命爭。」題下自注：「夢得來詩云：謾讀圖書四十車，年年爲郡老天涯，一生不得文章力，百口空爲飽暖家。綺季衣冠稱賓面，吳公政事副詞華。還思謝病今歸去，同醉城東桃李花。」城按：劉、白兩詩俱作於大和七年，劉詩前四句即白詩自注所引，惟「四十」《劉集》作「二十」。又白氏《和集賢劉學士早朝作》詩云：「暫留春殿多稱屈，合入綸闈即可知。」參以此詩，「綸閣沉沉無寵命」句，知當時物望皆以禹錫當入掖垣掌誥，集賢之命，蘇州之除，皆屈於不得已也。

白氏《贈草堂宗密上人》詩（卷三一）云：「吾師道與佛相應，念念無爲法法能。口藏傳宣十二部，心臺照耀百千燈。盡離文字非中道，長住虛空是小乘。少有人知菩薩行，世間只是重高僧。」禹錫《送宗密上人歸南山草堂寺因詣河南尹白侍郎》詩（《劉集》卷二九）云：「宿習修來得慧根，多聞第一卻忘言。自從七祖傳心印，不要三乘入便門。東泛滄江尋古跡，西歸紫閣出塵喧。河南白尹大檀越，好把眞經相對翻。」城按：此二詩俱作於大和七年，蓋宗密東遊先至蘇州，再西歸經洛陽，禹錫贈詩在前也。宗密又號圭峰禪師，居長安終南山草堂寺。張禮《遊城南記》：「圭峰、紫閣在（終南山）祠之西。圭峰下有草堂寺，唐僧宗密所居，因號圭峰禪師。紫閣之陰即美陂，杜甫詩曰『紫閣峰陰入美陂』是也。」又按：李訓於甘露發事後單騎走入終南山，投寺僧宗密。密與訓素善，欲剃其發匿之，未果。仇士良以宗密容李訓，遣人縛入左軍，將殺之。賴中尉魚弘志奏釋之。見《舊唐書》卷一六九《李訓傳》。似宗密亦同情甘露事變者。

白氏《微之敦詩晦叔相次長逝巋然自傷因成二絕》詩（卷三一）云：「併失鵷鸞侶，空留麋鹿身。只應嵩洛下，長作獨遊人。」「長夜君先去，殘年我幾何！秋風滿衫淚，泉下故人多！」禹錫《樂天見示傷微之敦詩晦叔三君子皆有深分因成是詩以寄》詩（《劉集》外集卷二）云：「吟君嘆逝雙絕句，使我傷懷奏短歌。世上空驚故人少，集中惟覺祭文多。芳林新葉催陳葉，流水前波讓後波。萬古到今同此恨，聞琴淚盡欲如何！」城按：此二詩俱作於大和七年。微之爲元稹，卒於大和五年七月二十二日，見白氏《元稹墓志銘》（卷七〇）。敦詩爲崔群，卒於大和六年八月，見《舊唐書》卷一五九本傳。晦叔爲崔玄亮，卒於大和七年十一月，見白氏《崔玄亮墓志銘》。又白氏《感舊詩序》（卷三六）云：「元相公微之，大和六（城按「六」爲「五」字之訛）年秋薨。崔侍郎晦叔，大和七年夏薨。」

白氏同《同諸客題於家公主舊宅》詩（卷三一）云：「平陽舊宅少人遊，應是遊人到即愁。春谷鳥啼桃李院，絡絲蟲怨鳳凰樓。臺傾滑石猶殘砌，帘斷眞珠不滿勾。聞道至今蕭史在，髭鬚雪白向明州。」禹錫《題于家公主舊宅》詩（《劉集》外集卷二）云：「樹滿荒臺葉滿地，簫聲一絕草蟲悲。鄰家猶學宮人髻，園客爭偷御果枝。馬埒蓬蒿藏狡兔，鳳樓煙雨嘯愁鴟。何郎猶在無恩澤，不似當初傅粉時。」城按：此兩詩俱作於大和七年。劉詩題「于家公主」，上海人民出版社一九七五年排印本誤「丁家公主」。考於家公主乃憲宗長女永昌公主。《新唐書》卷八三《諸帝公主傳》：「梁國惠康公主，始封普寧，帝特愛之，下嫁于季友。元和中，徙永昌。薨，詔追封及謚。」「蕭史」指于季友，大和七年時爲明州刺史。《文苑英華》載白氏詩「明州」誤作「韶州」。《文苑英華辯證》卷九云：「白居易《題于家公主舊宅》詩：……『髭鬚皓白向韶州。』按：于家公主，憲宗之女永昌公主，下嫁于頔之子季友，……居易所題舊宅在洛中，……其後有《寄明州于駙馬使君》詩『留滯三年在浙東』，又有『近海饒風』、『海味腥鹹』之語，皆指明州也。檢《唐史·于頔傳》，不書季友終於何官？而《宰相世系表》，季友絳、宋等州刺史，不及明州，蓋省文也。今《文苑》乃作『韶州』，誤指季友爲下琮，遂改作『韶州』，不可不辨。」汪立名云：「《英華》作『韶』，是誤以于季友爲于琮也。琮尙宣宗廣德公主在大中十三年，居易沒已久。至貶韶州則在咸通十三年，相去更遠矣。」汪氏亦承《辨證》之說，而彭叔夏誤引作周益公。岑仲勉《唐集質疑》於明州條亦云：「余按『皓』，《白集》作『雪』，白前詩收《白集》六四，後詩收六五，皆大和三年居易分司東都後所作，今《育王奪碑後記》末，題『大和七年十二月一日明州刺史於季友記』（《萃編》）一〇八），時代正合，更足爲彭說之確證。《萃編》疑季友是否同人，《平津續記》言《新表》不載，則未知南宋人早經論定也。」岑氏之說可補彭、汪兩氏之不足，然謂此兩詩俱大和三年後作則仍有未諦，蓋前詩七年作，後詩則八年春作也。

白氏《答夢得八月十五日夜玩月見寄》詩（卷三一）云：「南國碧雲客，東京白首翁。松江初有月，伊水正無風。遠思兩鄉斷，清光千里同。不如娃館上，何似石樓中？」禹錫《八月十五日夜半雲開然後玩月因詠一時之景寄呈樂天》詩（《劉集》外集卷二）云：「半夜碧雲收，中天素月流。開城邀好客，置酒賞新秋。影透衣香潤，光凝歌黛愁。斜暉猶可玩，移宴上西樓。」按：劉、白二詩俱作於大和七年。考唐人中秋玩月詩或始於開元後。清陳彝《握蘭軒隨筆》云：「中秋玩月不知起何時，考古人賦詩則始於杜子美，而戎昱《登樓望月》、冷朝陽《與空上人宿華嚴寺對月》、陳羽《觴鑒湖望月》、張南史《和崔中丞望月》、武元衡《錦樓望月》皆在中秋，……然則玩月盛於中秋，其在開元以後乎！」

白氏《初冬早起寄夢得》寄（卷三一）云：「起戴烏紗帽，行披白布裘。爐溫先煖酒，手冷未梳頭。早景煙霜白，初寒鳥雀秋。詩成遺誰和？還是寄蘇州。」禹錫《酬樂天初冬早寒見寄》詩（《劉集》外集卷二）云：「乍起衣獨冷，微吟帽半欹。霜凝南屋瓦，雞唱後園枝。洛水碧雲曉，吳宮黃葉時，兩傳千里意，書札不如詩。」城按：此兩詩俱作於大和七年，《全唐詩》亦收劉詩於元稹卷中，然白詩明是寄劉，劉詩和有「吳宮黃葉」之句，必係劉作無疑。

白氏《喜劉蘇州恩賜金紫遙想賀宴以詩慶之》詩（卷三一）云：「海內姑蘇太守賢，恩加章綬豈徒然。賀宴喜色欺杯酒，醉妓歡聲遏管絃。魚佩葺鱗光照地，鶻銜瑞帶勢衝天。莫嫌鬢上些些白，金紫由來稱長年。」禹錫《酬樂天見貽賀金紫之什》詩（《劉集》外集卷二）云：「久學文章含白鳳，卻因政事賜金魚。郡人未識聞謠詠，天子知名與詔書。珍重和詩呈錦繡，願言歸計並園廬。舊來詞客多無位，金紫同遊誰得如？」城按：據禹錫《蘇州謝恩賜加章服表》（卷十六），其賜金紫在大和七年十一月二十七日，故知白詩作於大和七年歲暮，而劉詩則作於大和八年歲初也。

白氏《劉蘇州寄釀酒糯米李浙東寄楊柳枝舞衫偶因嘗酒試衫輒成長句寄謝之》詩（卷三二）云：「柳枝慢踏試雙袖，桑落初香嘗一杯。金屑醅濃吳米釀，銀泥衫穩越娃裁。舞時已覺愁眉展，醉後仍教笑口開。慚愧故人憐寂寞，三千里外寄歡來。」禹錫《酬樂天衫酒見寄》詩（《劉集》外集卷四）云：「酒法衆傳吳米好，舞衣偏尚越羅輕。動搖浮蟻香濃甚，裝束輕鴻意態生。閱曲定和能自適，舉杯應嘆不同傾。終朝相憶終年別，對景臨風無限情。」城按：李浙東爲李紳。李紳大和七年閏七月癸未，自太子賓客檢校左散騎常侍、兼越州刺史、充浙東觀察使。見《舊唐書·文宗紀》。白氏詩云：「金屑醅濃吳米釀，銀泥衫穩越娃裁。」釀酒費時，則白、劉兩詩俱爲大和八年初所作，《陳譜》謂白詩作於大和七年，卞孝萱《劉禹錫年譜》謂劉詩亦作於大和七年，俱非。

禹錫大和八年七月自蘇州移任汝州刺史。白氏大和九年作《和劉汝州酬侍中見寄長句因書集賢坊勝事戲而問之》詩（卷三二）云：「洛川汝海封幾接，履道集賢來往頻。一復時程雖不遠，百餘步地更相親。朱門陪宴多投轄，青眼留歡任吐茵。聞道郡齋還有酒，風前月下對何人？」城按：《舊唐書》卷一六〇、《新唐書》卷一六八《劉禹錫傳》、《子劉子自傳》均未載禹錫移汝年月。《姑蘇志·古今守令表上·唐刺史》謂劉禹錫大和八年移汝州，亦未詳何月。《劉集》外集卷九《汝洛集引》亦僅云：「大和八年，予自姑蘇轉臨汝。」禹錫《別蘇州二首》詩（《外集》卷八）云：「三載爲吳郡，臨歧祖帳開。」又云云：「流水閶門外，秋風吹柳條。」（《劉集》卷十六）《汝州謝上表》云：「伏奉去年七月十四日詔書，授臣使持節汝州諸軍事、守汝州刺史。……」卞孝萱《劉禹錫年譜》一八六頁云：「『去年』的『年』字係衍文。《謝上表》到任後即作，何能遲至一年之久！」卞氏所疑甚是，然仍有未諦。考唐人謝上表除授之年月上均加「去」字，即過去之意。如白氏《杭州刺史謝上表》（卷六一）云：「去七月十四日蒙恩除授杭州刺史。……」則禹錫文中之「年」字爲衍文無疑。據此可知禹錫大和八年七月離蘇州去汝，與《別蘇州》詩季節正合。又《舊唐書》卷十七下《文宗紀》：「（大和九年十月）乙未，……以汝州刺史劉禹錫爲同州刺史。」白氏此詩當作於九月年春間。

白氏大和九年作《閒園獨賞》詩云：「午後郊園靜，晴來景物新。雨添山氣色，風借水精神。永日若爲度，獨遊何所親？仙禽狎君子，芳樹倚佳人。蟻鬥王爭肉，蝸移舍逐身。蝶雙知伉儷，蜂分見君臣。蠢蠕形雖小，逍遙性即均。不知鵬與鷃，相去幾微塵？」題下自注云：「因夢得所寄蜂鶴之詠，因成此篇以和之。」禹錫《和樂天閒園獨賞八韻前以蜂鶴拙句寄呈今辱蝸蟻妍詞見答因成小巧以取大咍》詩（《劉集》外集卷四）詩云：「永日無人事，芳園任興行。陶廬樹可愛，潘宅雨新晴。傅粉琅玕節，熏香菡萏莖。榴花裙色好，桐子藥丸成。柳蠹枝偏亞，桑間葉再生。睢盱欲門雀，索漠不言鶯。動植隨四氣，飛沈含五情。搶榆與水擊，小大強爲名。」城按：白詩自注中之「蜂鶴之詠」及劉詩中之「蜂鶴拙句」，即《劉集》卷二二《居池上亭獨吟》之「靜看蜂誨教，閒愁鶴儀形」也。

大和九年九月，白居易除同州刺史，辭疾不拜。十月改授居易太子少傅分司。禹錫自汝州刺史移任同州刺史。白氏有《喜見劉同州夢得》詩（卷三三）云：「紫綬白髭鬚，同年二老夫。論心共牢落。見面且歡娛。酒好攜來否？詩多記得無？應須爲春草，五馬少踟躕。」禹錫《酬喜相遇同州與樂天替代》詩（《劉集》外集卷四）云：「舊托松心契，新交竹使代。行年同甲子，筋力羨丁夫。別後詩成帙，攜來酒滿壺。今朝停五馬，不獨爲羅敷。」自注「前章所言春草，白君之舞妓也，故有此答。」城按：禹錫有《寄小樊》詩云：「終須買取名春草。」又《憶春草》詩云：「河南大尹頻出難，只須池塘十步看。府門閉後滿街月，幾處遊人草頭歇。」則春草疑爲居易妓樊素之別名。

《舊唐書》卷一七〇《裴度傳》：「（大和九年十一月）又於午橋創別墅，花木萬株，中起涼臺暑館，名曰綠野堂。」白氏有《奉和裴令公新成午橋庄綠野堂即事》詩（卷三三），禹錫有《奉和裴令公新成綠野堂》詩（《劉集》外集卷四），俱作於禹錫任同州時。此外，白氏有《閒臥寄劉同州》詩（卷三三），禹錫有《酬樂天閒臥見憶》詩（《劉集》外集卷四），亦作於開成元年禹錫爲同州刺史時。

開成元年秋，禹錫因患足疾罷同州刺史，以太子賓客分司東都。白氏《喜夢得自馮翊歸洛兼呈令公》詩（卷三三）云：「上客新從左輔回，高陽興助洛陽才。已將四海聲名去，又占三春風景來。甲子等頭憐共老，文章敵手莫相猜。鄒枚未用爭詩酒，且欲梁王賀喜杯。」禹錫《自左馮歸洛下酬樂天兼呈裴相公》詩（《劉集》外集卷四）云：「新恩通籍在龍樓，分務神都近舊丘。自有園公紫芝侶，仍追少傅赤松遊。華林霜葉紅霞晚，伊水晴光碧玉秋。更接東山文酒會，始知江左未風流。」城按：劉、白兩詩俱作於開成元年。禹錫《子劉子自傳》云：「又遷同州，充本州防禦、長春宮使。後被足疾，改太子賓客分司東都。」未詳年月。《彭陽唱和集後引》云：「開成元年，公鎮南梁，予以太子賓客分司東都，新韻繼至，率云三軸成矣。」又在同州所作《謝恩放先貸斛斗表》云：「臣某言：臣奉五月二十九日敕牒，……」可知禹錫開成元年六月仍在同州。又據禹錫詩「華林霜葉紅霞晚，伊水晴光碧玉秋」，則其自同州歸洛應在開成元年秋，而白詩有「三春風景」語，殊令人費解。

禹錫返洛陽後，將與居易等唱和之詩編成《汝洛集》，茲後與居易唱和益夥，至會昌二年去世止，其間主要酬唱之作，列表如下：

白居易	劉禹錫
《齋戒滿夜戲招夢得》	《和樂天齋戒月滿夜對道場偶懷詠》
《洛陽春贈劉李二賓客》	《和樂天洛陽春齊梁體八韻》

白居易	劉禹錫
《答夢得秋庭獨坐見贈》	《秋齋獨坐寄樂天兼呈吳方元大夫》
《長齋月滿攜酒先與夢得獨酌醉中同赴令公之宴戲贈夢得》	《酬樂天齋滿日裴令公宴席上戲贈》
《吳秘監每有美酒獨酌獨醉但蒙詩報不以飲招輒此戲酬兼呈夢得》	《吳方之見示獨酌小醉首篇樂天續有酬答皆含戲謔極至風流兩篇之中並蒙見屬輒呈濫吹益美來章》
《酬夢得霜夜對月見懷》	
《懶放二首呈劉夢得吳方之》	
《酬令公雪中見贈訝不與夢得同相訪》	《答裴令公雪中訝白二十二與諸公不相訪之什》
《題酒瓮呈夢得》	《酬樂天偶題酒瓮見寄》
《對酒勸令公開春遊宴》	《酬樂天請裴令公開春喜宴》
《與夢得偶同到敦詩宅感而題壁》	《樂天示過敦詩舊宅有感一篇吟之泫然追想昔事因成繼和以寄苦懷》
《池上早春即事招夢得》	
《贈夢得》	
《三月三日祓禊洛濱》	《三月三日與樂天及河南李尹奉陪裴令公泛洛禊飲各賦十二韻》

《同夢得寄賀東西川二楊尙書》
《同夢得酬牛相公初到洛中小飲見贈》
《燒藥不成命酒獨醉》
《秋涼閒臥》
《酬牛相公宮城早秋寓言見示兼呈夢》
《小庭晚坐憶夢得》
《分司洛中多暇數與諸客宴遊醉後狂吟偶成十韻因招夢得賓客兼呈思黯奇章公》
《夢得臥病攜酒相尋先以此寄》
《洛下雪中頻與劉李二賓客宴集因寄汴州李尙書》
《看夢得題答李侍郎詩詩中有文星之句因戲和之》
《酬裴令公贈馬相戲》
《新歲贈夢得》
《奉和思黯自題南庄見示兼呈夢得》

《寄賀東川楊尙書慕巢兼寄西川繼之二公近從兄弟情分偏睦早忝導遊舊因成是詩》
《和樂天燒藥不成命酒獨醉》
《和樂天秋涼閒臥》
《酬留守牛相公宮城早秋寓言見寄》
《酬樂天小臺晚坐見憶》
《酬樂天醉後狂吟十韻》
《秋晚病中樂天以詩見問力疾奉酬》
《和樂天洛下雪中宴集寄汴州李尙書》
《洛濱病臥李侍郎見惠藥物謔以文星之句》
《裴令公見示酬樂天寄奴買馬絕句斐然仰和且戲樂天》
《元日樂天見過因舉酒爲賀》
《和牛相公遊南庄醉後寓言戲贈樂天兼見示》

《送蘄春李十九使君赴郡》	《送蘄州李郎中赴任》
《酬夢得以予五月長齋延僧徒絕賓友見戲十韻》	《樂天少傅五月長齋廣延緇徒謝絕文友坐成暌間因以戲之》
《早夏曉贈夢得》	
《奉和思黯相公以李蘇州所寄太湖石奇狀絕倫因題二十韻見示兼呈夢得》	《和牛相公題姑蘇所寄太湖石兼寄李蘇州》
《奉和思黯相公雨後林園四韻見示》	《牛相公林亭雨後偶成》
《晚夏閒居絕無賓客欲尋夢得先寄此詩》	《酬樂天晚夏閒居欲相訪先以詩見貽》
《憶江南詞三首》	《和樂天春詞依憶江南曲拍爲句》
《酬夢得早秋夜對月見寄》	《新秋對月寄樂天》
《與夢得沽酒閒飲且約後期》	《樂天以愚相訪沽酒致歡因成七言聊以奉答》
《酬夢得暮秋晴夜對月相憶》	《秋晚新晴夜月如練有懷樂天》
《初冬即事呈夢得》	
《天寒晚起引酌詠懷寄許州王尚書汝州李常侍》	《和陳許王尚書酬白少傅侍郎長句因通簡汝洛舊遊之什》
《歲暮病懷贈夢得》	
《酬夢得貧居詠懷見贈》	
《酬夢得見喜疾瘳》	

白居易	劉禹錫
《夢得前所酬篇有煉盡美少年之句因思往事兼詠今懷重以長句答之》	
《皇甫郎中親家翁赴任絳州宴送出城贈別》	《送河南皇甫少尹赴絳州》
《送唐州崔使君侍親赴任》	《洛中送崔司業使君扶持赴唐州》
《偶吟自慰兼呈夢得》	
《開成二年夏聞新蟬贈夢得》	《謝樂天聞新蟬見贈》
《和夢得洛中早春見贈》	《洛中早春贈樂天》
《櫻桃花下有感而作》	《和樂天宴李周美中丞宅池中賞櫻桃花》
《雪夜小飲贈夢得》	

白氏《洛陽春贈劉李二賓客》詩（卷二九）云：「水南冠蓋地，城東桃李園。雪銷洛陽堰，春入永通門。淑景方靄靄，遊人稍喧喧。年豐酒漿賤，日晏歌吹繁。中有老朝客，華髮映朱軒。從容三兩人，籍草開一樽。樽前春可惜，身外事勿論。明日期何處？杏花遊趙村。」禹錫《和樂天洛城春齊梁體八韻》詩（《劉集》外集卷四）云：「帝城宜春入，遊人喜意長。草生季倫谷，花出莫愁坊。斷雲發山色，輕風漾水光。樓前戲馬地，樹下鬥雞場。白頭自爲侶，綠酒亦滿觴。潘園觀種植，謝墅閱池塘。至閑似隱逸，遇老不悲傷。相問焉功德？銀黃遊故鄉。」城按：劉、白兩詩俱作於開成二年。白詩中之「李賓客」乃李仍叔。白氏《三月三日祓禊洛濱》詩序（卷三三）中有「太子賓客李仍叔」。《舊唐書》卷十

七下《文宗紀》：「（大和八年十二月己亥）以宗正卿李仍叔爲湖南觀察使代李翺。」又云：「（大和九年八月壬寅）以蘇州刺史盧周仁爲湖南（城按：原誤作河南，據《舊紀》開成元年閏五月改正）觀察使。」則仍叔罷湖南觀察使爲太子賓客在大和末。考劉禹錫罷同州刺史爲太子賓客分司在開成元年秋。李紳爲太子賓客在大和九年五月。開成元年六月，李紳已自河南尹除宣武節度使。見《舊唐書》卷十七下《文宗紀》。故知此詩中之「李賓客」決非李紳。

白氏《酬牛相公宮城早秋寓言見示兼呈夢得》詩（卷三〇）云：「七月中氣後，金與火交爭。一聞《白雪》唱，暑退清風生。碧樹未搖落，寒蟬始悲鳴。夜驚枕簟滑，秋燥衣巾輕。疏受老慵出，劉楨疾未平。何人伴公醉？新月上宮城。」禹錫《酬留守牛相公宮樹早秋寓言見寄》詩（《劉集》外集卷六）云：「曉月映宮樹，秋光起天津。涼風稍動葉，宿露未生塵。景氣尙芳麗，曠望感心神。揮毫成逸韻，開閣遲來賓。擺去將相印，漸爲逍遙身。如招後房宴，卻要白頭人。」城按：劉、白兩詩俱作於開成二年。「牛相公」爲牛僧儒。僧孺開成二年五月加檢校司空，判東都尙書省事、東都留守。三年九月，徵拜左僕射入朝。見《舊唐書》卷一七二本傳、卷十七下《文宗紀》。又據《白集》卷三〇之編次，卞孝萱《劉禹錫年譜》係此兩詩於開成三年，非是。

白氏《吳秘監每有美酒獨酌獨醉但蒙詩報不以飲招輒此戲酬兼呈夢得》詩（卷三三）云：「蓬山仙客下烟霄，對酒唯吟《獨酌謠》。不怕道狂揮玉爵，亦曾乘興換金貂。君稱名士夸能飲，我是愚夫肯見招。賴有伯倫爲醉伴，何愁不解傲松喬。」禹錫《吳方之見示獨酌小醉首篇樂天續有酬答皆含戲謔極至風流兩篇之中並蒙見屬輒呈濫吹益美來章》詩（《劉集》外集卷四）云：「閒門共寂任張羅，靜室同虛養太和。塵世歡虞美意少，醉鄉風景獨遊多。散金疏傅尋常樂，枕麴劉生取次歌。計會雪中爭挈榼，鹿裘鶴氅遞相過。」城按：劉詩云：「散金疏傅尋常樂，枕麴劉生取次歌。」可知居易方官太子少傅。「吳秘監」即吳方之。方之乃吳士矩字。《舊唐書》卷十七下《文宗紀》：「（大和七年四月）癸酉，以同州刺史吳士矩（城按：《舊紀》訛作「士智」）爲江西觀察使。」《冊府元龜》卷五二〇下：「開成二年，貶前秘書監吳士矩爲蔡州別駕。士矩前爲江西觀察使，在任日應軍中諸色加給錢八萬八千貫，故貶之。」《新唐書》卷一五九本傳云：「開成初，爲江西觀察使，殆宴侈縱，一日費凡十數萬。初至庫錢二十七萬緡，晚年才九萬，軍用單匱，無所仰。事聞，中外共申解，得以親議，文宗弗窮治也。貶蔡州別駕。」故知士矩自江西觀察使遷秘書監在開成元年，居東都爲時甚暫，二年，即貶官。

白氏《與夢得偶同到敦詩宅感而題壁》詩（卷三三）云：「山東才副蒼生願，川上俄驚逝水波。履道淒涼新第宅，宣城零落舊笙歌。園荒唯有薪堪采，門冷兼無雀可羅。今日相逢偶同到，傷心不是故經過。」禹錫《樂天示過敦詩舊宅有感一篇吟之泫然追想昔事因成繼和以寄苦杯》詩（《劉集》外集卷四）云：「淒涼同到故人居，門枕寒流古木疏。向秀心中嗟棟宇，蕭何身後散圖書。本營歸計非無意，唯算生涯尙有餘。忽憶前因更惆悵，丁寧相約速懸車。」自注：「敦詩與予友樂天三人同甲子，平生相約同休洛中。」城按：敦詩宅即崔群宅。在洛陽長夏門之東第四街履道坊，爲居易宅之南鄰。《兩京城坊考》卷五：「按白居易《與劉夢得偶到敦詩宅感而題壁》詩云：『履道淒涼新第宅』，蓋其宅在白宅之南，故居易《聞樂感鄰》詩注云：『東鄰王大理去冬云亡，南鄰崔尙書今秋薨逝。』又《祭崔尙書文》云：『洛城東隅，履道西偏。修篁回舍，流水潺湲。與公居第，門巷相連。』」

白氏《同夢得寄賀東西川三揚尙書》詩（卷三三）：「龍節對持眞可愛，雁行相接更堪誇。兩川風景同三月，千里江山屬一家。魯衛定知聯氣色，潘楊亦覺有光華。應憐洛下分司伴，冷宴閒遊老看花。」禹錫《寄賀東川楊尙書慕巢兼寄西川繼之二公近從兄弟情分偏睦早睦遊舊因成是詩》（《劉集》外集卷四）云：「太華蓬峰降岳靈，兩川棠樹接郊坰。政同兄弟人人樂，曲奏塤篪處處聽。楊葉百穿榮會府，芝泥五色耀天庭。各抛筆硯誇旌鉞，莫遣文星讓將星。」城按：劉、白兩詩俱作於開成二年。「東西川二楊尙書」爲楊汝士及楊嗣復。《舊唐書》卷十七下《文宗紀》：「（開成元年十二月）癸丑，以兵部侍郎楊汝士檢校禮部尙書、充劍南東川節度使。」又同書：「（大和九年三月）庚申，以劍南東川節度使楊嗣復檢校戶部尙書、兼成都尹、西川節度使。」《舊傳》同。

白氏《令狐相公與夢得交情素深眷予分亦不淺一聞薨逝相顧泫然旋有使來得前月未歿之前數日書及詩寄贈夢得哀吟悲嘆寄情於詩詩成示予感而繼和》詩（卷三四）云：「緘題重迭語殷勤，存歿交親自此分。前月使來猶理命，今朝詩到是遺文。銀勾見晚書無報，玉樹埋深哭不聞。最感一行絕筆字，尙言千萬樂天君。」自注：「令狐與夢得手札後云：『見樂天君，爲申千萬之誠也。』」禹錫《令狐僕射與予投分素深縱山川阻峭然音問相繼今年十一月僕射疾不起聞予已承訃書寢門長慟後日有使者兩輩持書並詩計其日記時已是臥疾手筆盈幅翰墨尙新新詞一篇音韻彌切收淚握管以成報章雖廣陵之弦於今絕矣而蓋泉之感猶庶聞焉焚之繐帳之前附於舊編之末》詩（《劉集》外集卷三）云：「前日寢門慟，至天悲有餘。已嗟萬化盡，方見八行書。滿紙傳相憶，裁詩怨索居。危弦音有絕，哀玉韻猶虛。忽嘆幽明異，俄驚歲月除。文章雖不朽，精魂竟焉如？零淚沾青簡，傷心見素車。凄涼從此後，無復望雙魚。」城按：此兩詩俱作於開成二年。「令狐相公」爲令狐楚。《舊唐書》卷十七下《文宗紀》：「（開成二年十一月辛酉朔）丁丑（十七日），興元節度使令狐楚卒。」考劉禹錫《唐故相國贈司空令狐公集紀》：「開成二年十一月十二日，薨於漢中官舍，享年七十。」與《舊紀》異。張采田《玉溪生年譜會箋》卷一云：「《紀》書十一月辛酉朔，則丁丑非十二日，疑誤，俟考。」張氏所考甚疏。岑仲勉《玉溪生年譜會箋平質》云：「按：此不誤也。唐實錄書法，於外臣之卒，率以報到日爲準，固因追書不便，尤與廢朝有關。據《通典》一七五，興元去西京，取駱谷道六百五十二里，快行五日可達。丁丑，十七日也。」岑氏所考良是，則令狐楚之卒日，亦當以《劉集》所記爲正。

白氏《洛下雪中頻與劉李二賓客宴集因寄汴州李尚書》詩（卷三四）云：「水南水北雪紛紛，雪裡歡遊莫厭頻。日日暗來唯老病，年年少去是交親。碧氈帳暖梅花濕，紅燎爐香竹葉春。今日鄴枚俱在洛，梁園置酒召何人？」禹錫《和樂天洛下雪中宴集寄汴州李尚書》詩（《劉集》外集卷四）：「洛城無事足杯盤，風雪相和歲欲闌。樹上因依見寒鳥，座中收拾盡閒官。笙歌要請頻何爽，笑語忘機拙更歡。遙想兔園今日會，瓊林滿眼映旂竿。」城按：此兩詩俱作於開成三年。「李賓客」爲太子賓客李仍叔。「汴州李尚書」爲李紳。《舊唐書》卷十七下《文宗紀》：「（開成元年）六月戊戌朔，癸亥，以河南尹李紳檢校禮部尙書、汴州刺史、充宣武軍節度使。」《全唐詩》卷四八二李紳《拜宣武節度使序》云：「開成元年六月二十六日，制授宣武軍節度使。七月三日，中使劉泰押送旌節止洛陽。五日，赴鎭。」又《到宣武三十韻序》云：「七月十二日，到汴州。」

白氏《看夢得題答李侍郎詩詩中有文星之句因戲和之》詩（卷三四）云：「看題錦繡報瓊瓌，俱是人天第一才。好遣文星守躔次，亦須防有客星來。」禹錫《洛濱病臥李侍郎見惠藥物謔以文星之句》詩（《劉集》外六）云：「隱几支頤對落暉，故人書信到柴扉。周南留滯商山老，星象如今屬少微。」城按：李侍郎爲李紳。白氏開成三年作此詩時，李紳已除檢校禮部尙書、宣武節度使，而夢得題答詩時必在開成元年六月紳任宣武之前。

白氏《新歲贈夢得》詩（卷三四）云：「暮齒忽將及，同心和自憐。漸衰宜減食，已喜更加年。紫綬行聯袂，籃輿出比肩。與君同甲子，歲酒合誰先？」禹錫《元日樂天見過因舉酒爲賀》詩（《劉集》外集卷四）云：「漸入有年數，喜逢新歲來。震方天籟動，寅位帝車回。門巷掃殘雪，林園驚早梅。與君同甲子，壽酒讓先杯。」城按：此兩詩俱作於開成三年。古人元日飲屠蘇酒年小者先飲。《容齋隨筆》卷二《歲旦飲酒云》：「今日元日飲屠蘇酒，自小者起，相傳已久，然固有來處。後漢李膺、杜密，以黨人同繫獄，値元日，於獄中飲酒，曰：『正旦從小起』。《時鏡新書》：『董勛云：正旦飲酒先從小者，何也？勛曰：俗以小者得歲，故先酒賀之，老者失時，故後飲酒。』《初學記》載《四民月令》云：『正旦進酒次第，當從小起，以年少者起先。』唐劉夢得、白樂天元日舉酒賦詩。劉云：『與酒先拈辭不得，被君推作少年人。』」居易生於大歷七年正月二十日，禹錫出生於同年同月早若干日，故其詩答以「壽酒讓先杯」也。

白氏《送蘄春李十九使君赴郡》詩（卷三四）云：「可憐官職好文詞，五十專城未是遲。曉日鏡前無白髮，春風門外有紅旗。郡中何處堪攜酒？席上誰人解和詩？唯共交親開口笑，知君不及洛陽時。」禹錫《送蘄州李郎中赴任》詩（《劉集》卷二八）云：「楚關蘄水路非賒，東望雲山日夕佳。薤葉照人呈夏簟，松花滿碗試新茶。樓中飲興因明月，江上詩情爲晚霞。北地交親長引領，早將玄鬢到京華。」城按：此兩詩均作於開成三年。「蘄春李十九使君」爲蘄州刺史李播。《語林》二「有吳郡守李穰，不知是此人否？」所考非是。《唐詩紀事》卷四七《李播》云：「登元和進士第，以郎中典蘄州。」《全唐詩話》卷三：「播以郎中典蘄州，有李生攜詩謁之，播曰：『此吾未第時行卷也。』」《全唐文》卷七七二有李商隱《爲汝南公與蘄州李郎中狀》（城按：錢振倫《補編》云汝南應作濮陽），張采田《玉溪生年譜會箋》卷二繫於開成五年庚申，可知李播赴蘄州任在開成五年之前，與白氏此詩時間相合。錢大昕《十駕齋養新錄》卷十二云：「元和間詩人李播，起家進士，官郎中，蘄州刺史，見《唐詩紀事》。」亦未考及此即白詩中之「李十九使君」。白氏《寄李蘄州》（卷三四）、《對酒有懷寄李十九郎中》（卷三五）及劉禹錫《送蘄州李郎中赴任》詩中之「李蘄州」、「李十九郎中」、「蘄州李郎中」均指播也。

白氏《憶江南詞三首》（卷三四）云：「江南好，風景舊曾諳。日出江花紅勝火，春來江水綠如藍。

能不憶江南！江南憶，最憶是杭州。山寺月中尋桂子，郡亭枕上看潮頭。何日更重遊？江南憶，其次憶吳宮。吳酒一杯春竹葉，吳娃雙舞醉芙蓉。早晚復相逢！」禹錫《和樂天春詞依憶江南曲拍爲句》（《劉集》外集卷四）云：「春去也，多謝洛城人。弱柳從風疑舉袂，叢蘭浥露似沾巾。獨坐亦含嚬。」城按：劉、白兩詞俱作於開成三年。王國維《觀堂集林》卷二一《史林》十三《唐寫本春秋後語背記跋》繫此詞於大和八、九年間所作云：「白詞名《憶江南》見《長慶後集》卷三，乃太（大）和八、九年間所作。劉詞有『多謝洛城人』語，必居洛陽時作，殆與白詞同時作。」所考非是，蓋大和末白氏雖在洛陽，而禹錫則在蘇州或汝州刺史任，不在洛陽也。任二北《敦煌曲初探》第五章《雜考與臆說》據王說繫列劉、白《望江南詞》於大和八年，亦誤。

白氏《天寒晚起引酌詠懷寄許州王尙書汝州李常侍》詩（卷三四）云：「葉覆冰池雪滿山，日高慵起來開關。寒來更亦無過醉，老後何由可得閒？四海故交唯許汝，十年貧健是樊蠻。相思莫忘櫻桃會，一放狂歌一破顏。」禹錫有《和陳許王尙書酬白少傅侍郎長句因通簡汝洛舊遊之什》詩（《劉集》外六）云：「寥廓高翔不可追，風雲失路暫相隨。方同洛下書生詠，又建軍前大將旗。雪裡命賓開玉帳，飮中請號駐金巵。竹林一自王戎去，嵇阮雖貧興未衰。」城按：此兩詩俱作於開成三年。「許州王尙書」爲王彥威。《舊唐書》卷一五七本傳：「（開成）三年七月，檢校禮部尙書代殷侑爲許州刺史、充忠武軍節度使、陳許溵觀察等使。」《舊紀》同。白氏《路逢靑州王大夫赴鎭立馬贈別》詩（卷三二）亦係酬彥威之作。又禹錫《唐故監察御史贈尙書右僕射王公神道碑銘》（《劉集》外集卷九）：

「李子彥威，字子美。……出爲衛尉分司東都，尋起爲陳許節度使、檢校禮部尚書、充汴宋亳等州節度觀察處置等使。」白氏此詩原注：「櫻桃花時，數與許汝二君歡會甚樂。」可證是年七月前彥威爲衛尉卿分司東都。又按：彥威自分司官起爲忠武節度使時，楊嗣復、李鈺方爲相，嗣復、鈺皆李宗閔之黨，則彥威必附宗閔黨者。

白氏《酬夢得貧居詠懷見贈》詩（卷三五）云：「歲陰生計兩蹉跎，相顧悠悠醉且歌。廚冷難留烏止屋，門閒可與雀張羅。病添庄舄吟聲苦，貧欠韓康藥債多。日望揮金賀新命，俸錢依舊又如何！」城按：卞孝萱《劉禹錫年譜》第二三〇頁云：「白居易《酬夢得貧居詠懷見贈》注云：『時夢得罷賓客，除秘監。』……知禹錫『除秘監』爲開成五年十二月底。」考白氏此詩作於開成四年，《劉集》外集卷四《秋霖即事聯句三十韻》作於開成五年秋，已稱禹錫爲中大監，則《卞譜》之「五年」當爲「四年」之誤。

白氏《和思黯居守獨飲偶醉見示六韻時夢得和篇先成頗爲麗絕因添兩韻繼而美之》詩（卷三六）云：「宮漏滴漸闌，城烏啼復歇。此時若不醉，爭奈千門月！主人中夜起，妓燭前羅列。歌袂默收聲，舞鬟低赴節。弦吟玉柱品，酒透金杯熱。朱顏忽已酡，清奏猶未闋。妍詞黯先唱，逸韻劉繼發。鏗然雙雅音，金石相磨戛。」禹錫《酬牛相公獨飲偶醉寓言見示》詩（《劉集》外集卷四）云：「宮漏夜丁丁，千門閉霜月。華堂列紅燭，絲管靜中發。歌眉低有思，舞體輕無骨。主人啓酡顏，酣暢浹肌髮。猶思城外客，阡陌不可越。春意日夕深，此歌無斷絕。」城按：劉詩有「春意日夕深」之句，則此兩詩必爲開成三年春作。「思黯居守」爲牛僧孺。開成二年五月，爲東都留守。三年九月，征拜左僕射入京。見《舊唐書》卷一七二本傳。留守宿於闕下，不能召城外之客，故有獨飲之作。

白氏《櫻桃花下有感而作》詩（卷三六）云：「藹藹美周宅，櫻繁春日斜。一爲洛下客，十見池上光。爛熳豈無意？爲君占年華。風光饒此樹，歌舞勝諸家。失盡白頭伴，長成紅粉娃。停杯兩相顧，堪喜且堪嗟！」禹錫《和樂天宴李周美中丞宅池上賞櫻桃花》詩（《劉集》集卷四）云：「櫻桃千萬枝，照耀如雪天。王孫宴其下，隔水疑神仙。宿露發清香，初陽動暄妍。妖姬滿鬢插，酒客折枝傳。同此賞芳月，幾人有華筵？杯行勿遽辭，好醉過三年。」城按：此兩詩俱作於開成三年。白詩「藹藹美周宅」之「美周」，當作「周美」。周美乃李仍叔之字。《新唐書》卷七〇上《宗室世系表》蜀王房：「宗正卿仍叔，字周美，初名章甫。」陸心源《唐文續拾》卷五李仍叔小傳：「仍叔，字周美，初名章甫，系出蜀王房；元和五年登第。歷官右補闕，水部郎中，宗正卿，湖南觀察使，太子賓客。」均與劉詩合。《全唐詩》及各本《白集》均誤作「美周」，當以《劉集》作「周美」爲正。又據《舊唐書》卷十七下《文宗紀》及白氏《三月三日祓禊洛濱》詩（卷三三），其自湖南觀察使罷爲太子賓客分司當在大和末。

會昌二年七月，禹錫病卒。未卒前，自爲《子劉子自傳》解永貞之謗云：「叔文實工言治道，能以口辯移人。既得用，自春至秋，其所施爲，人不以爲當非。」並自爲銘云：「天與所長不使施兮，人或加訕心無疵兮！」可見其人品與柳宗元同。

禹錫卒後，白氏會昌二年秋作《哭劉尚書夢得二首》（卷三六）云：「四海齊名白與劉，百年交分兩綢繆。同貧同病退閒日，一死一生臨老頭。杯酒英雄君與操，文章微婉我知丘，賢豪雖歿精靈在，應共微之地下遊。」「今日哭君吾道孤，寢門淚滿白髭鬚。不知箭折弓何用？兼恐脣亡齒亦枯。窅窅窮泉埋寶玉，駸駸落景掛桑榆。夜臺暮齒期非遠，但問前頭相見無？」城按：此詩「文章微婉」一語，概括禹錫一生遭際與劉、白二人之契合，其旨甚深。末句以元、劉並論，不僅指私交，亦指元、劉之抱負相同也。又按：劉、白二人共同之友，其達而在上者若裴度、韋處厚、令狐楚、牛僧孺、崔群、李絳、李紳、楊嗣復、李程、楊虞卿、崔玄亮、馮宿、吳士矩等，屢見於詩篇。然劉之摯友柳宗元爲白所不及知，李得裕厚於劉而與白不同臭味。惟元稹在兩人之間，交誼俱不淺，以詩篇往復而論，似與白尤殷勤。然劉所尤親厚者如柳宗元、呂溫、李景儉皆元之知交，似元、劉之契合更在元、白之上。居易與禹錫之政治志趣雖略殊，如彼與楊汝士弟兄有連，楊氏皆親牛僧孺、李宗閔，與禹錫之親李德裕異趣。然自其永貞元年所作《爲人上宰相（韋執誼）書》、《寄隱者》詩及在《論承璀職名狀》中揭發擁立憲宗之宦官集團首領俱文珍之劣跡，可知其必爲永貞新政之同情者，此或爲劉、白後日交誼深厚之遠因之一。所謂「文章微婉」者，蓋有無限難言者在也。又按：白氏詩文中以「使君與曹」相喻者，除禹錫外尚有元稹，其《和微之詩二十三首序》云：「況曩者唱酬，近來因繼，已十六卷，凡千餘首矣。其爲敵也，當今不見。其爲多也，從古未聞。所謂天下英雄唯使君與操耳。」白詩一生詩友，前半期爲元稹，後半期爲劉禹錫，而於禹錫詩簡煉沈著之傾倒贊服，尤過於元稹。故《劉白唱和集解》云：「夢得夢得，文之神妙，莫先於詩。若妙與神，則吾豈敢！如夢得『雪裏高山頭白早，海中仙果子生遲」、「沈舟側畔千帆過，病樹前頭萬木春」之句之類，眞謂神妙。」此即此詩中所標舉之《春秋》文章微婉之旨，正禹錫之所長，亦即白氏蘄求所未能達到之境界也。

禹錫逝世，白氏復作有《感舊》詩（卷三六）序云：「故李侍郎杓直，長慶元年春薨。元相公微之，大和六年秋薨。崔侍郎晦叔，大和七年夏薨。劉尚書夢得，會昌二年秋薨。四君子，予之執友也。二十年間，凋零共盡，唯予衰病，至今獨存，因詠悲懷，題爲《感舊》。詩云：「晦叔墳荒草已陳，夢得墓濕土猶新。微之捐館將一紀，杓直歸丘二十春。城中雖有故第宅，庭蕪園廢生荆榛。篋中亦有舊書札，紙穿字蠹成灰塵。平生定交取人窄，屈指相知唯五人。四人先去我在後，一枝蒲柳衰殘身。豈無晚歲新相識，相識面親心不親。人生莫羨苦長命，命長感舊多悲辛！」城按：禹錫卒於會昌二年秋，白氏此詩謂「夢得墓濕土猶新」，當係是年所作無疑，汪立名《白香山年譜》繫於會昌三年，非是。據白氏此詩自稱，其平生摯友，除劉禹錫、元稹外，尚有李建、崔玄亮二人。李建卒於長慶元年二月二十三日，見白氏《有唐善人墓碑銘》及元稹《唐故中大夫尚書刑部侍郎上柱國隴西縣開國男贈工部尚書李公墓志銘》。崔玄亮卒於大和七年七月十一日，見白氏《崔玄亮墓志銘》。元稹卒於大和五年七月二十二日，白氏《感舊》詩序謂「大和六年秋薨」，「六年」當係「五年」之訛。又按：《舊唐書》卷一六〇《劉禹錫傳》云：「會昌二年七月卒，時年七十一。」與白詩時間相合。《新唐書》卷一六八《劉禹錫傳》云：「會昌時，加檢校禮部尚書，卒，年七十二。」非是。錢大昕《疑年錄》卷一：「劉夢得七十二：生大歷七年壬子，卒會昌二年壬戌。據《唐詩紀事》，夢得與樂天俱生壬子，劉以會昌二年卒，當爲七十一也。白樂天詩『何事同生壬子歲，老於崔相及劉郎』自注：『予與蘇州劉郎中同生壬子歲。』」余嘉錫《疑年錄稽疑》訂正錢氏之誤云：「此條卒年既從《舊書》，又據《唐詩紀事》及白樂天詩考得其生於壬子，則竟從《新書》，題作七十二，一條之內，自相差互，無乃進退失據乎！」余氏之說是，禹錫之卒年，當以從《舊傳》爲正。

《白居易詩選》編年注釋質疑

最近作家出版社出版的顧肇倉、周汝昌選注的《白居易詩選》，在編年、注釋校勘等方面，大多能總結前人的研究成果，具有一定的工力和特色。例如：第五〇頁「拒非」注出爲「李復禮」，二三〇頁《題元八溪居》校正各本白集的錯誤，改爲《題元（十）八溪居》，二八五頁引《唐語林》卷六注出「賈亭」即賈全所造的「賈公亭」、「白沙堤」非白居易所築等等，都足以說明選注者曾經花費了艱辛的勞動，將白居易作品的選注工作推向一個新的階段。但由於白居易的全集，前人從未加以全面整理注釋過（清人汪立名僅做了一部分工作，非常簡陋），因此在這一方面所憑藉的基礎和條件，較唐代其他第一流的大家像杜甫、李白等要差得多。所以這個選本內難免存在著不少問題和需要商榷的地方，其中一些也是前人致誤或沒有解決的，正有待於進一步深入探詩。茲就管見所及，對此書的編年、注釋、校勘、年譜等方面，提出一些不成熟的看法，並向選注者和讀者請教。

一、編年及年譜

《賦得古原草送別》：據唐張固《幽閒鼓吹》等書的記載，說這首詩是「貞元二、三年，白居易十五六歲時作」（第二頁）。按：白居易謁見顧況的一段傳說是很成問題的。《唐摭言》卷七云：「白樂天初舉，名未振，以歌詩謁顧況。況謔之曰：『長安百物貴，居大不易。』及讀至《賦得原上草送友人》詩曰：『野火燒不盡，春風吹又生。』況嘆之曰：『有句如此，居天下有甚難！老夫前言戲之耳。』」這一段和《幽閒鼓吹》的記載大概都是最早的資料，後此如《北夢瑣言》、《唐語林》、《能改齋漫錄》、《全唐詩話》、《詩話總龜》、《堯山堂外紀》等書所載，內容大多是陳陳相因，和《幽閒鼓吹》、《庶摭言》差不多。查今本《幽閒鼓吹》、《唐摭言》都沒有提到白居易謁見顧況時的年歲，陳振孫和汪立名的《年譜》都載明「年十五六」，是承襲《舊唐書·白居易傳》的錯誤。白居易十一二歲時就避難到江南去，他的《吳郡詩石記》云：「貞元初，韋應物爲蘇州牧，房孺復爲杭州牧，皆豪人也……時予始年十四五，旅二郡……及今自中書舍人間領二州，去年脫杭印，今年佩蘇印，既醉於彼，又吟於此，酣歌狂什，亦往往在人口中，則蘇、杭之風景，韋、房之詩酒兼有之矣。豈始顧及此哉！然二郡之物狀人情與曩時不異，前後相去三十七年，江山是而齒髮非，又可嗟矣！」此文作於寶曆元年，上數三十七年是貞元四年。據今人考證，貞元四年七月孫晟自蘇州刺史爲桂管觀察使，韋應物爲孫晟之後任，其刺蘇不得早於貞元四年七月（沈作《韋刺史傳》誤爲貞元二年）。居易這年是十七歲，而不是「十四五」歲，文中所說的「予始年十四五」是不肯定的口氣，可知居易十四五歲時在江南，去長安謁顧況實不可能，白居易去長安至少在貞元五年以後，而這時顧況已因嘲謔貶官爲饒州司戶。

《自河南經亂，關內阻飢，兄弟離散，各在一處，因望月有感，聊書所懷，寄上浮梁大兄、於潛七兄、烏江十五兄，兼示符離及下邽弟妹》：此詩編年云：「貞元十五年（七九九）春，作者的大哥幼文始作浮梁縣主簿，又有堂兄，作烏江縣主簿，但貞元十七年七月即卒。故本篇必作於十五年春至十七年秋這一段時期內。」（第七頁）按：白氏《傷遠行賦》云：「貞元十五年春，吾兄吏於浮梁，分微祿以歸養，命予負米而還鄉……自鄱陽而歸洛陽。」《將之饒州江浦夜泊》云：「明月滿深浦，愁人臥孤舟。煩冤寢不得，夏夜長於秋……身病向鄱陽，家貧寄徐州。」可知居易貞元十四年夏天已到達饒州，貞元十五年春天才能夠「負米而還鄉」，白幼文在貞元十四年已做浮梁縣主簿，並非始於貞元十五年春天。這首詩大概是貞元十五年秋天作於洛陽。白居易《宿滎陽》詩云：「去時十一二，今年五十六。」他在建中三、四年左右離開新鄭縣，避亂到江南去。「田園寥落干戈後，骨肉流離道路中」兩句詩就是當時慘痛情景的回憶，不應推遲到貞元十四、五年。「河南經亂」似是指建中三、四年李希烈的叛亂，不是指與作詩時間相近的貞元十四年吳少誠之亂，尤其不能如注釋中牽扯到「貞元十五年二月宣武節度使董晉死後部下兵變」的事件上去，因宣武兵變時間極短，影響不大。「關內阻飢」也指的是興元、貞元之際關中和關東的飢饉（參見《舊唐書……德宗紀上》、《舊唐書》卷三七、《新唐書》卷三五《五行志》），不是指貞元十四、五年間的關內飢荒。

《贈楊秘書巨源》：此詩編年云：「約爲元和初年作。」（第六〇頁）按：這首詩在《白氏長慶集》第十五卷，前面一首詩是《雨中攜元九詩訪元八侍郎》，後面一首是《和武相公感韋令公舊池孔雀》，這兩首詩都作於元和十年官贊善大夫時。又據白氏《答元八郎中楊十二博士》、《聞楊十二新拜省郎遙以詩賀》兩詩，元和十三年楊巨源猶官太常博士，同年又遷虞部員外郎①，太常博士以前的官職是秘書郎，則必不致於早到元和初年才任此職。又元稹《和樂天贈楊秘書》詩：「舊與楊郎在帝城，搜天斡地覓詩情。」此詩作於元和十年赴通州之後。可證楊巨源爲秘書郎在元和十年左右，白居易《贈楊秘書巨源》詩也應該編在這年前後。

《得行簡書聞欲下峽先以此寄》：此詩編年云：「元和十三年冬在江州作。當時作者的弟弟白行簡在東川節度使盧坦幕府任職。坦死，行簡將於此年春天從梓州赴江州，先以信告知作者。」（第二四三頁）按：此詩應編在元和十三年春天，作「元和十三年冬」，誤。白行簡元和九年五六月間去梓州②。盧坦死於元和十二年九月間③，這時行簡已準備在次年（元和十三年）春初離開梓州到江州去。白氏《得行簡書聞欲下峽先以此寄》：「朝來又得東川信，欲取春初發梓州。書報九江聞暫喜，路經三峽想還愁。」可知白行簡給白居易的信是元和十二年底寫的，元和十三年春天，白行簡便從梓州到達江州。白氏《對酒示行簡》詩云：「今旦一樽酒，歡暢何怡怡！此樂從中來，他人安得知？兄弟唯二人，遠別恆苦悲。今春自巴峽，萬里平安歸。復有雙幼妹，笄年未結褵。昨日娶嫁畢，良人皆可依。憂念兩消釋，如刀斷羈縻。身輕心無繫，忽欲凌空飛。人生苟有累，食肉常如飢。我心既無苦，飲水亦可肥。行簡勸爾酒，停杯聽我辭：不嘆鄉國遠，不嫌官祿微，但願我與爾，終老不相離。」此詩汪立名《白香山年譜》誤係於元和十五年。大概是據「今春自巴峽，萬里平安歸」兩句詩，就臆測白居易、白行簡兄弟這年一同從忠州回到長安。其實這兩句詩是指白行簡元和十三年春天從梓州到江州而言，否則後面「不嘆鄉國遠，不嫌官祿微」兩句詩便無從解釋。其次，白居易元和十三年十二月二十日除忠州刺史，十四年春天從江州出發赴忠州，白行簡隨行，三月十日和元稹在夷陵相會。白氏《三遊洞序》云：「平淮西之明年冬，予自江州司馬授忠州刺史，微之自通州司馬授虢州長史。又明年春，各祗命之郡，與知退（白行簡）偕行。三月十日參會於夷陵。」如果《得行簡書聞欲下峽先以此寄》這首詩作於元和十三年冬天，那麼白行簡動身來江州的時候，正是白居易去忠州的時候，兄弟也無從同行了。

《別種東坡花樹兩絕》（第三五七頁）、《發白狗峽次黃牛峽登高寺卻望忠州》（第三五八頁）、《自蜀江至洞庭湖口有感而作》（第二六〇頁）：這四首詩都編在元和十五年冬自忠州還長安時作，時間有錯誤。按：陳振孫《白文公年譜》元和十五年庚子：「冬，召爲司門員外郎。有《初脫刺史緋》、《別東坡》、《發白狗黃牛峽》等詩。十二月二十八日除主客郎中、知制誥。」這是沒有仔細體會《發白狗峽次黃牛峽登高寺卻望忠州》、《別種東坡花樹兩絕》一些詩的內容。《別種東坡花樹兩絕》云：「何處殷勤重回首，東坡桃李種新成。」《發白狗峽次黃牛峽登高寺卻望忠州》云：「巴曲春全盡，巫陽雨初收。」所描寫的都是春夏的景色，可證白居易在元和十五年夏初離開忠州去長安。白氏又有《洛中偶作》詩云：「五年職翰林，四年莅潯陽。一年巴郡守，半年南官郎。二年直綸閣，三年刺史堂。」這裡所謂「南官郎」是指尚書司門員外郎，知制誥後已是中書省的官，則知元和十五年夏召爲司門員外郎到這年十二月二十八日除主客郎中、知制誥恰好是半年，和「半年南官郎」詩句相符合。如果說白居易元和十五年冬召爲司門員外郎，那麼這句詩便無法解釋。汪立名《白香山年譜》云：「（元和十五年）冬，自忠州召還，拜尚書司門員外郎。」也是沿襲陳直齋的錯誤，又白居易長慶二年七月三十日所作的《商山路有感詩序》云：「前年夏，予自忠州刺史除書歸闕」。「前年夏」即元和十五年夏天，有力地證明上述論斷的可信。此外，白氏有一篇《荔枝圖序》，自稱作於「元和十五年夏」，可知這幅《荔枝圖》當係這年夏初離忠州前命工吏圖寫留作紀念而作，和前面各詩所作時間相符合。

《久不見韓侍郎，戲題四韻以寄之》此詩編年云：「長慶元、二年在長安作。」（第二六四頁）未加肯定。按：此詩云：「靜吟乖月夜，閒醉曠花時。還有愁同處，春風滿鬢絲。」《舊唐書·穆宗紀》云：「（長慶元年七月庚申）以國子祭酒韓愈爲兵部侍郎。」可知這首詩肯定是長慶二年春天所作。又此詩「閣老」注云：「時白居易官中書舍人，屬中書省。」編年既然沒有確定，卻肯定了白居易的官職，也是不恰當的。《舊唐書·宣宗紀》：「（長慶元年十月）壬午，以尚書主客郎中、知制誥白居易爲中書舍人」可知白居易在元年十月以後才正授中書舍人。

建中四年癸亥（第三四二頁）：「白居易十二歲，幼弟金剛奴（幼美）生。」按：白氏《祭小弟文》：「維元和八年歲次癸巳二月某朔二十五日，仲兄居易，季兄行簡，以清酌之奠致祭於亡弟金剛奴……況爾之生，生也不夭，曲而不秀，九歲夭焉……嗚呼！自爾舍我，歸於下泉，日來月往，二十二年。」據此推算，白幼美應卒於貞元八年（七九二），生於興元元年（七八四）。《年譜》早算一年。

貞元二十年甲申（第三四七頁）：「元稹娶韋夏卿女叢爲妻。」按：白氏《答謝公最小偏憐女》詩云：「嫁得梁鴻六七年」，韓愈《監察御史元君妻京兆韋氏夫人墓志銘》云：「夫人於僕射（韋夏卿）爲季女，愛之，選婿得今御史河南元稹，稹時始以選校書秘書省中。」元稹授秘書省校書郎在貞元十九年春，證以白居易詩，他和韋叢也在這年結婚，與韓愈《墓志》所記載的時間正相符合，因爲從元和四年推算，至貞元十九年恰爲七年。《侯鯖錄》卷五《微之年譜》及陳寅恪《元白詩箋證稿》都說元稹和韋叢在貞元十八年結婚，也是錯誤的④。所以《年譜》中元、韋結婚的時間應該編在貞元十九年。

元和二年丁亥（第三四九頁）：「娶楊虞卿從妹爲妻。」又注云：「又據元和三（宋刻本原誤爲「二」）年戊子八月十九日《祭楊夫人（白妻之姊）文》：『近接嘉姻。』是白氏成婚當在本年春季之後、明年八月之前。」按：《年譜》既已考訂出《祭楊夫人文》係元和三年所作，文中又云：「近接嘉姻」，則白氏成婚之期相距八月當不太遠，必在元和三年無疑，似不應再繫於二年。

元和八年癸巳（第三五二頁）：「弟行簡遊東川節度使盧坦幕，約在本年八月後或明年。」按：《舊唐書·憲宗紀》：「（元和八年八月）辛丑，以東川節度使潘孟陽爲戶部侍郎、判度支，盧坦爲梓州刺史、劍南東川節度使。」白氏《別行簡》詩云：「梓州二千里，劍門五六月。」可以肯定白行簡赴盧坦幕在元和九年五六月間。

元和九年甲午（第三四五頁）：《酬盧秘書二十韻》詩編在這一年。按：陳振孫《白文公年譜》及汪立名《白香山年譜》都編此詩於元和九年，這裡也沿襲了陳汪兩氏的錯誤。《元氏長慶集》卷十二《酬盧秘書詩序》云：「予自唐歸京之歲，秘書郎盧拱作《喜遇白贊善學士詩二十韻》，兼以見貽。白時酬和先出，予草蹙未暇皇，頻有致師之挑。」元稹元和十年春自唐州召，還則白氏《酬盧秘書二十韻》詩必作於此年無疑。

元和十五年庚子（第三五九）：「冬，自忠州召還，拜尙書司門員外郎。」按：白居易自忠州召還在元和十五年夏，《年譜》誤。說詳前《別種東坡花樹兩絕》（第二五七頁）等詩。

長慶元年辛丑（第三六〇頁）：「正月，拜尙書主客郎中、知制誥。」按：白居易自尙書司門員外郎拜主客郎中、知制誥在元和十五年十二月二十八日。《舊唐書·穆宗紀》：「（元和十五年十二月）丙申，以司門員外郎白居易爲主客郎中、知制誥。」《年譜》編在長慶元年，誤。

大和二年戊申（第三六八頁）：「正月，轉刑部侍郎，封晉陽縣男。」按：白居易除刑部侍郎在大和二年二月。《舊唐書·文宗紀》：「（大和二年二月）乙巳（十九日）秘書監白居易爲刑部侍部。」他大和元年十二月奉使東都，大和二年正月猶在洛陽，詔授刑部侍郎必在二年春回長安以後。《年譜》係據陳振孫《白公文年譜》，編除刑部侍郎在大和二年正月，誤。應以《舊唐書·文宗紀》爲正。

大和二年戊申（第三六八頁）：「劉禹錫拜主客郎中。」按：劉禹錫大和元年自和州刺史除主客郎中分司東都。二年春至長安爲主客郎中、集賢學士。《舊唐書》卷一六〇《劉禹錫傳》云：「大和二年自和州刺史徵還，拜主客郎中。」《新唐書》卷一六八《劉禹錫傳》云：「由和州刺史入爲主客郎中，復作《遊玄都》詩……俄分司東都，宰相裴度兼集賢大學士，雅知禹錫，荐爲禮部郎中、集賢直學士。」《舊唐書》誤將劉禹錫除主客郎中分司的時間推遲了一年。《新唐書》雖然沒有明確記載主客郎中分司東都的時間，但誤將主客郎中分司和主客郎中集賢學士兩職的次序顛倒。錢大昕《十駕齋養新錄》卷六早已指出這種錯誤說：「今以《禹錫集》考之，《再遊玄都觀絶句》在大和二年三月，是歲歲次戊申，而自和州刺史除主客郎中分司東都，則在大和元年六月，是分司在前，題詩在後也。以郎中分司東都，本是一事，初未到京師也。次年以裴度荐，起元官，直集賢院，方得還都。《玄都詩》正在此時，距元和十年乙未自朗州被召，恰十四年矣。集中又有《蒙恩轉儀曹郎依前充集賢學士舉韓湖州自代詩》，可見初入集賢，猶是主客郎中，後乃轉禮部也。史云：以荐爲禮部郎中，集賢直學士，猶未甚核，至《玄都詩》雖含譏刺，亦詞人感慨今昔之常情，何至遂薄其行！史家不考年月，誤仞分司與主客爲兩任，疑由題詩獲咎，遂甚其詞耳。」據此，劉禹錫大和二年春至長安以主客郎中本官充集賢學士。

大和六年壬子（第三七〇頁）：「冬，劉禹錫赴蘇州任。」按：劉禹錫除蘇州刺史在大和五年冬，六年二月至任。劉禹錫《蘇州刺史謝上表》云：「臣即以今月六日到任上訖……大和六年二月六日。」這裡也是沿襲陳振孫的錯誤。《白文公年譜》大和六年壬子云：「冬，劉禹錫除蘇州刺史過洛，留十五日，朝觴夕詠，頗極平生之歡。」這是由於陳氏沒有覺察出白居易《與劉蘇州書》中的錯誤所造成。《與劉蘇州書》云：「自大和六年送夢得之任之作始」，其中的「六年」是「五年」之誤。汪立名說：「《姑蘇志》：禹錫以大和五年冬除蘇州刺史，六年二月至任。此云六年，蓋傳寫之誤。」⑤汪氏之說甚是，劉禹錫赴蘇州刺史任應該編在大和五年冬。

大和七年癸丑（第三七一頁）：《與劉蘇州書》編在此年，誤。按：此書應該編在大和六年，說見前條。

二、注　釋

《長恨歌》：《霓裳羽衣曲》注云：「舞曲名，本名《婆羅門》，開元時從印度傳入中國。」（第二〇頁）這是依據陳寅恪《元白詩箋證稿》的說法，是不恰當的。據白居易及元稹詩中的記載，可以肯定《霓裳羽衣曲》是當時的法曲。白氏《和微之霓裳羽衣曲歌》「由來能事各有主，楊氏創聲君造譜」句自注云：「開元中，西涼節度楊敬述造。」《法曲》詩又云：「法曲法曲歌霓裳，政和世理音洋洋，開元之人樂且康。」元稹《法曲》也說：「明皇度曲多新態，宛轉浸淫易沈著。赤白桃李取花名，霓裳羽衣號天樂。」所以王灼在《碧雞漫志》卷三中早已下了結論說：「《霓裳羽衣曲》，說者多異，予斷之曰：西涼創，明皇潤色，又爲易美名，其他飾以神怪者，皆不足信。」我認爲王晦叔的說法是可信的。陳寅恪僅據《唐會要》卷三三《諸樂》天寶十三載七月十日一條，即肯定「《霓裳羽衣曲》實原本胡樂，又何華聲之可言」？未免近於武斷。任半塘《教坊記箋訂》曾加以辯駁云：「陳寅恪不信盛唐法曲爲清胡合滲，融鑄入妙之樂，均足使國人於此之意識流於偏頗。甚至不提唐代音樂則已，若經提及，即認爲無非胡樂之天下而已，胡樂之外更不必考慮。陳氏且認琵琶所到之處莫非胡樂，指白居易新樂府內以《霓裳》爲法曲，乃白氏之誤，則未免自信太過，而信唐人之識唐樂者太輕。白氏有家樂，調《霓裳》甚精，於此事豈得爲門外漢！在新樂府內，白氏之說明法曲，頗爲具體，其可信程度，顧猶不及今人之對法曲視聽已毫無及，但憑一種偏向之臆想而已者乎？」任氏又說：「《婆羅門》是佛曲，《霓裳》是道曲，此《霓裳羽衣》既由《婆羅門》改名，可知其並非法曲《霓裳》，蓋亦同名異曲耳。」⑥他認爲《唐會要》卷三三所載的《婆羅門》改爲《霓裳羽衣》，不是法曲《霓裳羽衣》，是另一種曲調，陳寅恪混爲一談，因而失考。任氏這一見解，主張《霓裳羽衣曲》是清胡合滲的法曲，並非純粹外來的胡樂，頗可供此條注釋的參考。因此不簡單化地說法曲《霓裳羽衣曲》即印度傳入的《婆羅門》。

《宿紫閣山北村》「紫衣」注云：「唐制，三品以上文武高級官員穿紫色官服，是服制中最高的一級。這時期宦官帶三品將軍職銜的人數非常多；這裡所說的『紫衣』，當指這些宦官。」（第三八頁）按：貞元、元和之際，宦官三品以上衣紫的雖然不少，但地位很高，親自到農村裏去劫食伐木的可能性不大，詩云「紫衣挾刀斧，草草十餘人」，必然是他們所派遣的爪牙（小宦官），所以詩中的「紫衣」不能解釋爲「三品以上文武高級官員穿紫色公服」，而是一種官職卑下的服色。考唐制，除了三品以上大官衣紫外，還另有一種低級人員服用的「粗紫」。《唐會要》卷三一《輿服》上云：「其年（大和六年）七月，度支戶部鹽鐵三司奏：……通引官許依前麤紫絁及紫布充衫袍，藍鐵腰帶，乘小馬，鞍用烏漆鐵踏鐙。其行官門子等，請許依前服紫麤絁充衫袄，藍鐵腰帶，仍不許乘馬。其騾網車綱等，緣常押驢騾於諸州府搬運，及送遠軍衣賜，須應程期，請許依前麤紫絁充袄，藍鐵腰帶，乘驢車。」爲這一問題提供了詳細的資料。又考唐人傳奇中有關「紫衣」的記載很多，如《太平廣記》卷一九三《髯公》云：「靖歸逆旅，其夜五更初，忽聞扣門而聲低者，靖起問焉。乃紫衣戴帽人，杖揭一囊。」《全唐文》卷六九二白行簡《紀夢》云：「有紫衣吏引張氏於西廊幕。」都是以證明「紫衣」是低級胥吏所穿的服色，和《唐會要》的記載相合。歷來注釋白氏這首詩的都體會錯了。又同時「採造家」注云：「採伐木材，營造建築的機關（人）。唐代設置『將作監』，掌管宮殿、官舍、六軍軍營、馬房、軍器、城門等營建修造工程；下設左校、右校、中校、甄官四個署，及百工、軍器等監（見《新唐書·百官志》）。……元和時，經常調左、右神策軍修建宮殿、城池（見同書）。當是因土木工程人力不足，臨時調遣，在將作監工程安排之下，協助工程進行的；所以這裡說自己是『採造家』，而屬於『神策軍』的軍籍。」按：這裡說「採造家」是將作監的臨時調遣，似乎是出於沒有根據的臆測。考《冊府元龜》卷六一《帝王部》《定制度》第二：「唐文宗大和元年五月癸酉，左神策軍責當軍請鑄『南山採造印』一面。」根據這條資料，可知『南山採造』是左神策軍的直屬機構，與白氏「身屬神策軍」詩意正合。

《紅線毯》：此詩注釋中稱「宣州刺史」爲「宣州太守」（第九二頁）。按：宣州在白居易的時代，只有刺史，不稱太守，白詩原文「宣城太守」實即指當時的宣州刺史。這裡應該交代清楚，不能將原文

「宣城太守」用作注解。

《立碑》：「陵夷」注云：「如丘陵之漸平——衰壞、日趨卑下。」（第一三三頁）按：「陵夷」即「陵遲」，「陵」和「夷」兩字意義相同，都是「漸平」的意思。不能把「陵」字解釋作「丘陵」，這樣的解釋早已被清代學者王念孫、王先謙等所駁倒。《漢書·成帝紀》顏師古注誤把「夷陵」兩字注成「言其頹替若丘陵之漸平也」。王先謙《漢書補注》加以駁正云：「陵與夷皆平也。《文選·長楊賦》注引薛君《韓詩章句》曰：『四平曰陵。』是丘陵之陵本取陵夷之義，非陵夷之取義於丘陵也。」王念孫《讀書雜志》卷十六云：「案陵夷者，漸平之稱，陵夷二字，上下同義，不可分訓。」

《輕肥》：「朱紱、紫綬」注云：「紱、綬都是官僚系印（當時印是佩帶的）或佩玉的絲織繩帶，顏色因官級而不同。朱紱、紫綬，都是高級官才能用的，參看《唐書·輿服志》：『親王纁朱紱、四彩；……一品綠綟綬，四彩；……二品、三品紫綬、三彩。』自四品以次則用青綬、黑綬。」（第一三五頁）這裡由於不了解唐人詩文中的習慣，引用的資料未免失之太泥，我看到其他選本注這首詩時，也同樣產生了這種錯誤，把「朱紱、紫綬」注成了「繫印的帶子」。按：唐人詩文中一般稱「朱紱」和「紫綬」爲「朱衣」和「紫衣」，不能解作「繫印的帶子」。白居易《初著緋戲贈元九》詩云：「晚遇緣才拙，先衰被病牽。那知垂白日，始是著緋年。身外名徒爾，人間事偶然。我朱君紫綬，猶未得差肩。」《王夫子》云：「紫綬朱紱青布衫，顏色不同而已矣。」都是很有力的證明。又《初除尚書郎脫刺史緋》云：「便留朱紱還鈴閣，卻著青袍侍玉除。」李商隱《祭外舅贈司徒公文》：「旋衣朱紱，入謁皇闈。」⑦岑仲勉《玉溪生年譜會箋平質》⑧解釋這兩句的意思說：「唐文『銀章朱紱』即『賜緋魚袋』之典語，此謂賜緋後入朝，非言充京職也。」再如杜荀鶴《再經胡城縣》詩：「今來縣宰加朱紱，便是蒼生血染成。」⑨都指的是緋衣，不能解釋爲印綬。

《欲與元八卜鄰先有是贈》：注釋云：「按白集另有《和元八侍御升平新居四絕句》（注云：「時方與元八卜鄰。」），第四首《松樹》云：『白金換得青松樹，君旣先栽我不栽；幸有西風易憑仗，夜深偷送好聲來。』則作於此詩之後，時已與元八結鄰。元和五年春白氏居新昌坊，與升平坊東西相鄰；元和六年白母卒時，居宣平坊，與升平坊南北相鄰。據此，則此詩約作於此數年內。」（第一四一頁）在這段說明中存在著兩個問題：㈠元和五年春天，白居易住在新昌坊，他的母親元和六年四月死在宣平里第⑩，可以證明白居易元和六年以前也住在宣平坊，從新昌坊移居宣平坊約在元和五年下半年。考白居易在新昌坊一共居住過兩次：第一次是元和三年，他在這年寫的《醉後走筆酬劉五主簿長句之贈兼簡張大賈二十四先輩昆季》詩云：「晚松寒竹新昌第，職居密近門多閉。」元稹《酬翰林白學士代書一百韻》詩注云：「樂天每與予遊從，樂不書名屋壁。又嘗於新昌宅說一枝花話，自寅至巳，猶未畢詞也。」都是有力的證據。至於元和五年作的《和答詩序》云：「自永壽寺南，抵新昌里也，得馬上語別。」這裡可以解釋爲「從永壽寺的南面，抵達新昌里的北面，送元稹出長安東面的春明門或延興門分手」，但也能作爲白居易元和五年春寓居新昌里的依據。第二次寓居新昌坊則是長慶元年春天的事情，他在長慶元年所寫的《竹窗》詩說：「今年二月初，卜居在新昌。」此外又有《題新居寄元八》、《題新昌所居》、《新昌新居書事四十韻因寄元郎中張博士》等詩都作於長慶元年。白氏集中提到新昌坊住宅的詩，除了上面所引證的一首以外，多半作於長慶元年以後。徐松《兩京城坊考》卷三云：「白居易始居常樂，次居宣平，又次居昭國，又次居新昌。」所考證的次序大致是不錯的。但沒有考出宣平坊之前已住過新昌坊。白氏第一次住新昌坊時，元宗簡還沒有購置升平里宅第，購買升平里宅則是元和十年春天的事情。㈡據《白氏長慶集》卷十五的編次，此詩當作於元和十年。白氏另有《和元八侍御升平新居四絕句》也作於同一年春天。這時白居易做太子左贊善大夫，住在昭國坊，在升平坊西南，相隔一定的距離，無論如何不能作「綠楊宜作兩家春」的隔牆鄰居。後來白居易《予與故刑部李侍郎早結道友，約藥術爲事。與故京兆元尹晚爲詩侶，有林泉之期。周歲之間，二君長逝，李住曲江北，元居升平里，追感舊遊，因貽同志》詩云：「金丹同學都無益，水竹鄰居竟不成。」可知《欲與元八卜鄰，先有是贈》詩與《元八侍御升平新居四絕句》詩自注：「時方與元八卜鄰」，只不過是一個空想的願望，這個願望後來終於沒有得到實現。

《和答詩十首》：「山北寺」注云：「指商山的層峰館（驛館）；元白分別日（三月二十四日）元稹曾宿於此館。」（第一四九頁）按：山北寺不在商山之上，也不是層峰館，注釋有誤。白氏《和答詩序》云：「五年春，微之從東臺來。不數日，又左轉爲江陵士曹掾，詔下日，會予下內直歸，而微之已即路，邂逅相遇於街衢中。自永壽寺南，抵新昌里北，得馬上語別，語不過相勉保方寸、外形骸而已，因不暇及他。是夕，足下次於山北寺。」元稹三月六日自洛陽至陝州⑪，估計十日左右至長安，啓程去江陵約在三月二十日之前。商州去長安東南約三百里路⑫，商山在商州附近，層峰館在商山上。自長安到商山層峰館至少需要三四天，絕非一日所能到達，因為在當時一天的路程，至多不能超出藍田縣界，白氏《宿藍溪對月》詩云：「昨夜風池頭，今夜藍溪口。」又《初出藍田路作》詩云：「朝經韓公坡，夕次藍橋水。潯陽近四千，始行七十里。」這些都是記載實際行程的作品，商山上的層峰館一天肯定不能到達，說元稹三月二十四日自長安出發大概是根據元稹《三月二十四日宿層峰館夜對桐花寄樂天》這首詩的記載，也是錯誤的，山北寺一天能到達，必定離開長安不遠。考《文苑英華》卷二三八有喻鳧《遊山北（原注：集作北山）寺》詩云：「藍峰露秋院，灞水入青廚。」據此，寺當在商山之北藍田縣附近。

《江樓聞砧》：「聞砧」注云：「聽到石上搗衣的聲音。古時，秋冬之交準備添換冬衣的時候，把衣服放在砧石上拍打，使它鬆軟，叫做搗衣。客居外地的人，聽到這種聲音，容易引起對家鄉和親人的懷念，唐人詠搗衣或聞砧的詩很多。」（第二〇二頁）按：搗衣是捶打絲綢，預備裁衣，不是拍打衣服。古人歌詠搗衣的詩，都指搗練。劉宋謝惠連《搗衣詩》⑬云：「簪玉出北房，鳴金步南階。櫩高砧響發，楹長杵聲哀。微芳起兩袖，輕汗染雙題。紈素既已成，君子行未歸。裁用笥中刀，縫為萬里衣。」唐喬知之《從軍行》⑭云：「曲房理針線，平砧搗衣練。鴛綺裁衣成，龍鄉信難見。」李賀《龍夜吟》詩：「寒砧能搗百尺練，粉淚凝珠滴紅線。」白居易《秋霽詩》：「月出砧杵動，家家搗秋練。獨對多病妻，不能理針線。冬衣殊未製，夏服行將綻。」這些都足以說明搗衣即搗練，不能理解為「把衣服放在砧石上拍打」。《楊升庵詩話》云：「《字林》云：直舂曰搗。古人搗衣，兩女子對立，執一杵，如舂米然。今易作卧杵對坐搗之，取其便也。嘗見六朝人畫《搗衣圖》，其制如此。」其中所說的「搗衣圖」即「搗練圖」，元范梈有《搗練圖》詩，都可以參考。

《題潯陽樓》：「潯陽樓」注云：「即潯陽城樓。」（第二二九頁）這樣注解是望文生義，沒有根據的。按：《光緒江西通志》卷一一八《勝跡略》三云：「《九江府志·古跡》無潯陽樓，審其詩意，仍是南樓。」南樓即庾樓。《江西通志》的考證大致是不錯的。

《大林寺桃花》（第二三七頁）：「大林寺」未加注釋，僅在備考中引白氏《遊大林寺序》。按：廬山有三個大林寺，白氏詩文中所提到的是上大林寺，注釋中似應交代清楚。陳舜俞《廬山記》卷二：「由峰頂（寺）五里至大林，今名寶林寺。梁天監二年刺史蕭綱所造……予嘗九月遊二林，秋暑未可以卻扇。明日至大林，流泉或凝冰矣。又嘗三月遊焉。桃梨飄零，牡丹微開，與白公所見者略同矣。」《廬山志》卷三云：「大林峰南有上大林寺，寺前有寶樹二株。」查愼行《廬山紀遊》云：「上大林寺，樂天先生曾遊此，於四月見桃花，集有序，今猶稱白司馬花徑。」這些資料都可以爲注釋此條提供參考。

《問劉十九》：「劉十九」注云：「指劉軻，河南登封人，隱居廬山，著有《翼孟》、《豢龍子》等書；是作者在江州所結識的朋友，行輩較作者略晚，元和末年進士。」（第二三九頁）按：劉軻不是河南登封人，說劉十九即劉軻也很成問題。白居易《代書》云：「其中秀出者有彭城人劉軻。」劉軻自己作的《上座主書》云：「軻本沛上耕人，代業儒，爲農人家。天寶末流離於邊，徙貫南郡……元和初方結廬於廬山之陽。」⑮《與馬植書》云：「先此二十年，予方去兒童心……歷數歲，自洙泗渡於淮，達於江，過洞庭三苗，踰郴而南，涉湞江，浮滄溟，抵羅浮，始得師於壽春楊生……元和初，方下羅浮，越嶺，泛贛江，浮彭蠡，又抵於匡廬。」⑯《廬山東林寺故臨壇大德塔銘》亦自稱「彭城劉軻」⑰。阮福《劉軻傳》引黃佐《廣東通志》稱他爲曲江人⑱。《唐摭言》卷十一云：「劉軻，慕孟軻爲文，故以名焉。少爲僧，止於豫章縣南果園。復求黃老之術，隱於廬山。既而進士登第。文章與韓柳齊名。」綜合這些資料，可知彭城是劉軻的望郡，少時家於嶺南，青年時也一度在山東徐州一帶住過，元和初年從嶺南到江西，隱居廬山，從來沒有在河南嵩山一帶往過。白氏集中和「劉十九」有關的詩一共有四首，即《問劉十九》、《劉十九同宿》、《雨中赴劉十九二林之期，及到寺，劉已先去，因以四韻寄之》、《薔薇正開，春酒初熟，因招劉十九張大夫崔二十四同飲》。《劉十九同宿》稱「劉十九」爲「嵩陽處士」，絕不能據以說劉軻是河南登封人。其次，白居易《代書》對劉軻完全是前輩的口氣，與酬和「劉十九」四首詩的口氣不一樣。據劉軻《與馬植書》中的記載，他到過洙泗一帶，這時年紀很輕，也不能稱做處士。《代書》作於元和十二年三月十三日⑲，從這篇文章的內容可以知道劉軻拿到白居易的介紹信後，就動身到長安去，從事投謁權貴的活動。元和十三年進士登第⑳。又據《白氏長慶集》卷十七的編次，《雨中赴劉十九二林之期，及到寺，劉已先去，因以四韻寄之》、《薔薇正開，春酒初熟，因招劉十九張大夫崔二十四同飲》兩首詩都作於元和十三年夏初，這時劉軻必已不在江州。根據以上這些資料，因此可以肯定劉軻不是河南登封人，也不是白氏詩中的「嵩陽處士劉十九」。

《餘杭形勝》「拂城句」注云：「唐開元中刺史袁仁敬自行春橋至靈隱下竺一帶植松樹，左右各三行，蒼翠夾道，後來叫做『九里松徑』。」（第二七四頁）按：這裡所引《西湖遊覽志》的資料並不切合「拂城松樹一千株」詩意。考《咸淳臨安志》卷二八：萬松嶺在和寧門外西嶺上，舊夾道栽松。樂天《夜歸》詩云：『萬株松樹青山上，十里沙隄明月中。』東坡《臘梅》詩亦有『萬松嶺下黃千葉』之句，今第宅民居，高高下下，鱗次櫛比。」又同書卷五八云：「白公詩『拂城松樹一千株』，指萬松嶺言，今多不存。」可知這句詩和「九里松」無關。

《洛中偶作》：「一年句」及「半年句」均注云「元和十五年冬召爲尙書司門員外郎」（第二九一頁），誤。詳見前《編年》中《別種東坡花樹兩絕》、《發白狗峽次黃牛峽登高寺卻望忠州》、《自蜀江至洞庭湖口有感而作》三詩辨正。又「二年句」注云：「指自長慶元年拜主客郎中、知制誥。」（第二九一頁）按：白居易除主客郎中、知制誥在元和十五年十二月二十八日。《舊唐書·穆宗紀》云：「（元和十五年十二月）丙申（二十八日）以司門員外郎白居易爲主客郎中、知制誥。」這裡注爲「長慶元年」，誤。

《小童薛陽陶吹觱栗歌》：「關崔、李袞」注云：「事跡均不詳。」（第二九七頁）按：李袞事跡見李肇《國史補》卷下云：「李袞善歌，初於江外，而名動京師。崔昭入朝，密載而至。乃邀賓客，請第一部樂及京邑之名倡，以有盛會。紿言表弟，請登末坐，令袞弊衣而出，合坐嗤笑。頃命酒，昭曰：『欲請表弟歌』。坐中又笑，及轉喉一發，樂人皆大驚曰：『此必李八郎也。』遂羅拜階下。」可知李袞在當時除擅長吹奏觱栗外，還以善歌出名。

三、校勘及其他

《贈楊秘書巨源》：「楊巨源」注引白氏原注云：「楊嘗有《贈盧洺州詩》云：『三刀夢益州，一箭取遼城。』由是知名。」（第六〇頁）按：此詩「早聞一箭取遼城」句中的「遼城」當作「聊城」，各本《白氏長慶集》及《唐詩紀事》卷三五所引均誤。《史記·魯仲連傳》云：「齊田單攻聊城歲餘，士卒多死而聊城不下。魯連乃爲書，約之矢以射城中，遺燕將。燕將見魯連書，泣三日，猶預不能自決。欲歸燕，已有隙，恐誅。欲降齊，所殺虜於齊甚衆，恐已降而後見辱。喟然嘆曰：『與人刃我，寧自刃。』乃自殺。聊城亂，田單遂屠聊城。」唐人詩中用「一箭聊城」典故，多出於此。如李白《五月東魯行答汶上翁》詩云：「我以一箭書，能取聊城功。」足以證明「遼城」是歷來《白氏長慶集》傳刻的錯誤。

《上陽白髮人》：「呂向美人賦」注云：「據本傳文意，呂向獻美人賦似在開元時，不在天寶末，與白氏原注稍有不同。」（第七三頁）按：元稹《上陽白髮人》「天寶年中花鳥使」原注云：「天寶中密號採取艷異者爲花鳥使。」並沒有提到呂向獻《美人賦》。白氏此詩注云：「天寶末，有密採艷色者，當時號花鳥使。呂向獻《美人賦》以諷之。」不僅與《新唐書》本傳不同，也與元稹詩的原注不同。《新唐書》卷二〇二《呂向傳》云：「再遷中書舍人，改工部侍郎，卒。」沒有記載死時的年月。岑仲勉據《寶刻類編》卷三著錄呂向所書《龍興寺法現禪師碑》、《長安令韋堅德政頌》、《壽春太守盧公德政碑》三個碑文的記載，考證呂向卒於天寶初年，時間大致是可靠的。因此可以進一步證明《新唐書》說呂向獻《美人賦》在開元時的可信，白氏此注有誤。查今傳敦煌卷子殘本白詩《上陽白髮人》均無注，據盧文弨《群書拾補》「君不見昔時呂向美人賦」句下，嚴震本《白氏諷諫》無注文，覆宋本《白氏諷諫》亦同。疑宋本白集此注是後人所加。

《新豐折臂翁》：「開元宰相二句」引白氏原注作「郝靈荃」（第七六頁），這根據的是汪立名本。按：《文苑英華》及《全唐詩》作「郝靈荃」，與汪本同。宋本及馬元調本均作「郝雲岑」、程大昌《考古編》卷九作「郝靈荃」，新舊《唐書》中又有「靈儉」及「靈佺」者。陳寅恪《元白詩箋證稿》則根據《舊唐書》卷一四七《杜佑傳》、《新唐書·玄宗紀》開元四年六月癸酉條，《新唐書》卷一二四《宋璟傳》、《新唐書》卷一六六《杜佑傳》、《新唐書》卷二一五《突厥傳》上均作「靈佺」，並云「佺字乃取義於堯時仙人偓佺，與靈字有關，不可別作他字也」，這裡似以陳氏之說有根據。

《澗底松》：「黃憲」注云：「宋本原作『原憲』，據詩意應作『黃憲』，今據覆宋單行本改。」（第九〇頁）按：這兩句詩，宋本、那波本、馬本、《全唐詩》均作「金張世祿原憲貧，牛衣寒賤貂蟬貴」，《全唐詩》「原憲貧」下注云：「一作『黃憲賢』。」汪本、覆日本《白氏諷諫》、《文苑英華》、《盧校均作「黃憲賢」。又「牛衣」盧校作「牛醫」，《英華》此下亦注云：「黃憲本牛醫兒，諸本作衣恐誤。」汪本注云：按《英華辨證》，白居易《澗底松》『金張世祿黃憲賢』，黃憲本牛醫兒，而集本作『原憲賢』，詳上下句『黃憲賢』是。」但從這兩句詩的下文「貂蟬與牛衣」的意思來體會，「牛衣」和「貂蟬」本是相對稱的東西，絕不能改作「牛醫」。據《後漢書·黃憲傳》的記載，他的父親是牛醫，家貧賤，似乎和牛衣無關。所以《唐宋詩醇》卷二〇云：「原憲貧，或作黃憲賢者誤，黃憲爲牛醫兒，與牛衣無涉。」又考《史記》卷六七《仲尼弟子列傳》云：「孔子卒，原憲遂亡在澤中。子貢相衛，而結駟連騎，排藜藿入窮閻，過謝原憲。憲攝敝衣冠見子貢。子貢恥之，曰：『夫子豈病乎？』原憲曰：『吾聞之，無財者謂之貧，學道而不能行者謂之病。若憲，貧也，非病也。』子貢慚，不擇而去，終身恥其言之過也。其中「攝敝衣冠」一節記載，適與「牛衣」之意相合，當爲白詩所本。據此，則《文苑英華》注，彭叔夏考證、盧校都未必可信，似乎仍以宋本作「原憲貧」爲長。

《放言五首》：備考引李頎《雜興》詩「龍抱胡髯臥黑泉」句（第二〇〇頁）誤作「龍抱胡鬚臥里泉。」

《洛中偶作》：「今爲春官長」句（第二九一頁），按：「春官」應作「春宮」，各本《白氏長慶集》均誤作「春官」。春宮是太子宮，《初學記》云：「青宮一名春宮，太子居之。」《通鑑》卷一七二《陳紀》宣帝太建八年：「……皇太子養德春宮，」胡注：「太子居東宮，東方主春，故亦白春宮。」白居易這時做太子左庶子，是東宮官，應爲「春宮長」，不是「春官長」。

前言（第二頁）中說：「但他本人卻出生在新鄭（今河南新鄭縣）後遷居滎陽。」這大概是先看到白居易《醉吟先生墓志銘》說：「大歷六年正月二十日生於鄭州新鄭縣東郭宅。」後來又看到他的《宿滎陽》詩說：「生長在滎陽，少小辭鄉曲。迢迢四十載，復到滎陽宿。」就以爲白居易的家曾經從鄭州新鄭縣再遷到鄭州滎陽縣。按：新鄭縣在唐代屬鄭州，鄭州舊爲滎陽郡。《元和郡縣志》卷八《河南道·鄭州》：「晉武帝分河南置滎陽郡……周改爲滎州……開皇之年改滎州爲鄭州。」《舊唐書·地理志》：「鄭州，隋滎陽郡，武德四年平王世充，置鄭州於武（虎）牢。」白居易詩中的「滎陽」即「滎陽郡」，指鄭州新鄭縣，並非搬家到滎陽縣居住過。

【附記】

本文寫於二十年前。最近，人民文學出版社根據一九六三年版重印了《白居易詩選》，而本文似仍有一定的參考價值，現略作修改，輯錄於此。

①《全唐詩》卷三〇〇王建有《賀楊巨源博士拜虞部員外》詩。《唐才子傳》卷五云：「初爲張宏靖從事，拜虞部員外郎，後遷太常博士，國子祭酒。」據王建詩：巨源拜虞部員外郎應在太常博士之後，《唐才子傳》所記誤。

②《白氏長慶集》卷九《別行簡》詩：「梓州三千里，劍門五六月。」此詩題下自注：「時行簡辟盧坦劍南東川府。」

③《舊唐書·憲宗紀》：「（元和十二年九月）戊戌，劍南東川節度盧坦卒。」

④見《安徽史學》一九六〇年第三期卞孝萱《李紳年譜》。

⑤見汪立名本《白香山詩集》後集卷十一《寄劉蘇州》詩。
⑥見任半塘《教坊記箋訂》第一〇三頁《望月婆羅門》箋及《唐戲弄》第二六五頁《弄婆羅門》一節。
⑦見《樊南文集補編》卷十二。
⑧見《歷史語言研究所集刊》第十五本。
⑨見《全唐詩》卷六九三。
⑩見《白氏長慶集》卷二九《襄州別駕府君事狀》。
⑪見《元氏長慶集》卷五《元和五年，予官不了，罰俸西歸，三月六日至陝府，與吳十一兄端公、崔二十二院長思愴曩遊，因投五十韻》詩。
⑫見《嘉慶一統志》商州一。
⑬見《文選》卷三〇。
⑭見《全唐詩》卷八一。
⑮⑯⑰見《全唐文》卷七四二。
⑱見叢書集成本《劉希仁文集》。
⑲白居易《代書》說：「予佐潯陽三年，」是指元和十年八月貶官至元和十二年爲第三個年頭。他在元和十三年七月八日寫的《江州司馬廳記》說：「予佐是郡行四年矣。」元和十二年四月十日寫的《與微之書》說：「僕自到九江，已涉三載。」都可以爲證。又《代書》中稱元宗簡爲「金部元八員外」，但元和十二年歲暮作的《潯陽歲晚寄元八郎中庾三十三員外》（《白氏長慶集》卷十七）詩已稱元宗簡爲郎中。可知《代書》必作於元和十二年三月十三日無

疑。

⑳見《登科記考》卷十八。

㉑見《歷史語言研究所集刊》第十五本岑仲勉《翰林學士壁記注補》。

《白居易集箋校》前言

一

在我國文學史上，唐詩是封建社會詩歌發展的高峰。這一時期產生了許多偉大的詩人，李白、杜甫以後，白居易就是其中最傑出的一個。他的作品，不僅是我國優秀的文學遺產，也是世界文學的寶貴財富。

白居易（七七二——八四六），字樂天，晚年自號香山居士。太原是他的郡望，從他曾祖白溫開始遷居到下邽（今陝西省渭南縣），所以白居易有時自稱太原人，實際上是下邽人。他的祖父白鍠、外祖父陳潤都是詩人，父親白季庚也是明經出身，做過許多任地方官，很有政績。白居易生長在這樣一個以文學著稱的小官僚家庭中，從幼年起就受到的良好文學教養，爲他後來的詩歌創作打下了深厚的基礎。

唐王朝自安、史亂後，中央政權日漸削弱，藩鎮擁兵割據，對抗朝廷。宦官掌握禁軍（神策軍）大權，專横貪暴，無惡不作，皇帝的廢立，多出於其手。再加上封建官僚之間劇烈的派系鬥爭（著名的如牛僧儒和李德裕的黨爭），政治異常黑暗。統治階級過著荒淫無恥的生活，更加緊對人民的殘酷剝削，土地愈益集中，生產力被嚴重破壞，階級矛盾更尖銳化。就在這樣的時代裡，詩人白居易度過了他的一生。他十幾歲時，由於朱泚、李希烈等作亂，曾到徐州、越中等處避難。年紀稍長，父親白季庚去世，家境衰落，生活更加貧困，迫使他南北奔走，愁於衣食，「時難年荒世業空，弟兄羈旅各西東」（《自河南經亂，關內阻飢，兄弟離散，各在一處，因望月有感，聊書所懷，寄上浮梁大兄於潛七兄烏江十五兄，兼示符離及下邽弟妹》），「苦乏衣食資，遠爲江海遊。光陰坐遲暮，鄉國行阻修。身病向鄱陽，家貧寄徐州」（《將之饒州江浦夜泊》），在這些詩句中，蘊藏著詩人的無限辛酸，也表現出詩人對於當時人民生活痛苦有著深切的感受，因而與受苦難的勞動人民的思想感情有共通之處，奠定了他以後在政治上和詩歌創作上關懷人民疾苦的思想基礎。

貞元十六年（八〇〇）二月，在中書舍人高郢的主試下，白居易考取第四名進士。貞元十八年（八〇二）冬天，白居易應吏部試，第二年春天與元稹以書判拔萃同登科，同授秘書省校書郎，兩人成了最親密的朋友。校書郎任期滿後，白居易又與元稹一起應制舉，他們在長安華陽觀閉戶累月，寫出了《策林》七十五道，表達了改造社會的進步政治見解，最早提出了詩歌以反映人民疾苦和補察時政爲職責的現實主義理論。制舉登科後，白居易被任命爲盩厔縣尉，他更多地了解人民被重重賦稅殘酷剝削的慘狀，寫了很多揭露封建統治者和反映民生疾苦的作品，如《觀刈麥》、《宿紫閣山北村》等詩。

同時他也爲自己擔任皇帝的差科頭（縣尉）而感到十分痛苦，「臣近爲畿尉，曾領和糴之司，親自鞭打，所不忍睹」（《論和糴狀》），就是這種矛盾心情的眞實寫照。他的爲人傳誦的名篇《長恨歌》也是在這一時期寫成的。

元和二年（八〇七）秋天，白居易被召回長安，自集賢校理充翰林學士。第二年四月改授左拾遺，仍充翰林學士。中唐以後的翰林學士是替皇帝草擬機要文件的差使，地位非常重要，後來的宰相多半由其中提拔，所以又稱「內相」。左拾遺是諫官，白居易在任諫官的三年中，屢次上奏章請革除弊政，勇於向腐朽的惡勢力作鬥爭，得罪了宦官與以李吉甫爲代表和宦官相勾結的舊官僚集團，他爲了反對宦官吐承璀做統帥，甚至當面指摘了皇帝，因此爲宦官和舊官僚集團所切齒痛恨。但詩人並不顧忌這些，他除了上爲民請命之外，還以他的詩歌作爲政治鬥爭的武器，他的「惟歌生民病」的輝煌組詩《秦中吟》和《新樂府》就是這一時期創作的。

元和九年（八一四）冬，白居易任太子左贊大夫。第二年（八一五）六月，宰相武元衡被刺身死，御史中丞裴度受傷，白居易上書奏論，主張捕賊雪恥，引起了舊官僚集團的不滿，以越職言事之罪貶爲江州司馬。在江州時期，他寫成了與《長恨歌》齊名的不朽之作《琵琶行》和詩歌理論名篇《與元九書》。直到他的好友崔群出任宰相，白居易才於元和十三年底由江州司馬除授忠州刺史。

貶官和遠離京都的寂寞生活，使白居易的精神生活非常苦悶，壯志逐漸消磨。元和十五年（八二〇）正月，憲宗暴卒，穆宗即位。這年夏天，白居易被召回長安任尚書司門員外郎①，接著又改授主客郎中。知制誥。但是重返京城，並沒有給白居易帶來歡樂，君王昏庸，朝政日非，權貴們互相傾軋，使他感到「宦途氣味已諳盡」，不願卷入毫無意義的黨爭，便請求外任。長慶二年（八二二）七月，白居易出任杭州刺史。在杭州及以後任蘇州刺史期間，白居易在自己職責範圍內實現了「恤隱安疲民」（《初下漢江舟中作寄兩省給舍》）的願望，他興修水利，引湖水灌田，替人民做了很多好事，深受蘇杭人民的愛戴。他罷杭州刺史時所作《別州民》詩，傾吐了詩人對人民的深厚感情：「稅重多貧民，農飢足旱田。唯留一湖水，與汝救凶年。」

仕宦的不得意，生活的清閒，使白居易更能致力於詩歌創作，不論是在長安任職或是任外官期間，他和朋友們的唱和是十分頻繁的。他一生中結識了很多朋友，大多是當時著名的詩人、文學家、政治家，如韓愈、張籍、王建、楊巨源、徐凝、李紳、牛僧孺、杜元穎、錢徽、嚴休復、裴度、韋處厚、崔群、楊虞卿、楊嗣復、令狐楚、賈餗、舒元輿、郭行餘、李建、元宗簡、崔玄亮、李宗閔、李諒、沈傳師等。他與牛僧孺、李德裕兩黨的人物都有友誼關係，雖和牛黨關係較密切，但並沒有卷入黨爭中去。早在任盩厔尉時，就結識了著名的唐傳奇作家陳鴻，陳鴻爲他寫了《長恨歌傳》，成爲與《長恨歌》並傳不可分割的共同體。元稹是白居易早年往來最親密的朋友，歷來有「元白」之稱，而白居易晚年關係最密切的朋友是劉禹錫，又被稱爲「劉白」。寶曆二年（八二六）初冬，白居易離蘇州回洛陽，途中與劉禹錫在揚州見面時有《醉贈劉二十八使君》詩，劉禹錫也有《酬樂天揚州初逢席上見贈》詩，詩中表現了兩人情感極其深摯的友誼。但實際上劉、白兩人在揚州並非初次見面，劉禹錫有《翰林白二十二學士見寄詩一百篇因以答貺》詩，約作於元和三年至六年間，可知他們這時已有往來。又據元稹元和十年春在藍橋驛所作《留呈夢得子厚致用》詩，則劉禹錫自朗州召回與元稹同返長安，必有與白居易見面的可能。白居易另有一首《初見劉二十八郎中有感》詩，作於大和五年冬（見那波道圓本《白集》卷五七），編在《醉贈劉二十八使君》詩之後，題中也稱爲「初見」，這裡「初逢」和「初見」都是久別初逢的意思，並非專指初次見面。又從白居易永貞元年所作《爲人上宰相（韋執誼）書》、《寄隱者》詩，以及在《論承璀職名狀》中攻擊策劃永貞事變的宦官集團首領俱文珍一事，足以證明他是永貞革新政治集團的同情者，在這一點上，與永貞事變的犧牲者劉禹錫有著共通的思想感情，也許是他們兩人晚年成爲密友的原因之一。

白居易罷任蘇州刺史回洛陽後，不久由於宰相裴度和韋處厚的推荐，相繼出任秘書監及刑部侍郎。但他到長安任職後，黨爭愈演愈烈，宦途更加險惡，使這位從來不與宦官妥協的詩人深感：「人間禍福實難料，世上風波老不禁，萬一差池似前事，又應追悔不抽簪。」（《戊申歲暮詠懷三首》之三）他對實現「兼濟」不再存任何幻想，便下決心於大和三年春辭去刑部侍郎，以太子賓客分司東都的名義回到洛陽。以後又做了一任河南尹，最後的官職是太子少傅分司東都，會昌元年春以百日長告假滿而停職。到了會昌二年才以刑部尚書致仕，領取半俸②。此時他已「我心與世兩相忘，時事雖聞如不聞」（《詔下》），實際上他是不能眞的「與世相忘」的，就在這樣極端苦悶的心情中度過了他寂寞的晚年。會昌六年（八四六）八月，我們偉大的詩人離開了人間，葬於洛陽龍門山。

白居易的詩歌，由於具有較高的思想性和強烈的藝術感染力，當時不論在國內和國外都廣爲流傳③。據說雞林國的宰相搜求白居易的詩歌，竟以一百金換一篇。日本平安朝詩歌發展，也是受到白居易的直接影響。今天，白居易已成爲世界上的著名詩人之一，他的詩歌甚至已被翻譯成各種外文，在各國人民中間享有盛譽。他的不朽作品和詩歌創作理論，無論在世界文學史或中國文學發展史上都留下光輝燦爛的一頁。

二

白居易是唐代偉大的現實主義詩人。毫無疑問，反映現實的詩歌是他全部作品中的主流和傑出的部分，可是只談這些卻不能概括他的作品的全貌。他的詩歌流傳到現在約有近三千首之多，從創作數量來說，在唐代詩人中是首屈一指的，其中包含「諷諭」詩和「閒適」詩兩大部分。

白居易的思想是儒、道、佛三家的混合產物，他中年曾惑於道家的丹藥，後來又皈依於佛教④，雖然各個時期的表現不同，但「達則兼濟天下，窮則獨善其身」的儒家思想在他身上始終主導地位。他自己解釋說：「謂之諷諭詩，兼濟之志也。謂之閒適詩，獨善之義也。」（《與元九書》）他早期作品中「志在兼濟」的諷諭詩是主要的一面，後期作品中「行在獨善」的閒適詩佔主要的一面，當然他前期也寫有閒適詩，後期也寫有近於諷諭的詩，但對當時起的作用不大，僅居次要地位。

盛唐是唐代詩歌的黃金時代，但天寶以後逐漸出現程式化的傾向，「詩到元和體變新」（《餘思未盡，加爲六韻，重寄微之》），至白居易、元稹時代，才又突破樊籬，形成大變。白居易在繼承上，雖然吸收了如陶潛、韋應物的所謂「閒適」的一面，另外又繼承了如陳子昂、杜甫等旨在「諷諭」的一面，但他並不是純粹蹈襲前人的老路，確實做到了能變能新，開創了所謂「元和體」，使當時的詩繼承盛唐而再盛，出現了又一個新的局面。

如前所述，白居易的詩歌成就，是和他的生活經歷以及他生活著的那個時代分不開的。他的詩歌創作是他的文學理論的實踐，「文章合爲時而著，歌詩合爲事而作」（《與元九書》），他主張用這個尺度去衡量歷代的詩人和作品，並總結了自《詩經》以來現實主義的文學創作經驗，強調了詩歌的戰鬥作用，內容與形式的統一，認爲文學必須爲政治服務，必須爲現實而作，用來「補察時政」、「泄導人情」（《與元九書》），使它成爲一種改造社會的工具和武器，決不能爲藝術而藝術。他對於六朝梁、陳以來「嘲風雪，弄花草」，脫離現實的形式主義詩風給予嚴厲的批判，把《詩經》、漢魏樂府民歌、陳子昂、杜甫的現實主義優良傳統提到正宗的地位，其中特別推崇杜甫，對於他的《新安吏》、《石壕吏》、《潼關吏》、《塞蘆子》、《留花門》等詩篇和「朱門酒肉臭，路有凍死骨」詩句，則大爲贊揚。「惟歌生民病，願得天子知」（《寄唐生》）、「丈夫貴兼濟，豈獨善一身」（《新制布裘》），他早年從民間剛登上政治舞台不久，就發揚儒家「兼濟」的精神，要求實行「仁政」，不畏強暴，寫成了《秦中吟》、《新樂府》和其他「諷諭詩」的名篇，如諷刺橫徵急斂，貪污強暴的《重賦》、《杜陵叟》、《黑潭龍》、

《賣炭翁》、《宿紫閣山北村》等。他極端沉痛地傾吐了鬱積在人民心中的憤怒道：「奪我身上暖，買爾眼前恩。進入瓊林庫，歲久化爲塵。」（《重賦》）又運用同樣的手法控訴了封建統治者對農民的殘酷剝削，將它比喻成吃人的野獸：「剝我身上帛，奪我口中粟。虐人害物即豺狼，何必勾爪鋸牙食人肉！」（《杜陵叟》）《宿紫閣山北村》詩寫神策軍人的強暴，《賣炭翁》寫「宮市」白望的擾民，都非常形象化，如聞其聲，如見其人。又如「是歲江南旱，衢州人食人」（《輕肥》）、「朱門車馬客，紅燭歌舞樓，歡酣促密坐，醉暖脫重裘」（《歌舞》）、「豈知閿鄉獄，中有凍死囚」（《歌舞》），把豪門貴族荒淫無恥的生活，和江南大旱人食人、閿鄉農民欠賦被囚凍死的慘狀，作了鮮明的對比，藝術感染力量非常強烈。此外還有反對窮兵黷武的侵略戰爭的《新豐折臂翁》，反映封建社會婦女受迫害的《上陽白髮人》、《陵園妾》、《母別子》、《議婚》、《井底引銀瓶》等，勸戒奢侈浪費的《紅線毯》、《牡丹芳》、《買花》等都是他的傑出的現實主義名篇，不勝列舉。總之，他運用了變化萬端的比喻手法，塑造了各種生動眞實的受害者的藝術形象，揭露和抨擊了封建統治者的暴政和不合理現象，都是他的詩歌創作的輝煌成就。

白居易詩歌的藝術特點是「用語流便」⑤，平易近人。他善於學習和運用民間語言入詩，音韻優美，便於歌誦，容易爲廣大讀者所接受，因此當時「禁省、觀寺、郵候、牆壁之上無不書，王公、妾婦、牛童、馬走之口無不道」（元稹《白氏長慶集序》），但他對民間文學和民間口語絕非死板的摹仿，而是經過很大程度的加工和提煉，「郢人斤斲無痕跡，仙人衣裳棄刀尺」（劉禹錫《翰林白二十二學士見寄詩一百篇，因以答貺》），他的作品，明朗、自然、圓熟、新鮮，必須千錘百煉才能達到這樣的藝術境界。宋周必大曾經說：「香山詩語平易，文體清駛，疑若信手而成者。閒觀遺稿，則竄定甚多。」（《省齋文稿》卷十六《跋宋景文唐史稿》）可見他下筆的極端謹慎了，至於蘇軾所提出的「元輕白俗」的說法，造成後世對白居易寫作「容易」、「輕率」的誤解，則是非常片面的。此外，僧惠洪《冷齋夜話》中所傳白居易詩成後「老嫗解則錄之，不解則易之」，則更是出於有意的譏誚，令人不能置信。由於白居易的詩歌具有這種質樸明直的風格，因此直到晚年，他還認爲劉禹錫的「雪裡高山頭白早，海中仙果子生遲」、「沉舟側畔千帆過，病樹前頭萬木春」等一些寓憤激於婉約的詩句爲自己所不及，其實白居易那種具有強烈正義感，不畏強暴的性格是很難「婉約」的，所謂缺點也正是他的優點。

除了「惟歌生民病」的諷諭詩以外，白居易還寫了大量的感傷詩和雜律詩。雜律詩中如寫湖山之美在景中寓情的《錢塘湖春行》，以白描手法見長的《問劉十九》，都是膾炙人口的名篇。他的絕句，好作眼前景語，風韻天成，後來發展到首創《憶江南》小令，又與劉禹錫唱和《楊柳枝》《浪淘沙》，吸取當時的民歌，譜爲新聲，在詞（長短句）的發生和發展上作出了重要貢獻。感傷詩中的長篇叙事詩《長恨歌》、《琵琶行》是現實主義和浪漫主義相結合的代表作，其中情節曲折，描寫細緻，抒情氣氛濃厚，句律和諧流動，後者的成就尤其超過前者，這和元稹的《連昌宮詞》、《夢遊春七十韻》都是「元和體」的上乘之作，「童子解吟《長恨》曲，胡兒能唱《琵琶》篇」（唐宣宗《弔白居易》），不但當時爲人所傳誦，對後世的影響也極深遠。如清初吳偉業《永和宮詞》、《圓圓曲》，以及近代王闓運《圓明園詞》等，都是它的仿製者。此外，後世的許多著名戲劇如關漢卿《唐明皇哭香囊》（殘本），白樸的《唐明皇秋夜梧桐雨》、《牆頭馬上》，屠隆的《彩毫記》，洪昇的《長生殿》，馬致遠的《青衫淚》和蔣士詮的《四弦秋》等，都是由白居易的作品演變而成的。所以白居易的詩歌創作，非但影響了他同時代的詩人元稹、劉禹錫、李紳、張籍、王建、楊巨源等人，而且對宋代及宋代以後的著名詩人如王禹偁、梅堯臣、蘇軾、黃庭堅、陸游、楊萬里、袁宏道、吳偉業、袁枚、趙翼、王闓運、黃遵憲等，也都產生過深遠的影響，他被後人稱爲「廣大教化主」（張爲《詩人主客圖序》），絕非過譽之辭。

白居易晚年退隱洛陽，寫了不少閒適詩，其中一部分是消極頹廢、自我陶醉的作品，主要是怕卷入黨爭的漩渦，企圖全身遠害，儒家「獨善其身」和佛家「求無生，歸空門」、道家「知足不辱」等思想在他身上占了上風，對於那些不健康的作品，今天當然是要認眞加以批判對待的。可是白居易這時內心裡充滿著錯綜複雜的矛盾，他的一些閒適詩並未完全忘情現實。有一次他在沐浴之後，感到心恬形適，卻忽然又想到了人間的苦難，吟出了「是月歲陰暮，慘冽天地怒。白日冷無光，黃河凍不流。何處征戍行？何人羈旅遊？窮途絕糧客，寒燈絕糧囚。勞生彼何苦，遂性我何優。擾心但自愧，孰知其所由？」（《新沐浴》）詩中似乎感到實現他的「兼濟」之志已經絕望了，感到人民像自己一樣的「穩暖」是不可能的，所以產生了疑問，但根本原因還是找不出來。他不知道，在封建社會裡，他的理想是絕對不能實現的。當「甘露之變」未發生前，他的好友舒元輿還在洛陽，他們經常同遊龍門香山寺，白居易酬和舒元輿的詩《與張賓客舒著作同遊龍門，醉中狂歌，凡百三十八字》、《舒員外遊香山寺，數日不歸，兼辱尺書，大夸勝事，時正坐衙慮囚之際，走筆題長句以贈之》等詩都是這時寫成的，可見他們的交情不淺。「甘露之變」發生後，李訓、鄭注、舒元輿、賈餗、王涯、王播、郭行余等全被宦官捕殺，宦官從此更加囂張了，白居易這時非常悲憤地寫出了：「禍福茫茫不可期，大都早退似先知。當君白首同歸日，是我青山獨往時。顧索琴書應不暇，憶牽黃犬定難追。麒麟作脯龍爲醢，何似泥中曳尾龜！」（《九年十一月十二日感事》）這首詩決不能看作是詩人幸災樂禍的作品，詩中將他的好友舒元輿、賈餗等比作了「麒麟」和「龍」，用的是褒意之詞而語氣也是悲痛達於極點的。這和前面所提到的酬和舒元輿遊龍門香山詩的一些詩聯繫起來，就可以理解，「當君白首同歸日，是我青山獨往時」兩句詩實有所指，不言而喻。後來白居易的文集裡，除了贈給舒元輿的詩以外，還保留著不少送給賈餗、郭行餘等人的詩，可見他絲毫不忌諱，疾惡宦官的初心，始終不渝。從這些例子看來，對於白居易諷諭詩以外的作品，也不能簡單化地全盤否定，必須具體和細緻地加以分析，才能作出全面正確的評價。

白居易的散文，在當時也享有很高的聲譽。他的小品文如《廬山草堂記》、《冷泉亭記》、《遊大林寺序》等，清新雋永，在唐散文中別具特色，對唐以後及晚明的小品文起過重大的影響。他的著名的文學理論文《與元九書》，文字流暢生動，感情真摯，說理邏輯性極強，具有獨創風格。他寫的制誥和奏議也非常有名，尤其是和元稹一起，敢於毅然革去當時通行的駢體制誥，而採用比較樸素的古文，不能不認爲他們和韓愈、柳宗元一樣同是大膽的古文革新運動者。「制從長慶辭高古，詩到元和體變新」（《餘思未盡，加爲六韻，重寄微之》），就是他們革新詩歌和散文最眞實的記載，前一句「辭高古」是辭高於古代的意思，也是研究唐代散文不可忽視的重要材料。《舊唐書·白居易傳》說：「昔建安才子，始定霸於曹、劉；永明辭宗，先讓功於沈、謝。元和主盟，微之、樂天而已。臣觀元之制策，白之奏議，極文章之壼奧，盡治亂之根荄。」可見對白居易在當時文 地位的推崇了。

三

白居易這樣一位偉大的詩人和文學家，可是千餘年來他的詩文卻沒有一部完全的注釋本。清康熙年間汪立名所編《白香山詩集》，只在少數作品後徵引了一些材料，非常簡陋。近人陳寅恪《元白詩箋證稿》，考證精博，頗多發明，可惜只限於《新樂府》及《長恨歌》等幾十首詩。其他的一些選本更不用說了。

據《新唐書·藝文志》著錄，《白氏長慶集》原爲七十五卷，現存七十一卷。因爲是白居易生前所編，首尾比較完整。白居易會昌五年五月一日寫的《後序》說：「白氏前著《長慶集》五十卷，元微之爲序。《後集》二十卷，自爲序，今又《續後集》五卷，自爲記。前後七十五卷。詩筆大小凡三千八百四十首。」可知白居易原來自編的集子分爲《前集》、《後集》、《續集》三個部分。後來雖經兵亂，散失了極少數⑥，但絕大部分完整地保存下來。宋紹興刊本《白氏文集》七十一卷是現存最早的《白氏集》刊本，其編次則與白氏原來自編的寫本不同，將詩（卷一至卷三七）文（卷三八至卷七一）完全分開。流傳到現在的日本那波道圓翻宋本《白氏長慶集》，雖然已經被後人篡改，仍然大致保存白氏自編前後續集本的原來面貌。

本書箋校全部《白集》及補遺詩文共三千七百餘篇，採摭歷來筆記、詩話、研究專著及有關考證評論等資料，分納入每篇作品之下。箋的部份，以人名，地名爲主，旁及僻見典故、制度、史實及有關考證，尤著重總結歷來之學術研究成果。即以人名、地名而論，凡是直接間接足以考證白氏行蹤，交遊的史籍、文集、石刻，大都盡量搜採，但得來亦非易事。如：《遊寶稱寺》詩中的寶稱寺，各書俱未載，及見《寶刻叢編》卷十五《唐寶稱大律師塔碑》，知此寺在盧山。《山中酬崔使君見寄》、《題崔使君新樓》兩詩中之崔使君，歷來都無考，如果不是從《寶刻叢編》卷十五引《復齋碑錄》「唐崔融《遊東林寺詩》石刻，元和十三年二月二十九日曾孫江州刺史能重刻」等語尋求，絕對不可能知道這位江州刺史即後來曾任嶺南節度使的崔能。《懶放二首呈劉夢得吳方之》詩中之吳方之，如果不是從劉禹錫《吳方之見示聽江西故吏朱幼恭歌三篇》詩中得知他曾任官江西，則必不能考知爲曾任江西觀察使的吳士矩。又如：《宿紫閣山北村》詩「口稱採造家，身屬神策軍」句，據《冊府元龜》卷六一得知「南山採造」是唐代左神策軍的直屬機構。《草詞畢遇芍藥初開……》「詞頭封送後」句，據宋洪遵《翰苑遺事》引王寓《玉堂賜筆硯記》釋「詞頭」爲唐、宋翰林學士據以草擬制書之文件。此外，由於《白氏長慶集》是唐代作者自編而保存最完整的詩文集，不但具有很高的文學價值，並共保存豐富的第一手唐代史料。白居易的一生，與唐代貞元至會昌時的文學、史事都有牽連，如文學上的古文運動及新樂府運動，政治上王叔文集團與宦官的對立，李紳、元稹與李逢吉的對立，李德裕與李宗閔、牛僧孺的對立，以及宋申錫漳王之獄，李訓、鄭注甘露之變，這一時期的重要政治和文學人物，都與居易相牽涉或交遊往還。本書在人名或作品編年的箋釋考證中，不但糾正了歷來唐史及有關典籍的闕誤，而且進一步考訂了與他同時的重要文學家、政治家的生平，解決了一些學術上所存在的問題。如：白氏大和八年所作《感舊》詩「崔君夸藥力」句中的「崔君」是崔玄亮，陳寅恪《元白詩箋證稿》誤爲崔群。據白氏酬皇甫鏞詩及《唐銀青光祿大夫太子少保安定皇甫公墓志銘》考知皇甫鎛爲皇甫鏞的仲弟，皇甫鏞卒於開成元年七月十日，年七十七。《舊唐書·皇甫鎛傳》及《新唐書·皇甫鎛傳》，俱誤作「鎛弟鏞」，而《舊唐書·皇甫鎛傳》又誤作「鏞卒年四十九」。又據白氏長慶元年作《慈恩寺有感》詩自注、《有唐善人墓碑銘》及元稹《唐故中大夫尙書刑部侍郎上柱國隴西縣開國男贈工部尙書李公墓志銘》，考知李建卒於長慶元年二月二十三日，糾正《舊唐書·李建傳》及《新唐書·李建傳》記載建卒於長慶二年之誤。又據白氏《酬嚴休復》詩及勞格《讀書雜識·杭州刺史考》證明居易長慶二年除杭州刺史是元藇的後任，糾正《唐語林》謂居易爲嚴休復後任之誤。再從白氏酬張籍詩編年排比考知張籍長慶三年以後已官主客郎中，大和二年後復自主客郎中遷國子司業，糾正近人研究中謂張籍繼劉禹錫爲主客郎中的錯誤，並且訂正了《舊唐書·張籍傳》「轉水部郎中卒」及《唐詩紀事》、《全唐詩話》「終主客郎中」等繆誤。又白氏長慶二年作《郢州贈別王八使君》詩中之「王八使君」爲郢州刺史王鎰，岑仲勉《唐人行第錄》王八條云「名未詳」，失考。又據白氏長慶四年《題新居寄宣州崔相公》詩考知崔群長慶四年始赴宣歙觀察使任，吴廷燮《唐方鎮年表》誤繫於長慶三年赴任。又石雄爲河陽節度使在會昌四年十二月，見《資治通鑑》卷二四八，則白氏《河陽石尙書破回鶻，迎貴主，過上黨，射鷺鷥，猥蒙見示，稱嘆不足，以詩美之》一詩之作不得早於會昌五年初，日本花房英樹及國內研究者謂此詩作於會昌三年或四年，俱誤。其餘的例子還很多，這裡不能一一列舉。

在校勘方面，本書以明萬歷三十四年馬元調刊本《白氏長慶集》爲底本（馬元調本《白氏長慶集》爲當時最通行的刊本，盧文弨《羣書拾補》即以馬本爲底本校以海虞葛氏影宋鈔本《白氏文集》，《四庫全書》所收的通行本《白氏長慶集》亦即馬元調本），校以文學古籍刊行社影印宋紹興本《白氏文集》等重要刊本及清人校記、唐宋重要總集及選本近二十種，比勘之下，訂正各本魯魚亥豕之誤者，不勝枚舉。如：《郡中即事》詩「今朝是隻日」句中之「隻日」，馬元調本、《全唐詩》俱作「雙日」，那波道圓本作「直日」，俱非。考《宋史·張洎傳》云：「自天寶兵興之後，四方多故，肅宗而下，咸隻日臨朝，雙日不坐。」可知朝謁應當在隻日，茲從宋紹興本及盧文弨校改正，汪立名本「隻」下注云：「一作『雙』。」亦非。《哭諸故人因寄元八》詩「好在元郎中」句中之「好在」，乃唐人存問之辭，馬元調本、汪立名本、《全唐詩》、盧文弨校俱誤作「好狂」。《長安送柳大東歸》詩「白杜羈遊伴」句中之「白杜」乃洛陽地名，宋紹興本、那波道圓本俱誤作「白社」，盧文弨校：「白杜疑地名。」也失考。《同李十一醉憶元九》詩「計程今日到梁州」句，「梁州」，宋紹興本、那波道圓本、馬元調本、汪立名本、《全唐詩》俱誤作「涼州」，據《才調集》改正。《輿果上人歿時題此決別兼簡二林僧社》，宋紹興本、那波道圓本、馬元調本、汪立名本、《全唐詩》俱訛作「與果上人」，據白氏《江州興果寺律大德湊公塔碣銘》改正。《六年春贈分司東都諸公》詩「我爲司州牧」句中之「司州」，宋紹興本、馬元調本、汪立名本、《全唐詩》俱誤作「同州」，考居易大和九年除同州刺史不拜，應從那波道圓本作「司州」爲正。此外，還值得重視的是北京圖書館藏失名臨何焯校一隅草堂刊本《白香山詩集》，其中頗多可貴的稀見資料。如：此書卷二〇所引黃校（不是黃丕烈，據趙萬里先生生前見告爲黃儀）云：「此卷用廬山集本校。」黃校所提到的廬山集本，大概是錢氏絳雲樓所藏，雖然不可能如錢遵王《讀書敏求記》中所指的廬山眞本，可是細勘其中文字與宋紹興不同，當係北宋刊本無疑。何校中比較精闢的，像卷十二《琵琶行》「幽咽泉流冰下難」中的「冰下難」，宋紹興本作「水下難」，那波本作「冰下凝」，何校則作「冰下難」，疑段玉裁《與阮芸臺書》（陳寅恪《元白詩箋證稿》所引）中主「冰下難」之說，或許就是引伸何氏之意。卷十三《別韋蘇》詩，馬元調本、汪立名本、《唐人萬首絕句》、《全唐詩》俱作《別韋蘇州》，是明顯的錯誤，宋紹興本，那波道圓本俱正作「別韋蘇」。何校云：「黃云：『校本去州字』。」與宋紹興本合。卷二一《六年春贈分司東都諸公》詩「我爲司州牧」句中之「司」字，宋紹興本、馬元調本、汪立名本俱訛作「同」，那波本作「司」，何校據黃校作「司」，較宋紹本爲佳。又卷二〇《逢張十八員外籍》「晚嵐林葉闇」之「晚」字，何校云：「宋刻本作『曉』。」卷三〇《雪中晏起……》詩「又不見西京浩浩唯紅塵」句中之「西京」，何校云：「宋本作『北闕』」。均與宋紹興本不同。以上所舉只是少數的例子，然已足說明何校的價值。

本書屬稿於一九五五年，歷時十餘載始完成初稿。一九六八年抄家時被劫走，「四人幫」粉碎後始慶珠還，現重加修訂補充，將由上海古籍出版社出版。但書中一定存在著不少錯誤，殷切地希望得到專家和讀者的指正。

①陳振孫《白文公年譜》元和十五年庚子：「冬，召爲司門員外郎。有《初脫刺史緋》、《別東坡》、《發白狗黃牛峽》等詩。十二月二十八日除主客郎中、知制誥。」按：《別種東坡花樹兩絕》詩云：「何處殷勤重回首，東坡桃李種新成。」《發白狗峽次黃牛峽高寺卻望忠州》詩云：「巴曲春全盡，巫陽雨初收。」所描寫的都是春夏的景色，可證白居易在元和十五年夏初離開忠州返長安。白氏又有《洛中偶作》詩云：「五年職翰林，四年涖潯陽。一年巴郡守，半年南宮郎。二年直綸閣，三年刺史堂。」這裡所謂「南宮郎」是指尚書司門員外郎，知制誥後已是中書省的官。則知元和十五年夏召爲同門員外郎，到這年十二月二十八日除主客郎中、知制誥恰好是半年，與「半年南宮郎」詩句相符合。如果說白居易元和十五年冬召爲司門員外郎，那麼這句詩便無法解釋。汪立名《白香山年譜》云：「（元和）十五年冬，自忠州召還，拜尚書司門員外郎。」也是沿襲陳直齋的錯誤。又白居易長慶二年七月三十日所作《商山路有感詩序》云：「前年夏，予自忠州刺史除書歸闕。」「前年夏」即元和十五年夏，有力證明上述論斷的可信。

②陳振孫《白文公年譜》會昌元年：「有《百日假滿少傅官停自喜言懷》詩。除刑部尚書致仕時，李德裕初用事也。」汪立名《白香山年譜》會昌二年：「公年七十一，罷太子少傅，以刑部尚書致仕。《紀事》作元年致仕。按：公詩有『七年爲少傅』。又《寫眞詩序》：『會昌二年罷太子少傅，爲白衣居士。』以年考之，自是會昌二年。」城按：居易除太子少傅分司在大和九年十月，他的《官俸初罷親故見憂以詩諭之》云：「七年爲少傅，品高俸不薄。乘軒已多慚，況是一病鶴。又及縣車歲，筋力轉衰弱。……今春始病免，纓組初擺落。」《達哉樂天行》云：「七旬才滿冠已

掛，半祿未及車先縣。」都說七十歲罷少傅，未致仕請到半俸前已停官。大和九年至會昌元年也正合七年之數。唐制，致仕可得半俸。見《唐會要》卷六七「致仕官」條下。居易還未致仕，所以罷少傅官後即停俸。又白氏《白山居士寫眞詩序》云：「會昌二年，罷太子少傅爲白衣居士，又寫眞於香山寺經堂，時年七十一。」是說會昌二年已罷少傅官，但還未致仕，所以罷少傅後即停俸，並不是說這年才罷官。據此可知《陳譜》說居易會昌元年以刑部尙書致仕，《汪譜》說居易會昌二年罷太子少傅，都是錯誤的。

③見白氏《與元九書》及元稹《白氏長慶集》及元稹《白氏長慶集序》。

④白居易是如滿僧的弟子，爲佛教禪宗南岳下第三世法嗣，見《五燈會元》卷三。

⑤許學夷在《詩源辨體》中論元和詩說：「退之奇險，東野琢削，長吉詭幻，盧同、劉叉變怪，唯樂天用語流便，似欲矯時弊，然快露骨，終成變體。」

⑥岑仲勉《論白氏長慶集源流並評東洋本白集》一文論《白集》的源流說：「《白集》除傳家者外，其東林眞跡，於唐末或五代初期，已被武人脅去。兵火四起，洛、蘇兩分，殆同灰燼。楊氏子出撫江城，始爲補寫，大約據外間傳本，連綴成書，未加詳審，今本雜僞多篇，當即此時混入。自此歷後周迄宋仁宗，諸家所記，卷只七十，其第七十一卷，應是南宋以前拾遺補附，觀今東本卷首總目不列此卷，又此卷之內特標刑部尙書致仕太原居易十字，爲他卷所無，異同之故，頗耐人思也。宋時蜀刊更多外集一卷，今所傳白文不見於七十一卷本者，意即從是而出。凡諸家外集，都是後人纂輯，惑於疑似，恐僞亂眞，故創斯名，其非白氏之舊，無待論矣。」岑氏此文，非常概括地叙述了《白集》早期的復雜源流，因移錄於此。

白居易長安住宅坊里小考

清徐松《兩京城坊考》卷三云：「白居易始居常樂，次居宣平，又次居昭國，又次居新昌。」徐氏所考證的次序雖然大致差不多，但錯考了白氏居住永崇里華陽觀的時間，同時忽略了白氏早年在宣平坊之前就已住過新昌坊。

白居易正式定居長安始於常樂坊，正當貞元十九年以書判拔萃登科授校書郎之後。他在這年寫的《養竹記》說：「貞元十九年春，居易以拔萃選及第授校書郎，始於長安求假居處，得常樂里故關相國私第之東亭而處之。」還有《常樂里閒居偶題十六韻兼寄劉十五公輿王十一起呂二炅呂四潁崔玄亮十八元九稹劉三十二（按那波本誤作三十三）敦質張十五仲元（按：當作仲方，各本均誤）時爲校書郎》詩云：「帝都名利場，雞鳴無安居。獨有懶慢者，日高頭未梳。……茅屋四五間，一馬二僕夫。俸錢萬六千，月給亦有餘。」也是記述這時期生活的作品。直到永貞元年春天，又遷移到永崇里華陽觀居住。《兩京城坊考》卷三云：「按樂天始至長安，與周諒等同居永崇里之華陽觀，至選授校書郎，乃居常樂里，蓋此爲卜宅之始也。」按：徐氏所云「與周諒等同居永崇里」，大概是依據白氏《春中與盧四周諒華陽觀同居》這首詩，詩云：「杏壇住僻雖宜病，芸閣官微不救貧。」可知作於爲校書郎時，時間大概是永貞元年，必然不可能在寓居常樂里之前，徐氏所考有誤。白氏又有《永崇里觀居》詩云：「季夏中氣候，煩暑自此收。蕭颯風雨天，蟬聲暮啾啾。永崇里巷靜，華陽觀院幽。軒車不到處，滿地槐花秋。」則是同一年秋初寓居華陽觀的作品。第二年春天，白居易罷校書郎職，元稹也搬來華陽觀居住，一同準備參加制舉考試，白氏《策林序》中有詳細的記載。

白氏《襄州別駕府君事狀》云：「元和六年四月三日，歿於長安宣平里第。」據此可測知他家元和五年已從新昌里遷居到宣平里。他第一次寓居新昌里是在元和三年做翰林學士時。他元和三年所作《醉後走筆酬劉五主簿長句之贈兼簡張大賈二十四先輩昆季》詩云：「晚松寒竹新昌第，職居密近門多閉。……月慚諫紙二百張，歲愧俸錢三十萬。」考丁居悔《重修承旨學士壁記》云：「白居易，元和二年十一月六日自盩厔縣尉充。三年四月二十八日遷左拾遺。五年五月五日改京兆府戶曹參軍，依前充。」此詩記述的是翰林學士、左遺的生活，故知至少當作於元和三年五月以後。元稹元和五年貶江陵後寫的《酬翰林白學士代書一百韻》詩：「翰墨題名盡，光陰聽話移。」自注云：「樂天每與予遊從無不書名屋壁。又嘗於新昌宅說一枝花話，自寅至巳，猶未畢詞也。」也是記載元和初年白氏居新昌里生活的。又白氏元和五年作《和答詩序》云：「自永壽寺南，抵新昌里北，得馬上話別。」這裡雖然可以解釋作「經過新昌里的北面，送元稹出長安東面的春門或延興門，但也能從其中知道，白氏元和五年春天仍在新昌坊。

白氏元和九年冬天召爲太子左贊善大夫到元和十年八月貶爲江州司馬一般時期中，都住在昭國坊。他元和十年作《昭國閒居》詩云：「貧閒日高起，門巷晝寂寂。時暑放朝參，天陰少人客。……勿嫌坊曲遠，近即多牽役。」《朝歸書寄元八》云：「進入閣前拜，退就廊下餐。歸來昭國裡，人臥馬歇鞍。」《與楊虞卿書》云：「僕左降詔下，明日而東，足下從城西來，抵昭國坊，已不及矣。」這些都足以說明白氏和昭國坊的關係。昭國坊在長安朱雀門街東第三街，靠近曲江，是比較偏僻的地方，所以白氏詩中說「勿嫌坊曲遠」，白氏貶江州後，他們全家也都搬離了昭國坊。

白氏第二次居住新昌坊在長慶元年春天，也是《兩京城坊考》所提到的，在此之前，他的長安住宅多半是租賃來的，從這時開始，才有了自己購買的住宅。《白集》中有關新昌里的詩，大都是記載長慶元年以後的事情。他長慶元年寫的《竹窗》詩云：「今春二月初，卜居在新昌。」《題新居寄元八》云：「青龍岡北近西邊，移入新居便泰然。冷巷閉門無客到，暖簷移榻向陽眠。階庭寬窄才容足，牆壁高低粗及肩。莫羨升平元八宅，自思買用幾多錢？」《新昌新居書事四十韻因寄元郎中張博士》云：「冒寵已三遷，歸朝始二年。囊中貯餘俸，園外買閒田。狐兔同三逕，蒿萊共一纏。新園聊剗穢，舊屋且扶顛。簷漏移傾瓦，梁欹換蠹椽。平治繞臺路，整頓近階磚。巷狹開容駕，牆低壘過肩。門閭堪駐蓋，堂室可鋪筵。丹鳳樓當後，青龍寺在前。」長慶二年寫的《庭松》詩云：「去年買此宅，多爲人所咍。」這些都是記載購買和經營新昌宅的作品。

此後白氏大和元年，二年在長安任秘書監和刑部侍郎時都住在新昌坊，它也是白氏在長安最後定居的地方。這所住宅約在大和九年被售去，所以他這年作的《詔授同州刺史病不赴任因詠所懷》記述這件事說：「野心唯怕鬧，家口莫愁飢。賣卻新昌宅，聊充送老資。」

中間有一段時間似乎不可考，即白氏元和十五年夏由忠州召還長安①至長慶元年春購買新昌宅這一段時期，或者借住在親友處，或者另有住宅，他的詩文裡都缺乏記載。現據已有的資料，可以考白氏住長安坊里的次序如下：一、常樂坊，二、永崇坊，三、新昌坊，四、宣平坊，五、昭國坊，六、新昌坊。

①見本書《白居易箋校》前言注①。

「一夜鄉心五處同」考釋

時難年荒世業空，弟兄羈旅各西東。
田園寥落干戈後，骨肉流離道路中。
弔影分為千里雁，辭根散作九秋蓬。
共看明月應垂淚，一夜鄉心五處同。

——《自河南經亂，關內阻饑，兄弟離散，各在一處，因望月有感，聊書所懷，寄上浮梁大兄於潛七兄烏江十五兄，兼示符離及下邽弟妹》

這是白居易早年所作的一首著名的七律，思想性和藝術性都比較高，歷來為人們廣泛傳誦。唐王朝自「安史之亂」後，中央政權日漸削弱，藩鎮擁兵割據，專橫貪暴，無惡不作，連皇帝的廢立也是由他們所決定的。再加上封建官僚之間劇烈的派系鬥爭（著名的如牛僧孺和李德裕的黨爭），政治異常黑暗。統治階級過著荒淫無度的生活，人民慘遭剝削，土地愈益集中，生產力被嚴重破壞，階級矛盾日益尖銳化。處在這個時代裡的詩人白居易，對這一切有著深切的感受。他十幾歲時，由於朱泚、李希烈等作亂，曾到徐州、越中等地避難。年紀稍長，父親白季庚去世，家境衰落，生活更加貧困，迫使他南北奔走，愁於衣食，「時難年荒世業空，弟兄羈旅各西東」，就是白居易早年亂離生活的眞實寫照。從他家庭分散的情況來看，「田園寥落干戈後，骨肉流離道路中」，絲毫沒有誇張，並且非常形象化地概括出了當時千百萬人民流離失所的慘狀，具有十分普徧的現實意義。詩人與受苦難的勞動人民在思想感情上的共通之處，奠定了他在這類詩歌創作上取得成功的思想基礎，而《自河南經亂……》詩則是這類詩歌中的代表作。

關於這首詩的寫作年代和地點，學術界有不同的看法。我曾在拙文《〈白居易詩選〉編年注釋質疑》中提出，這首詩約作於貞元十五年（七九九），洛陽。陳友琴同志對此持有異議，他在《關於一夜鄉心五處同》文（《文史》一九六五年第四輯）中認爲應作於貞元十六年，地點是符離。最近我已完成《白居易年譜》及《白居易集箋校》兩稿，得以重新深入研究這個問題，仍覺得這首詩作於貞元十五年、洛陽的可能性較大，友琴同志的說法似不可信。現提出我的看法如下，以便進一步共同探討：

一、關於「故鄉」問題

這首詩爭論的焦點在於「鄉心」的「鄉」究竟指何處？友琴同志說：「白居易詩文中稱下邽爲故鄉是貞元二十年以後的事，貞元二十年以前他在詩文中都稱河南爲故鄉。」①我認爲這種說法不妥當。

衆所周知，白居易經常自稱爲太原人，事實上太原只是他的郡望，他的祖籍應是下邽。自曾祖白溫開始，白氏世代居住在下邽，後來白居易的祖父任河南鞏縣令，全家住在新鄭東郭宅，白居易就誕生在那裡。但新鄭並不具有原籍「故鄉」的地位。居易的從祖、從叔、從兄等後雖羈官各地，可是白氏家族的許多成員仍在下邽，他的祖墳也都葬在那裡。大歷八年（七七三），居易祖父白鍠歿於長安，靈柩也沒有運往河南，而是歸葬下邽②。居易祖母大歷十二年卒於新鄭，當時因無力歸葬，「權窆厝於新鄭」③。直到元和六年，居易丁母憂時，才將祖母的靈柩遷葬下邽。居易父母及小弟金剛奴亡後，也都先後歸葬於下邽。這些都足以說明，下邽才是白氏眞正的故鄉。

至於白居易《傷遠行賦》中的「負米還鄉」，可以理解爲特指他母親當時居住的地方——洛陽，並不是眞正的故鄉。居易出生在新鄭，如果要把新鄭看作「第二故鄉」，那末洛陽和新鄭還是有區別的，不能混爲一談。在白居易的詩文中，有時候「鄉」的概念並不一定指故鄉，常常帶有「家」的含意。例如：他十五歲時作《江南送北客因寄徐州兄弟》詩，詩云：「江南望斷欲何如？楚山吳水萬里餘。今日因君訪兄弟，數行鄉淚一封書。」居易父親白季庚在徐州做過官，徐州屬縣符離是他少年時期居住過的地方，由於這個原故，他把懷念寄居徐州兄弟的眼淚稱爲「鄉淚」，表示了他思念家人的心情。當然，這裡的「鄉」決不能理解爲徐州也是故鄉。

二、關於「河南經亂」的問題

白居易詩中所說的「河南經亂，關內阻飢」，近人選注本中大都將時間搞錯了，認爲是指貞元十四或十五年的事。友琴同志也說是指貞元十五年（七九九）二月宣武兵變，並引證白氏《亂後過流溝寺》詩，認爲「九月新戰」離二月宣武兵變之事時間相近，作者的兩首詩都「流露出痛恨軍閥割據，毒害人民的思想感情」。其實，白居易詩中所指的並不是貞元年間之事，他在大和元年（八二七）寫的《宿滎陽》詩云：「去時十一二，今年五十六。」這說明他是建中三、四年（七八二、七八三）間離開新鄭避亂到符離和江南去的。可見詩中的「河南經亂」是指建中三、四年間朱泚、朱希烈的叛亂，而不是指與作詩時間相近的貞元十四年（七九八）吳少誠之亂，也不能牽扯到貞元十五年（七九九）二月宣武節度使董晉死後部下兵變的事件上去，因爲宣武兵變的時間極短，影響不大。「關內阻飢」也是指興元、貞元之際關中和關東的飢饉（參見《舊唐書·德宗紀》、《舊唐書·五行志》、《新唐書·五行志》），詩中的「田園寥落干戈後，骨肉流離道路中」是承首聯繼續敘述白氏弟兄的亂離生活。岑仲勉《文苑英華證校白氏詩交附按》一文最早據《舊唐書·德宗紀》謂「河南經亂」、「關內阻飢」指貞元十四年吳少誠之亂及十月「歲凶穀貴」，今人多承襲其錯誤的說法。

三、關於「一夜鄉心五處同」問題

友琴同志認爲這首詩是貞元十六年作於符離，並說「這詩也決不會寫於貞元十六年以後，因爲題目裡的『烏江十五兄』死於貞元十七年」④。這顯然是一條過硬的考證資料，但居易《祭烏江十五兄》文中「維貞元十七年七月七日」，馬元調本《白氏長慶集》及《全唐文》俱作「維貞元十五年七月七日」。因此烏江十五兄的卒年究竟是十五年，還是十七年？無法肯定。不能作爲判斷成詩年代的依據。我認爲：首先，從整首詩所流露的悲傷、淒涼的情調來看，不像是白居易及第以後的作品。其次，貞元十五年作詩的可能性要比十六年大。

白居易的父親季庚卒於貞元十年，此後，家境日漸艱難。丁父憂後，長兄白幼文出任浮梁主簿，以微薄的官俸贍養母弟。貞元十四年夏，居易前往浮梁，有《將之饒州江浦夜泊》詩，詩云：「身病向鄱陽，家貧寄徐州。」說明貞元十四年居易母親及弟妹等仍寄居徐州，與後來的情況相比，還不算「各有一處」。貞元十五年春天，居易自浮梁出發去洛陽。《傷遠行賦》云：「貞元十五年春，吾兄吏於浮梁，分微祿以歸養，命予負米而還鄉。……況太夫人抱疾而在堂，……曰予弟分侍左右，因就養而無方。」可證他的母親和弟弟白行簡此時住在洛陽，與符離的親人也分開了，比較符合《自河南經亂……》詩中叙述的情況，所以這首詩很可能是居易抵達洛陽後寫的。

「一夜鄉心五處同」應是指浮梁大兄，於潛七兄、烏江十五兄、符離弟妹和在洛陽的居易兄弟共同思念故鄉下邽。得出這一結論的理由有四點：一，居易的各位兄長及弟妹中，有許多是從兄弟或從姊妹，他們的祖業並不一定都在河南，也不能硬把河南作爲他們的共同故鄉，而把下邽作爲故鄉是比較合理的。二，考白氏及第前後詩文，可知自貞元十五年起至二十年移家秦中爲止，居易母親一直居住在洛陽，貞元十五、十六年，行簡似也在洛陽，如果居易在符離或其他地方寫這首詩，豈有不提行簡之理？三，所謂「鄉心」，即「思念故鄉之心」，下邽的弟妹既已在故鄉，也就談不上思鄉了。四，友琴同志認爲題中的「兼示符離及下邽弟妹」是「先給同住在一地的弟妹看，然又捎寄到下邽去」⑤。此說沒有根據。居易詩題中對兄長均稱「寄上」，對弟妹均稱「兼示」，並沒有地區遠近之分，還是理解爲凡題中提到的兄弟們都是捎寄去的比較妥當。

如果上述這些問題基本解決後，再來欣賞白居易這首思想性、藝術性都很高的七律，便更能體會到劉禹錫對他的評價了。

劉禹錫稱贊白居易詩說：「郢人斤斲無痕跡，仙人衣裳棄刀尺。」王國維《人間詞話》又曾將白居易詩與吳梅村詩作比較：「以《長恨歌》之壯采，而所隸之事只『小玉雙成』四字，才有餘地。梅村歌行則非隸事不辦。白、吳優劣，即於此見。」完全白描，毫無雕琢。造語尋常，含義深摯，這是白居易詩的一大特點，他能不用典故，寫出意境很高的詩來，王國維舉《長恨歌》是一個歌行體的例子，這首千古流傳的不朽名作除「轉教小玉報雙成」一句，通篇無典。而吳梅村《圓圓曲》第一句就用了

「鼎湖」的典故，以後用典多不勝數，難怪王國維不滿意了。而《河南經亂……》詩則是一首對仗工穩的七律，卻也充分顯示作者這種語言精煉、準確、淺近的獨特風格，句句與題意緊密結合，信手拈來，絲絲入扣，在極自然平易的語言裡表現出極其深刻沉痛的思想感情，使作品產生了非常強烈的藝術感染力，確實是白居易詩中的上乘之作。「時難年荒」二句，開始回憶過去河南兵亂和關內飢荒雙重災難的悲慘情況。第三句接著描繪了故園一片荒蕪、無人耕種的淒涼景象。第四句淡淡地勾畫出一幅兄弟骨肉在道路上逃難的「流民圖」。五六兩句，非常形象化地寫分散的弟兄們在各處飄零；如同失群的孤雁，形影孤單；又好像秋天的飛蓬，被大風一吹，連根拔起，隨風轉動，遷徙不定。最後兩句，是說分散在「浮梁」、「於潛」、「烏江」、「符離」的兄弟和在洛陽的作者，五處都在懷念著故鄉「下邽」，點明「望月有感」題意，以共同的事物（月），表達異地的人們心心相印，盼望骨肉團聚，全詩語言流暢，一氣呵成，成功地描寫了時局、民情、骨肉飄零和自己的心情，眞切自然，層次分明。詩的前六句是一片荒涼、淒慘的景象，但末尾卻筆鋒一轉，使全詩進入高潮，把作者的思鄉之情和對現實的不滿表現得恰到好處。「一夜鄉心五處同」這句人人可說的家常話，寫出了人人共有的眞性情，給讀者留下了一線光明和希望，使人讀後回味無窮。正如蘅塘退士評此詩：「一氣貫注，八句如一句，與少陵《聞官軍作》同一格律。」

①④⑤見《文史》一九六五年第四輯陳友琴《關於「一夜鄉心五處同」》。

②③見白居易《故鞏縣令白府君事狀》。

「采石江邊李白墳」辨疑

李白是我國文學史上最偉大的詩人之一，他的盛名生前已經廣泛流傳；死後紀念的作品不可勝數，其中以唐代白居易的詩《李白墓》最爲膾炙人口：

采石江邊李白墳，繞田無限草連雲。可憐荒隴窮泉骨，曾有驚天動地文。但是詩人多薄命，就中淪落不過君。

這首詩作於元和十三年（八一八），距李白逝世後四十四年。當時白居易被貶官在江州司馬任上，因此，詩旨和他元和十年所寫的《與元九書》中「李白、孟浩然輩不及一命，窮悴終身」一樣，也是借題發揮之作，詩中流露出一種凄涼的身世之感。《古今圖書集成·職方典》卷八一六《太平府部·藝文二》及光緒《太平府志》卷三九《藝文》五都著錄白居易這首詩，題爲《謫仙樓》，但最後則多出兩句：「渚萍溪藻猶堪荐，大雅遺風已不聞。」考各本《白氏長慶集》（包括現存最早的宋紹興本）及《全唐詩》等均爲六句，沒有《古今圖書集成》和《太平府志》所載兩句。況且這兩句詩詞意拙劣，大概出於後來好事文人之手，不免貽續貂之誚。詩題「謫仙樓」也是由於方志纂修者的需要而臆改，與白詩拜李白墓的內容毫不相涉。因此，這兩點是不足以辨疑的，而主要問題在於白詩既然是謁拜李白墓有感而發，就需要弄清李白的墓址才能理解全詩。但自唐以來採石與青山各有一座李白墓，那麼，白居易詩中的「李白墓」究竟在何處呢？

《新唐書·文藝列傳·李白傳》云：「（李）白晚好黃牛，度牛渚磯至姑孰，悅謝家青山，欲終焉。及卒，葬東麓。元和末，宣歙觀察使范傳正祭其冢，禁樵採，訪後裔，惟二孫女，……因泣曰：先祖志在青山，頃葬東麓，非本意。傳正改葬，立二碑焉。」范傳正，字西老，南陽人，兩《唐書》俱有傳。其父范倫（《新唐書》作「倫」）和李白友善。由於上一輩的淵源，所以傳正替李白改葬並非出於偶然，他的《唐左拾遺翰林學士李公新墓碑並序》云：「傳正共生唐代，甲子相懸。常於先大夫文字中見與公有潯陽夜宴詩，則知與公有通家之舊。……廉問宣、池。按圖得公之墳墓在當塗屬邑，因令禁樵採，備灑掃，訪公之子孫，欲申慰荐。凡三四年，乃獲孫女二人，……因云：先祖志在青山，遺言宅兆，頃屬多故，殯於龍山東麓，地近而非本意。墳高三尺，日益摧圮，力且不及，知如之何？聞之憫然，將遂其請。因當塗令諸葛縱會計在州，得諭其事。……便道還縣，躬相地形，卜新宅於青山之陽，以元和十二年正月二十三日遷神於此，遂公之志也。西去舊墳六里，南抵驛路三百步，北倚謝公山，即青山也。」據范氏新碑文可知，李白死後初葬當塗龍山東麓，後由范傳正遷於距舊墳六里的青山之陽。這是記載李白墓遷最早的資料，爲《新唐書·李白傳》所本，但「東麓」前漏掉了「龍山」二字，以致將「龍山」與「青山」兩山亂淆不清。

李白初葬時，有李華撰《故翰林學士李君墓志並序》，文云：「姑孰東南，青山北址，有唐高士李白之墓。」《范志》說初葬於「龍山東麓」，《李志》卻說是葬於「青山北址」，兩說似乎不一，但據《元和郡縣圖志》卷二八記載：「龍山在（當塗）縣東南十二里，桓溫嘗與僚佐九月九日登此山宴集。」《清統志·太平府》又云：「青山在當塗縣東南三十里，一名謝公山，亦名青林山。……《府志》：青山在郡治東南姑孰鄉，山陰距郡十五里，山陽距三十里，周廣八十里。」姑孰即當塗。由此可見，青山與龍山相鄰，龍山在青山的西北，李白死後初葬龍山東麓，即青山的北面，後來再遷至青山的西北麓（墓座北朝南故稱青山之陽）。李華與范正兩志所記相符，毫無矛盾。兩墳都有唐人第一手資料的墓志可證，當然是毫無可懷疑的。

那麼，白居易詩中的「采石江邊李白墳」是否指龍山或青山之墓呢？從詩所描繪的景況來看，顯然不是指龍山或青山之墓，而是指采石磯的李白墓。其根據爲：第一，據《元和郡縣圖志》、《舊唐書·地理志》及《輿地廣記》等書記載，采石山即牛渚山，又名翠螺山，在當塗縣西北大江中，而青山則在當塗縣東南，距江較遠。青山之墓自不能稱爲「江邊」，若稱「江邊」，必是指采石之墓。第二，陸游《入蜀記》卷三記載云：「（李太白）祠在青山之西北，距山尙十五里，墓在祠後，有岡阜起伏，蓋亦青山之別支也。祠莫知其始，有唐劉全白所作墓碣及近歲張眞甫舍人所作重修祠碑。」劉全白幼時以詩受知於李白，他的《唐故翰林學士李君碣記》作於貞元六年四月七日，南宋時猶存。又《古今圖書集成·方輿匯編·職方典》卷八一一《太平府部·山川考》引《府志》云：「青山在郡治東南姑孰鄉，山陰距郡十五里，山陽距三十里，周廣八十里。……山南闤闠百餘家，爲青山鎭，齊宣城守謝朓築室其地，故又名謝公山。有碑在山址，書第一山，米芾眞跡。碑左爲登涉路，鳥道紆曲，上至巓，稍折而下，林屋叢薈者保和庵。庵前石砌方池，有泉滃然，冬夏不涸，朓故井也。西下坦迤曰泉水灣，青疇綠樹，巒壑優美。中峰之麓，范傳正遷李白碑銘屹立數楹中。東南白雲寺剎，古地敞足，與保和竟勝。」從這些記載，可知青山李白墓在山上，不在田中。但北宋趙令時《侯鯖錄》云：「李白墳在太平州采石鎭民家菜圃中，遊人亦多留詩，然州之南有青山，乃有正墳。或曰：太白平生愛謝家青山，葬其處，采石特空墳耳。」又南宋程大昌《演繁露》云：「采石江之南岸田畈間有墓，世傳爲李白葬所，纍甓爲之，其墳略可高三尺許，前有小祠堂甚草草，中繪白像，布袍裹軟腳幞頭，不知其傳眞否也？」足證采石李白墓從北宋到南宋都保存無損，他們都說采石李白墓在「民間菜圃中」，或「田畈間」，顯然不在山上，將李白衣冠塚遷至翠螺山（即采石山）半山麓則是一九七二年的事情。白居易詩中又有「繞田無限草連雲」和「可憐荒隴窮泉骨」之句，與趙程兩氏所記載的環境相合，可以肯定白居易所題之墓不在青山，而在江邊的采石磯。

至於採石李白墓曾有改遷青山之說，大概也始於趙令時《侯鯖錄》，其文云：「世傳太白過采石，酒狂捉月，竊意當時 葬於此，至范侍郎爲遷窆青山焉。」趙氏大概是忽略了范傳正《唐左拾遺翰林學士新墓碑》的記載而致誤。《輿地紀勝》卷十八《太平府》亦云：「唐李白墓在縣東一十七里青山之北。李陽冰爲當塗令，白往依之，悅謝家青山欲終焉。寶應元年卒，葬龍山東。今采石亦有墓及太白 葬之地，後遷龍山。元和十二年宣歙觀察使范傳正委當塗令諸葛縱改葬青山之址，去舊墳六里。白樂天《李白》詩云……」王象之既承襲了《侯鯖錄》的錯誤，但又感到直接遷往青山的不妥，所以又參考了范傳正的新墓碑，而採取了一種調和的說法，但卻肯定了白居易詠的李白墓在采石，不在青山。我認爲自采石遷葬是不可靠的，所持的理由有兩點：第一，白居易采石題《李白墓》詩作於元和十三年（八一八），這時李白墓已自龍山遷至青山之陽。第二，李華是唐代著名的古文家，不但與李白友善，也是范傳正父親范倫的好友，卒於大歷九年（七七四）距李白逝世的時間（七六二）較近，他寫的墓志明指葬於「青山北址」（即龍山東麓），並未提到自采石遷葬之事，其記載應是最原始最可靠的材料。

那麼，李白采石之墓又作何解釋？這又涉及到李白之死的問題。

關於李白之死，歷來存在著兩種說法：第一種是「以疾終」，最早見於李陽冰《草堂集序》云：「陽冰試弦歌於當塗，心非所好，公遐不棄我，乘扁舟而相顧。臨當掛冠，公又疾亟。草稿萬卷，手集未修。」李華《故翰林學士李君墓志》、范傳正《唐左拾遺翰林學士李公新墓碑》、兩《唐書》等都持這種說法，晚唐皮日休《七愛詩，李翰林（白）》則提供了關於李白病死的珍貴資料：「竟遭腐脅疾，醉魄歸八極」。後世所編的年譜，如王琦《李太白年譜》、黃錫珪《李太白年譜》、詹鍈《李白詩文繫年》等，也都肯定了這種說法。第二種是「捉月而死」。這種說法雖不見於碑傳、正史，但在唐代就已開始流傳，到了宋代更加廣泛。大概最早見於《唐摭言》云：「李白著宮錦袍，遊采石江中，傲然自得，旁若無人，因醉入水中捉月而死。」（按：今本《唐摭言》無此條，據于琦《李太白年譜》所引。）《容齋隨筆》也說：「世俗多言李太白在當塗采石，因醉泛舟於江，見月影俯而取之，遂溺死。故其地有足月臺。」晚唐及宋代詩人作品中涉及李白捉月而死的也不少，如項斯《經李白墓》詩：「夜郎歸未老，醉死此江邊。葬闕官家禮，詩殘樂府篇。遊魂應到蜀，小碣豈旌賢？身沒猶何罪，遺墳野火燃。」白居易《李白墓》詩更證實了采石李白墓在唐代已經存在。因此，采石江邊的李白墳很可能是一個與龍山眞墳同時或稍後建立的衣冠墓，用捉月傳說來紀念這位經常泛舟於采石江上的偉大詩人。正由於捉月的傳說深入人心，所以後人遊采石謁李白衣冠墓時，也大都不深究它的來歷，甚至有的詩人將青山墓與采石墓合並題詠，如南宋尤袤《李白墓》云：「嗚呼謫仙，一世之英。乘雲御風，捉月騎鯨。來遊人間，蛻骨遺形。其卓然不朽，與江山相爲終始者，則有萬古之名。吾意其崢嶸犖落，決不與化俱盡，或吐爲長虹而聚爲華星。青山之下，埋玉荒塋。祠貌巍然，斷碑誰銘？」這正如李白識郭子儀於行伍中的無稽民間傳說一樣，甚至會昌時裴敬作的《翰林學士李公墓碑》也寫入此事，樂史《李翰林別集序》及《新唐書·李白傳》復據以採入，那更是不足爲奇了。

《送姚杭州赴任因思舊遊二首》詩考釋

與君細話杭州事，為我留心莫等閒。
閭里固宜勤撫恤，樓臺亦要數躋攀。
笙歌縹緲虛空裡，風月依稀夢想間。
且喜詩人重管領，遙飛一盞賀江山。

渺渺錢唐路幾千，想君到後事依然。
靜逢竺寺猿偷橘，閒看蘇家女採蓮。
故妓數人憑問訊，新詩兩首倩留傳。
舍人雖健無多興，老校當時八九年。

——白居易《送姚杭州因思舊遊二首》

現存《白居易集》中，與姚合酬和的詩，除了《送姚杭州赴任因思舊遊二首》以外，還有一首《姚侍御見過戲贈》詩云：「晚起春寒慵裹頭，客來池上偶同遊。東臺御史多提舉，莫按金章系布裘！」後一首詩，白居易作於大和二年奉使洛陽時，這時姚合正以御史分司東都，他們兩人的交往可能也始於此時。

《送姚杭州赴任因思舊遊二首》初讀似乎屬一般應酬之作語言平淡無奇。其實，此詩與白氏許多詩篇一樣，可稱是不著痕跡的「天籟」之作。白居易長慶二年（八二二）七月出任杭州刺史，長慶四年（八二四）離任，在不到兩年的時間裡，他對杭州產生了很深的感情。他修築白堤，爲當地人民做了不少好事，同時也爲我們留下了大量吟詠祖國山河的傑出詩篇。當他離開餘杭時，曾依依不捨地寫到：「未能拋得杭州去，一半勾留是此湖。」（《春題湖上》）這充分反映出白氏對餘杭的留連之情，不僅是因爲杭州秀麗的湖光山色和舒適的江南生活，還包含著對自己兩年來德政的評價和肯定。所以，當另一位詩人姚合赴杭州刺史任時，這種隱藏在內心的複雜情感，便十分自然地伴著追憶和期望，在詩中流露出來：「閭里固宜勤撫恤，樓臺亦要數躋攀。」從表面上看，詩人好像是在勸姚合不要太忙於公務，要珍惜時間多多領略秀美的餘杭景色，而話外之音卻是希望姚合也能像自己一樣，既做好地方官，又要寫出好的作品來。詩中「撫恤閭裡」與「躋攀樓臺」兩事並提，便顯出白居易與一般封建官吏在對待人民的態度上的不同了。白居易出任杭州刺史，從某種意義上說，是對朝廷中激烈的政治鬥爭的迴避，他的政治態度自然也影響到詩歌創作。他改變了「卒章顯其志」的創作方法，而出現了語似平常，含而不露的特點。雖然吟詠風月之作漸多，情感卻隨之深沉。《送姚杭州赴任因思舊遊二首》的第二首，句句都是這種複雜、迷惘、深沉的情感的表面化。如果不對他的思想和創作進行一番深刻地研究，就會因這種表面化的東西而對待詩人產生不公允的評價。兩首詩的藝術手法也是很高超的，如「且喜詩人重管領，遙飛一盞賀江山」兩句，白氏居然以賀無生命的江山作結，使整首詩顯得曲折起伏，新意層出。《唐宋詩醇》認爲是「感舊傳衣，頌姚揭己，幾層意思，總攝在內，眞仙筆也」，確是十分精當的評語，而這種委婉的風格在他早期作品中則是不多見的。

《送姚杭州赴任因思舊遊二首》詩作於《姚侍御見過戲贈》詩之後。方干有《送姚合員外赴金州》（《全唐詩》卷六四九）及《上杭州姚郎中》（《全唐詩》卷五四三）兩卷，喻鳧有《送賈島往金州謁姚員外》詩（《全唐詩》卷五四三），周賀有《留辭杭州姚合郎中》詩（《全唐詩》卷五〇三），劉得仁有《送姚合郎中任杭州》詩（《全唐詩》卷五四四），可知姚合是由金州刺史入爲郎中，再自郎中出爲杭州刺史。晁公武《郡齋讀書志》卷十八云：「右姚合也。……寶應中監察、殿中御史成部員外郎。出金、杭二州刺史。爲刑、戶二部郎中，諫議大夫，給事中，陝虢觀察使。開成末終秘書監，世號姚武功云。」其中不但顛倒了姚合官員外郎及郎中的次序，而且將「寶曆」誤作了「寶應」。

《送姚杭州赴任因思舊遊二首》詩，拙作《白居易年譜》繫於大和七年（八三三），主要是根據白氏「舍人雖健無多病，老校當時八九年」兩句詩推算。居易長慶四年（八二四）罷杭州刺史任，再過八九年，大約在大和六、七年間，因此繫於大和七年，雖不十分精確，但相去不遠，較勞格《杭州刺史考》繫姚合寶曆間刺杭，總算推進了一步。拙著出版後，又見到姚合《送裴大夫赴亳州》詩（《全唐詩》卷四九六）云：「杭人遮道路，垂泣浙江前。譙國迎舟艦，行歌汴水邊。周旋君量遠，交代我才偏。寒日嚴旌戟，晴風出管弦。一杯誠淡薄，四坐願留連。異政承珠澤，應爲天下先。」從姚合的詩知道，這個轉任亳州刺史任的「裴大夫」就是姚接替的前任杭州刺史。

那末這個「裴大夫」是什麼人呢？劉禹錫有《汝州舉裴大夫自代狀》云：「正議大夫、使持節杭州諸軍事、守杭州刺史、上柱國、賜紫金魚袋裴弘泰。右臣蒙恩授汝州刺史、兼御史中丞、充本州防御使。伏准建中元年正月五日敕，諸州刺史上後舉一人自代者。伏以前件官前爲九卿，出領兩鎭。頃因微累，遂有左遷。今授遠州，物情未塞。臣前任鄰接，具知公才。舊屈未伸，輒舉自代。」按照唐代制度，諸州刺史，到任後，必須舉荐一人以自代，劉禹錫自蘇州刺史移任汝州刺史，舉杭州刺史裴弘泰自代，當然是一種例行公事。又《舊唐書·文宗紀》云：「（大和五年三月）辛酉，以黔中觀察使裴弘泰爲桂管經略使，以前安州刺史陳正儀爲黔中觀察使。……（十二月乙丑朔）甲申，貶新除桂管觀察使裴弘泰爲饒州刺史，以除鎭淹程不進，爲宣司所糾故也。」其中所載裴弘泰「黔中」及「桂管」的除授，就是劉禹錫《汝州舉裴大夫自代狀》中所指的「出領兩鎭」。至於劉禹錫自蘇州刺史移任汝刺史的年月，劉禹錫《子劉子自傳》、《舊唐書》卷一六〇《劉禹錫傳》、《新唐書》卷一六八《劉禹錫傳》都缺乏記載，只有《姑蘇志·古今郡守表上·唐刺史》云：「劉禹錫：大和……八年，移汝州。」但也未詳何月。可是劉禹錫《別蘇州二首》詩云：「三載爲吳郡，臨歧祖帳開。」又云：「流水閶門外，秋風吹柳條。」又劉禹錫《汝州謝上表》云：「伏奉去年（城按：年字衍）七月十四日詔書，授臣使節汝州諸軍事、守汝州刺史、兼御史中丞、充本道防禦使，……」則禹錫移任汝州在大和八年七月間，他舉杭州刺史裴弘泰自代也在這年秋天，因此也可以斷定裴弘泰任杭州刺史必在大和八年或大和八年以前。勞格《讀書雜識》卷七《杭州刺史考》（補）係裴弘泰於大和八年，時間近似。所以，姚合《送裴大夫赴亳州》詩中的「裴大夫」就是杭州刺裴弘泰。姚詩云：「寒日嚴旌戟，晴風出管弦。」說明天氣仍舊寒冷。又劉得仁《送姚合郎中任杭州》詩云：「渡江春始半，劉嶼草初生。」則裴弘泰必於大和九年春初離杭赴亳，而姚合赴任抵杭州亦必在此時。據此，白居易《送姚杭州赴任因思舊遊二首》之作，不得早於大和九年。又白氏詩云：「舍人雖健無多病，老校當時八九年。」考居易長慶四年罷杭州刺史任，長慶四年及大和八年首尾均不計算在內，寶曆二年加大和七年，適爲九年，白詩所稱「八九年」也指的是約數，在道理上是說得通的。故拙著《白居易年譜》繫《送姚杭州赴任因思舊遊二首》詩於大和七年，必須訂正繫於大和九年。

此外，《全唐詩》卷五〇一有姚合《牧杭州謝李太尉德裕》詩云：「皇恩特許拜杭壇，欲謝旌旆去就難。偷擬白頭瞻畫戟，四神俱散髮毛寒。」李德裕守太尉在會昌四年八月，岑仲勉《唐集質疑·姚合與李德裕及其系屬》據此詩懷疑姚合刺杭州似在會昌時，今據白詩考定，絕不可能，顯然是姚合的詩題有錯誤。

李紳與「元白」

「春種一粒粟，秋收萬顆子。四海無閒田，農夫猶餓死。」「鋤禾日當午，汗滴禾下土。誰知盤中餐，粒粒皆辛苦。」以上兩首《古風》，早在唐代就受到呂溫的贊賞（見《雲溪友議》及《唐詩紀事》），後一首被錯當作聶夷中的詩，直到明胡震亨編《唐音統簽》時，才編定爲李紳的作品。《全唐詩》即據《唐音統簽》輯錄入李紳集中，但又重出收入卷六三六夷聶中集中，注云：「此篇一作李紳詩。」這當然是錯誤的。

李紳是唐代的著名詩人與政治活動家。在政治活動方面，他與李德裕同屬於同一集團，而與李宗閔、李逢吉集團處於敵對地位。在詩歌創作方面，他與元稹、白居易屬於同一流派。李紳的作品，現在很多已經亡佚，但從元稹和白居易的作品中可知他非常擅長樂府歌行。元稹《樂府古題序》云：「況且風雅至於樂流，莫非諷興當時之事，以貽後代之人。沿襲古題，唱和重複，於文或有短長，於義咸爲贅賸，尙不如寓意古題，刺美見事，猶有詩人引古以諷之義焉。曹、劉、沈、鮑之徒，時得如此，亦復稀少。近代唯詩人杜甫《悲陳陶》、《哀江頭》、《兵車》、《麗人》等，凡所歌行，率皆即事名篇，無復倚傍。予少時與友人樂天、李公垂輩謂是爲當，遂不復擬賦古題。」元稹《和李校書新題樂府十二首序》又云：「予友李公垂，貺予樂府新題二十首，雅有所謂，予取其病尤急者，列而和之，蓋十二而已。」可見李紳是第一個有意識、有組織地寫作新題樂府的倡導者。這二十首新題樂府，元稹和了十二首，白居易更進一步擴大成爲五十首，改名《新樂府》，才發展成爲新樂府運動。白居易的《新樂府》寫成後，又受到李紳的佩服和欣賞，所以白詩《編集拙詩成一十五卷因題卷末戲贈元九李二十》「每被老元偷格律，苦教短李伏歌行」句下自注云：「元九向江陵日，嘗以拙詩一軸贈行，自後格變。李二十常自負歌行，近見予樂府五十首，默然心伏。」由此可見他們互相之間學習和影響之深。可惜李紳的二十首新題樂府已經失傳，他的詩現存有《追昔遊詩》三卷、《雜詩》一卷，《全唐詩》合編爲四卷。

李紳結織元稹的時間大概較結識白居易的時間爲早。他於貞元二十年到長安應進士試，就住在元稹靖安里的家中，並且替元稹的《鶯鶯傳》寫了《鶯鶯歌》。《太平廣記》卷四八八載元稹《鶯鶯傳》云：「貞元歲九月，執事（?）李公垂宿於予靖安里第，語及於是，公垂卓然稱異，遂爲《鶯鶯歌》以傳之。崔氏小名鶯鶯，公垂以命篇。」可知《鶯鶯傳》與《鶯鶯歌》的關係，正如同白居易《長恨歌》和陳鴻《長恨歌傳》一樣，是不可分割的整體。《鶯鶯傳》中所稱「貞元歲九月」是指貞元二十年，似乎這就是元稹、李紳交往的最早記載，但兩人卻早在這時之前已有了淵源。李紳《過吳門二十韻》詩云：「憶作（一作昨）麻衣翠（一作日，一作客），曾爲旅棹遊。放歌隨楚老，清宴奉諸侯。」自注：「貞元中，余以布衣，多遊吳郡中。韋夏卿首爲知遇，常陪宴席，段平仲、李季何、劉從周、綦毋咸十餘輩，日同杯酒。」《新唐書·李紳傳》：「於詩最有名，……蘇州刺史韋夏卿數稱之。」韋夏卿是元稹的岳父，據吳寬、王鏊《姑蘇志》的記載，他貞元十年自常州刺史遷蘇州刺史，這時李紳才二十多歲，便以詩受知於韋夏卿。貞元十九年，元稹和白居易同以書判拔萃科登第，這年元稹與韋夏卿的女兒韋叢結婚（陳寅恪《元白詩箋證稿》說元稹十八年結婚，誤）。可知，李紳認識元稹，大概始於貞元十八年第一次赴長安應進士試時，很可能還是由於韋夏卿方面的介紹。後來，再由元稹的介紹，在靖安坊認識了白居易。所以白居易作《送李二十常侍赴鎮浙東》回憶說：「靖安客舍花枝下，共脫青衫典濁醪。」即指貞元二十年的情事。這期間，李紳一直住在元稹家中，直到元和元年進士第後才離長安南返。白居易與元稹也正準備應制科考試，白居易《代書詩一百韻寄微之》詩注云：「時與微之結集策略之目，其數至百十。」又云：「謂自冬至夏，頻改試期，意與微之堅待制試也。」又《靖安北街贈李二十》詩云：「還似往年安福寺，共君私試卻回時。」從詩中可以想見李紳與他們二人朝夕相處，以文字互相切磋的生動情景。

李紳進士登第後，就離開長安到潤州，浙西（鎮海軍）節度使李錡留掌書記。錡誅，歸無錫寓居。至元和四年，至長安任校書郎，又與元稹、白居易會面，《樂府新題》二十首，就是這時所作。元和五年，元稹自監察御史貶爲江陵府士曹參軍，這時只有李紳與白居易兩人留在長安。元和六年，白居易丁母憂退居下邽渭村，他元和九年作《渭村酬李二十見寄》云：「百里音書何太遲，暮秋把得暮春詩。柳條綠日君相憶，梨葉紅時我始知。莫嘆學官貧冷落，猶勝村客病支離。形容意緒遙看取，不似華陽觀裏時。」又元和九年作《初授贊善大夫早朝寄李二十助教》詩云：「病身初謁青宮日，衰貌新垂白髮年。寂寞曹司非熟地，蕭條風雪是寒天。遠坊早起常侵鼓，瘦馬行遲苦費鞭。一種共君官職冷，不如猶得日高眠。」「學官」指國子助教，與太子贊善大夫都是冷官，可知李紳元和八、九年已爲國子助教，《舊唐書·李紳傳》及《新唐書·李紳傳》都說李紳元和元年任國子助教，但據白氏詩證明，記載有誤。又白居易元和十二年在江州作《東南行一百韻寄通州元九侍御澧州李十一舍人果州崔二十二使君開州韋大員外庾三十二補闕杜十四拾遺李二十助教員外竇七校書》詩，此時李紳仍官國子助教，並未轉官員外。考元稹《酬樂天東南行詩一百韻》詩「投分到肌膚」句下自注引白詩原題「李二十助教」下無「員外」二字，疑爲傳刻之誤，應當刪去。元和十年正月，元稹自唐州召回長安，停留時間極短，同年三月底，又出爲通州司馬。白居易此時剛回長安任太子左贊善大夫，這年春天與元稹、李紳同遊城南，有《遊城南留元九李二十晚歸》詩云：「老遊春飲莫相違，不獨花稀人亦稀。更勸殘杯看日影，猶應趁得鼓聲歸。」白氏這年歲暮在江州寫的《與元九書》又云：「如今年春遊城南時，與足下馬上相戲，因各誦新艷小律，不雜他篇。自皇子陂歸昭國里，迭吟遞唱，不絕聲者，二十里餘，樊、李在旁無所措口。」近人注釋此文時，總認爲「樊李」是樊宗師及李建。有的或據元稹《澧西別樂天傳載樊宗宣李景信兩秀才侄谷三月三十日相餞送》，則又認爲「樊李」爲樊宗宣與李景信，卞孝萱《元稹年譜》也傾向於這種說法。今以白氏此詩相證，我認爲《與元九書》中的一段敘述，不過是極力誇張描寫元、白兩人當時吟詩的狂態，「無所措口」並不定含有輕蔑的意思，如以樊宗宣、李景信當之，地位恐不足以相稱，我認爲「樊李」應該是指樊宗師和李紳。

元和十四年冬天，元稹自虢州長史召還，授膳部員外郎。長慶元年二月，自祠部郎中、知制誥充翰林學士，與李德裕、李紳同在翰林，情意投合，號爲「三俊」，所以李紳是李德裕政治集團的重要人物。這時白居易也在長安任職，李紳與李德裕、元稹劾錢徽取士不公，詔王起、白居易任考官重試，結果考官錢徽及李宗閔、楊汝士都遭到貶謫。事情的經過，據《舊唐書·錢徽傳》記載說：「長慶元年，爲禮部侍郎。時宰相段文昌出鎭蜀州……故刑部侍郎楊憑……子渾之求進，盡以家藏書畫獻段文昌，求改進士第。文昌將發，面托錢徽，繼以私書保荐。翰林學士李紳，亦托舉子周漢賓於徽。及榜出，渾之、漢賓皆不中選。李宗閔與元稹素相厚善，初稹以直道遣逐久之，及得還朝，大改前志，由徑以徼進達，宗閔亦急於進取，二人遂有嫌隙。楊汝士與徽有舊，是歲，宗閔子婿蘇巢及汝士季弟殷士俱及第，故文昌、李紳大怒，文昌赴鎭辭日，內殿面奏，言徽所放進士鄭郎等十四人皆子弟藝薄，不當在選中。穆宗以其事訪於學士元稹、李紳，二人對與文昌同，遂命中書人王起、主客郎中知制誥白居易於子亭重試。……尋貶徽爲江州刺史，中書舍人李宗閔劍州刺史，右補闕楊汝士開江令。」這是李德裕集團與李宗閔、牛僧孺集團初次公開鬥爭的高潮，據《舊唐書》的記載，錢徽似乎是傾向於李宗閔集團者。牛黨重要人物楊汝士是白居易的妻兄，白居易傾向於李宗閔、牛僧孺集團，但與李紳、元稹的私交又極深厚，左右爲難，在這一次重試中也只好秉公處理，將李宗閔的女婿蘇巢黜去。可見他們之間關係的極端錯綜複雜，必須進行具體細緻的分析，才能了解它的全貌，而有助於對中唐文學及歷史的深入研究。

長慶二年，元稹和李德裕都受到李逢吉的排擠而出爲外任。唐敬宗即位後，李紳也遭到李逢吉的陷害而貶爲端州司馬。不久，白居易也出爲杭州刺史。一直到大和七年暮春，李紳從壽州刺史授太子賓客分司東都，才又重和白居易在洛陽見面，這時元稹已經死去一年多了（死於和五年七月），而白、李兩人從長慶二年分手後，也已經超過十年，所以白居易《酬李二十侍郎》詩說：「十年分手今同醉，醉未如泥莫道歸」。李紳也有《七年初到洛陽寓居宣教里時已春暮而四老俱在洛中分司》詩云：「青莎滿地無三徑，白髮緣頭添四人。官職謬齊高嶺客，姓名那重漢廷臣。聖朝寡罪容衰齒，愚叟多慚未退身。惟有門人憐鈍拙，勸教沈醉洛陽春。」詩中「四老」指白居易、皇甫鏞、張仲方及李紳自己。這年夏秋間，白居易作《贈皇甫六張十五李二十三賓客》詩云：「昨日三川新罷守，今日四皓盡分司。」上句說居易罷河南尹，下句中的「四皓」即李紳詩中所指的「四老」。李紳這次在洛陽分司的時間極短暫，大和七年閏七月，又由於李德裕之力，除授浙東觀察使，居易設宴爲之餞行，有《醉送李二十常侍赴鎭浙東》詩，表現了他們之間極深摯的友情。大和九年五月，由於李德裕已爲李宗閔與李訓、鄭注排擯而罷相，李紳復自浙東觀察使除太子賓客分司。至開成元年四月除河南尹，任期只有兩個月，便又轉任宣武軍節度使赴汴州。此後，李紳和白居易見面的機會便很少了。

會昌六年七月，李紳卒於淮南節度使任所（見《通鑑》卷二四八），早於居易之卒一月。這年春天，居易寄李紳《予與山南王仆射淮南李仆射歷事五朝逾三紀海內年輩今唯三人榮路雖殊交情不替聊題長句寄舉之公垂二相公》詩云：「故交海內只三人，二坐岩廊一臥雲。老愛詩書還似我，榮兼將相不如君。百年膠漆初心在，萬里煙霄中路分。阿閣鸞鳳野田鶴，何人信道舊同群。」這是現存白氏集中酬李紳的最後之作。所謂「萬里煙霄中路分」，言外之意就是說，他和李紳在政治上是分道揚鑣的。

關於李紳的生年，兩《唐書》及其他傳記資料均無記載，近人所編的文學史中大都是空白，有人推測爲公元七八〇年，也是錯誤的。李紳《墨詔持經大德神異碑銘》云：「大歷癸丑歲，文忠公顏眞卿領郡，余先人主邑烏程，余生未期歲。」「大歷癸丑」是大歷八年，可知李紳生於大歷七年壬子（七七二）。這是今人卞孝萱《李紳年譜》考證的重要發現。李紳與白居易同年生，同年死，都活了七十五歲，也是一種巧合。

李紳和劉禹錫的交往不多，從現有的資料來看，大概始於大和七年李紳赴浙東觀察使任時，李紳《過吳門二十韻》詩注云：「大和七年，余鎭會稽，劉禹錫爲郡，則元和中蘇州相識，知與不知，索然皆盡。河柳衰謝，邑居更易，乃甚令威之嘆也。」蘇州是他舊遊之地，這次重來，自然增添了不少感慨。但他們兩人也可能早在貞元末就相識了。劉禹錫貞元十八、九年間曾春韋夏卿草擬過《爲京兆韋尹賀元日祥雪表》等，也可能由於這種淵源，劉禹錫已與李紳、元稹等交往，後來李紳大和七年赴浙東觀察使任時，才又與正在任蘇州刺史的劉禹錫相會。大和九年五月，李紳自浙東觀察使除太子賓客分司東都。這年十月，劉禹錫自汝州刺史移任同州刺史，途經洛陽，李紳與裴度、白居易、劉禹錫四人共同寫成了《喜遇劉二十八偶書兩韻聯句》、《劉二十八自汝赴左馮經洛中相見聯句》詩。開成元年六月，李紳自河南尹遷宣武軍節度使，這年秋天劉禹錫才自同州刺史遷太子賓客分司回洛陽，所以此後就沒有見面的機會。開成三年歲暮，禹錫有《和樂天洛下雪中宴集寄汴州李尙書》詩云：「洛陽無事足杯盤，風雪相和歲欲闌。樹上因依見寒鳥，座中收拾盡閒官。笙歌要請頻何爽，笑語忘機拙更歡。遙想兔園今日會，瓊林滿眼映旂竿。」這也許是現存劉詩中酬李紳的最後之作。

《全唐詩》卷三六五據《本事詩》錄有劉禹錫《贈李司空妓》（注云：一作禹錫赴吳臺楊州大司馬杜公鴻開宴命妓侍酒）詩云：「高髻雲鬟宮樣妝，春風一曲《杜韋娘》。司空見慣渾閒事，斷盡蘇州刺史腸。」此詩《劉禹錫集》未載。偶然翻閱《漢語成語字典》（上海教育出版社一九七八年六月版）「司空見慣」條目云：「唐孟棨《本事詩·情感》記載，曾經做過司空的李紳請剛從和州回來的劉禹錫喝酒，劉在席上作了一首七絕，其中有一句是『司空見慣渾閒事』，後來就用『司空見慣』形容經常看到、不足爲奇的事物。」城按：這是因襲舊中華書局本《辭海》的錯誤所致。舊中華書局本《辭海》「司空見慣」條，先引《唐宋遺史》云：「劉禹錫罷蘇州，過杜鴻漸飲，大醉，宿傳舍。既醒，見二妓在側，驚問之，曰：『郎中席上與司空詩，因遣某來。』問：『何詩？』曰：『高髻雲鬟新樣妝，春風一曲《杜十娘》。司空見慣渾閒事，斷盡蘇州刺史腸。』」同書接著又說：「按：劉爲蘇州刺史，李司空紳慕劉名邀飲，命妓侑酒，劉乃賦此詩。今借用謂之常見者曰『司空見慣』。」考孟棨《本事詩·情感集》的原文云：「劉尙書禹錫罷和州，爲主客郎中、集賢學士。李司空（《太平廣記》卷一七七《器量》二八《李紳》條引作「李紳」）罷鎭在京，慕劉名，嘗邀至第中，厚致飲饌。酒酣，命妙妓歌以送之。劉於席上賦詩曰：『髮髻梳頭宮樣妝，春風一曲《杜韋娘》。司空見慣渾閒事，斷盡江南刺史腸。』李因以妓贈之。」這一段錯誤記載，岑仲勉《唐史餘瀋》卷三《司空見慣》條，早就加以駁斥說：「劉自和州追入，約在大和元、二年，至六年復出，於時紳方貶降居外，曾未作鎮（參《舊書》一七三），何云罷鎮在京？且唐制重內輕外，郎官尤名貴，自稱刺史尤不類，同時守司空者乃裴度，此涉於李紳之全誤者也。」岑氏所考甚是，但劉禹錫大和五年冬出爲蘇州刺史，並非大和六年。劉禹錫寶曆二年歲暮罷和州刺史時，李紳方爲江州長史。大和二年至四年，劉禹錫在長安爲主客郎中、集賢學士及禮部郎中、集賢學士期間，李紳自江州長史遷滁州刺史，再轉壽州刺史。大和五年冬，白居易除蘇州刺史時，李紳爲壽州刺史，一直到大和七年正月，才自壽州刺史授太子賓客分司東都。所以這一時期中，劉李絕無同在一地的可能，只有大和七年閏七月李紳赴任浙東，途經蘇州，與劉禹錫短暫會晤，而且李紳並非司空。所謂贈妓之說當然全不可信。

前面提到舊《辭海》所引《唐宋遺事》謂「司空」指杜鴻漸，《雲溪友議》（見《太平廣記》卷二七二）也有同樣的記載云：「劉禹錫赴姑蘇，道過揚州，州師（帥）杜鴻漸飲之酒，大醉而歸驛。稍醒，見二女在旁，驚非己有也。乃曰：『郎中席上與司空詩，特令二樂妓侍寢。』且醉中之作，都不記憶，明旦，修狀啓陳謝，杜亦優客之。夫禹錫以郎吏州牧而輕忤三司，豈不過哉。」據《舊唐書·代宗紀》，杜鴻漸卒於大歷四年十一月，劉禹錫生於大歷七年，與鴻漸遠不相及，並且杜鴻漸也沒有出鎮淮南和官大司馬（兵部尚書），這個記載也早爲錢大昕《十駕齋養新錄》和岑仲勉《唐史餘瀋》所否定。

那末這個「李司空」究竟是什麼人呢？我認爲李程的可能性最大。劉禹錫有《冬夜宴河中李相公中堂命箏歌送酒》詩（《劉禹錫集》卷二三）云：「『朗朗鶤雞弦，華堂夜多思。簾外雪已深，坐中人半醉。翠娥發清響，曲盡有餘意。酌我莫憂狂，老來無逸氣。』」考李程寶曆二年罷相出爲河東節度使，《舊唐書·文宗紀》：「（大和四年）三月乙亥，以河東節度使李程檢校左僕射、同平章事、兼河中尹、晉絳慈隰等州節度使。」《舊唐書》卷一六七《李程傳》：「大和四年三月，檢校尚書佐僕射、平章事、河中尹、河中晉絳節度使。（大和）六年，就加檢校司空。」劉禹錫與李程的交誼是極爲深厚的，所以他大和五年冬自長安赴任蘇州途中，專程經河中府和李程相會。《贈李司空妓》一詩很可能就是另一首《冬夜宴河中李相公中堂命箏歌送酒》詩的同時之作。又據《舊唐書·李程傳》，大和六年七月，自河中節度使徵爲左僕射，可知他檢校司空必在此時之前，但《舊傳》未書明爲何月，據劉禹錫的詩推測，很可能在大和五年底已經檢校司空。故附考於此，以俟高明者指教。

讀白居易詩札記㈠

《贈康叟》詩辨疑

白居易《贈康叟》詩云：

八十秦翁老不歸，南賓太守乞寒衣。再三憐汝非他意，天寶遺民見漸稀。

這首詩除王汝弼選編的《白居易選集》選入外，一般很少有人談及，而王注有幾處頗令人費解，值得探討和商榷。

《白居易選集》在《贈康叟》詩後的「康叟」條下注云：「清王士禎《古夫于亭雜錄》以為即康洽。《唐才子傳》四：『洽，酒泉人。……工樂府詩篇，……後經天寶亂離，蓬飄江表，至大曆間，年已七十餘。』按大曆為七六六—七七九，則至元和十五年（八二〇）時，康洽已逾百歲。而非詩中之八十。疑辛文房《唐才子傳》所記『至大曆間，年已七十餘』當作『至元和間』方合」顯然，他同意王士禎「康叟即康洽」之說。考《全唐詩》有李頎《送康洽入京進樂府歌》（卷一三三）、李端《贈康洽》（卷二八四）等詩，李端《贈康洽》詩云：「黃鬚康兄酒泉客，平生出入王侯宅。今朝醉臥又明朝，忽憶故鄉頭已白。……邇來七十遂無機，空是咸陽一布衣。」據《登科記考》卷十引《唐才子傳》及《極玄集》，李端是大曆五年的進士，其卒年不詳，但《全唐詩》卷二九五衛像《傷十子端》詩云：「官卑楊執戟，年少賈長沙。」可知李端必定是壯年早逝，距離大曆時不遠。他的《贈康洽》詩也不會作於大曆以後，這就爲我們提供了康洽年歲的可靠材料，證明大曆時康洽已經七十多了，《唐才子傳》所記無誤。既然大曆時康洽已經七十多歲，那麼白居易詩中的「八十秦翁」決非康給。王注雖已察覺漁洋「康叟即康洽」之說年齡上的差異，但未能糾正他的根本性錯誤。

唐朝時，忠州一度改稱南賓郡，南賓太守即忠州刺史。白居易詩中的「南賓太守」究竟指何人而言，王汝弼未注。從整首詩的大意上看，這句詩可有兩種解釋：一是「乞」字作「乞求」解，「八十秦翁」與「南賓太守」當同指一人，也就是說，康叟是天寶年間的忠州刺史；另一種解釋是：南賓太守爲詩人自稱，而「乞」字作「與」解。據《寶刻叢編》卷十九引《復齋碑錄》云：「唐明皇《送太守康公詩》，唐明皇御制並行書，古篆額，天寶十三年二月健。」同書又云：「《唐御制御書詩刻石記》：「唐南賓太守康昭遠謹述，天寶十三年甲午二月七日癸酉建。」這條資料說明，天寶時確實有位姓康的做過南賓太守。但天寶末距白居易作詩年代六十餘載，如果康昭遠是康叟的話，那他必須十幾歲時就出任南賓太守，這顯然是不可能的，所以，詩中的「南賓太守」只能是白居易自己。此外，「乞」作「與」解之例在古詩文中也是常見的，如《漢書·朱買臣傳》「……用糧乏，上計吏卒更乞之。」「居一月，妻自經死，買臣乞其夫錢，令葬。」又如杜甫《戲簡鄭廣文兼呈蘇司業》詩：「賴有蘇司業，時時乞酒錢。」這裡「乞」都是「與」的意思，而白詩「南賓太守乞寒衣」句中之「乞」字也正是這種用法。《贈康叟》詩是白居易借八十秦翁多年流落蜀中不歸而自傷遠貶的身世，全詩著重於一個「憐」字，寫的委宛曲折，言淺意深，不失爲上乘之作。王汝弼《白居易選集》將此詩編在元和十五年（八二〇），但白居易長慶二年所作的《商山路有感詩序》云：「前年夏，予自忠州刺史除書歸闕。」又同年所作《發白狗峽次黃牛峽登高寺卻望忠州》詩也云：「巴曲春全盡，巫陽雨半收。」可證居易約在元和十五年初夏離開忠州，而《贈康叟》詩中有「乞寒衣」句，必作於秋季或冬季。據此，應將此詩繫於元和十四年（八一九）冬。考陳振孫《白文公年譜》及汪立名《白香山年譜》都有「（元和十五年）冬，召爲司門員外郎」的記載，可知《白居易選集》臆測《贈康叟》詩作於元和十五年是沿襲了前人的錯誤。

李都尉是誰

白居易《李都尉古劍》詩云：

古劍寒黯黯，鑄來幾千秋。白光納日月，紫氣排牛頭。有客借一觀，愛之不敢求，湛然玉匣中，秋水澄不流。至寶有本性，精剛無與儔。可使寸寸折，不能繞指柔。願快直士心，將斷佞臣頭。不願報小怨，夜半刺私讎。勸君慎所用，無作神兵羞。

詩中的「李都尉」，各家的注本都沒有確切的解釋，如王汝弼《白居易選集》注云：「李都尉古劍，或爲此劍藏主爲李都尉，或爲鑄劍時在劍身上面鐫有用主之名，如出土『吳王夫差劍』和『越王勾踐劍』等之比。」這樣注釋固然不錯，但李都尉究竟是誰，並未交代清楚。

考《文選》江文通《雜詩三十首》中有《李都尉陵》詩，可知「李都尉」即指李陵。據《漢書·李陵傳》記載：「（李）陵字少卿，少爲侍中健章監。善騎射，……（武章）拜爲騎都尉」，六朝人習稱爲「李都尉」，到了唐代仍然沿襲這個稱呼，如白居易《春聽琵琶兼簡長孫司戶》詩云：「如言都尉思京國，似訴明妃厭虜庭。」李陵後被俘降於匈奴，所以白居易《雜感》詩又有「都尉身降虜，宮刑加子長」句。又如白行簡也有《李都尉重陽日得蘇屬國書》詩，詩中之「都尉」十分明顯地是指李陵：「降虜意何如？窮荒九月初。三秋異鄉節，一紙故人書。對酒情無極，開緘思有餘。感時空寂寞，懷舊幾躊躇。雁盡平沙迴，煙銷大漠虛。登臺南望處，掩淚對雙魚。」

據此可以斷定，白居易《李都尉古劍》中之李都尉必是李陵無疑。

送元稹赴任通州時間小考

元和十年正月，元稹自唐州從事召還，月末抵長安。停留的時間非常短暫，僅僅與白居易、李紳等幾個至交相聚一番，便匆匆赴通州司馬任去了。離京時，白居易爲他送行，別後寫了一首《醉後卻寄元九》，詩云：「蒲池村裏匆匆別，灃水橋邊兀兀回。行到城門殘酒醒，萬重離恨一時來。」

白居易這首詩，只有蘇仲翔《元白詩選》選入，詩後題解云：「元和十年（公元八一五），元稹左遷通州司馬，三月三十日，與白氏別於灃水上。」考元稹有《灃西別樂天博載樊宗憲李景信兩秀才侄谷三月三十日相餞送》詩，詩云：「今朝相送自同遊，酒語詩情替別愁。忽到灃西總回去，一身騎馬向通州。」又白居易元和十四年春在夷陵重逢元稹時，也曾賦詩提及當年惜別之事：「灃水店頭春盡日，送君上馬謫通州。夷陵峽口明月夜，此處逢君是偶然。」白氏此詩詩題爲《十年三月三十日，別微之於灃上，十四年三月十一日夜，遇微之於峽中，停舟夷陵，三宿而別，言不盡者，以詩終之，因賦七言十七韻以贈，且欲寄所遇之地與相見之時，爲他年會話張本也》，可見，蘇氏是有根據的。但是，元稹《酬樂天東南行一百韻》詩前的小序也談到了他赴通州的時間，序云：「元和十年三月二十五日，予司馬通州。二十九日，與樂天於鄠東蒲池村別，各賦一絕。」顧肇倉、周汝昌《白居易詩選》附錄《白居易年譜簡編》及顧學頡《白居易年譜簡編》、王拾遺《白居易生活繫年》等都採用這一說法，把元稹赴通州之日期定爲三月二十九日。這樣一來，讀者便遇到一個難題：兩種說法都有一定的道理，元氏離京究竟是二十九日還是三十日呢？白居易的《醉後卻寄元九》詩給了我們新的啓發。

元稹《酬樂天東南行詩一百韻》詩序說，分別的地點在鄠東蒲池村，而《灃西別樂天博載樊宗憲李景信兩秀才侄谷三月三十日相餞》詩則云「灃西」。「鄠東」即「鄠縣」之東；「灃西」即「灃水」之西，初看似乎是兩個地點，但據《醉後卻寄元九》詩有「蒲池村里匆匆別，澧水橋邊兀兀回」句，可知蒲池村在澧水橋邊，兩處實際上是指同一地點。據《元和郡縣圖志》記載，關內道京兆府鄠縣，東北至府六十五里，澧水出縣東南終南山，自發源北流至縣東二十八里，北流入渭。這說明澧水在長安的西南面，自來向北流過鄠縣東部入渭河。元稹元和十年離京，「取道澧鄠，折向西南，由秦至巴赴通州司馬」（見陳寅恪《元白詩箋證稿》），所以必須過澧水橋，由於走的是陸路，比較方隨，因此朋友們一送再送，一別再別，直至鄠東，才讓他「一身騎馬向通州」。兩詩中所涉及的分別地點並不矛盾。那麼，為什麼會出現兩個分別日期呢？仔細揣摩《醉後卻寄元九》一詩，不難發現白居易描繪的是自己醉別元稹後回家時的情形：出蒲池村，過澧水橋，入長安城。據此，我們可以按路線和路程來推測送元稹的情形：元和十年三月二十九日，元稹、白居易等出長安往西，過澧水橋，行至鄠縣東面的蒲池村，天色已經不早，他們在那裡宿了一宵，第二天（三十日）才依依惜別。前舉白居易元和十四年所作詩中有「澧水店頭春盡日，送君上馬謫通州」句，可證這一推測是符合當時實際情況的。考白居易還有《城西別元九》詩，詩云：「城西三月三十日，別友辭春兩恨多。帝里卻歸猶寂寞，通州獨去又如何？」（《全唐詩》卷八八三補遺二）再次證明了元稹赴通州與白居易等離別的日期是三月三十日，而絕非二十九日。至於元稹所說的「二十九日」，當是指相互賦詩贈別而言，而不是真正的分別日期。

「阿連」與「阿憐」

白居易酬贈弟兄詩中多次涉及「阿連」與「阿憐」，王拾遺《白居易生活繫年》中的《白居易世系》云：「阿連乃居易自稱，故知其爲詩人之乳名。」他引證了白氏三首詩：《奉送三兄》、《將歸渭村先寄舍弟》、《和敏中洛下即事》。細玩白氏這三首詩的詩意，王說很難成立。

《將歸渭村先寄舍弟》詩見於《白氏長慶集》卷三二（宋紹興本），詩云：

一年年覺此身衰，一日日和前事非。詠月嘲花先要減，登山臨水亦宜稀。子平嫁娶貧中畢，元亮田園醉裡歸。為報阿連寒食下，與吾釀酒掃柴扉。

大和九年（八三五），居易以太子賓客分司東都居洛陽。於暮春時回故鄉下邽住了一段時間，這首詩是作者東歸前寫給居住在下邽的一位從弟的。詩的前六句均爲作者的自我感嘆，最後兩句才點明詩題：「爲報阿連寒食下，與吾釀酒掃柴扉。」阿連，此處代指從弟，用謝惠連的典故。《南史·謝方明傳》云：「惠連年十歲能屬文，族兄靈運加賞之，云每有篇章，對惠連輒得佳語。嘗於永嘉西堂思詩，竟日不就，忽夢見惠連，即得『池塘生春草』句，大以爲工。常云：『此語有神功，非吾語也。』」謝靈運常呼惠連爲「阿連」，後人借用以稱弟，如李白《春夜宴從弟桃花園序》就有「會桃花之芳園，序天倫之樂事。群季俊秀，皆爲惠連；吾人詠歌，獨慚康樂」句。因此，白氏詩中的「阿連」乃稱其從弟，而不是自稱。另一首《和敏中洛下即事》詩云：

昨日池塘春草生，阿連新有好詩成。花園到處鶯呼入，驄馬遊時客避行。水暖魚多似南園，人稀塵少勝西京。洛中佳境應無限，若欲諳知問老兄。

詩題下作者自注云：「時敏中爲殿中分司」。白敏中是居易的從弟，白氏和他的《洛下即事》詩，用謝惠連的典故稱贊他，在句中這個意思是十分明顯的，所以，「阿連」在此應代指敏中，而不是詩人自稱。

王氏所引的《奉送三兄》，詩中的「阿連」雖是居易自稱，但從詩題和詩意中可以看出，仍然是用惠連的典故：

少年曾管二千兵，晝聽笙歌夜斫營。自反丘園頭白盡，每逢旗鼓眼猶明。杭州暮醉連床卧，吳都春遊並馬行。自愧阿連官職慢，只教兄作使君兄。

此詩作於寶曆二年蘇州刺史任上，「三兄」大約也是作者的從兄，所以，白氏以「阿連」自居，這並不能說明「阿連」是居易的乳名。前舉三詩都是居易贈和從兄弟的作品，「阿連」之稱也沒有固定指某一個人，因此，王氏之說顯然是錯誤的。

居易詩中用惠連之典甚多，尤其在與他的胞弟白行簡唱和的詩中，常以惠連喻行簡。但值得注意的是，這些詩裡稱行簡爲「阿憐」。如《湖亭與行簡宿》詩云：

潯陽少有風情客，招宿湖亭盡卻回。永檻盧涼風月好，夜深唯共阿憐來。

又如《夢行簡》詩云：

天氣妍和水色鮮，閒吟獨步小橋邊。池塘草綠無佳句，虛臥春窗夢阿憐。

顧學頡校點的《白居易集》將前一首中的「阿憐」改作「阿連」，並校云：「阿連——原本誤作『阿憐』。阿連，用謝靈運呼其弟惠連事」，後一首則未校。顧氏的校語未免臆斷，因爲宋本及其他各本兩詩中均作「憐」，僅《全唐詩》在兩詩後注云：「一作『連』。」汪立名《白香山詩集》在《湖亭與行簡宿》詩後加小注：「行簡小字阿憐。」考汪氏此注出自《唐詩紀事》。《唐詩紀事》卷四十一記載云：「行簡小字阿憐，樂天《同宿湖亭》詩云：『潯陽少有風情客，……夜深唯共阿憐來』。」《唐詩紀事》謂「阿憐」爲行簡小字，不是沒有道理的：第一，計有功是南宋初年人，他所見到的《白氏長慶集》必定是較早的版本，比較可靠；第二，「連」和「憐」字形無關，不大可能有訛；第三，居易贈和其他從弟的詩中均用「阿連」，而獨稱行簡爲「阿憐」，特別是《夢行簡》詩，三、四句很明顯地嵌入了「池塘生春草」的典，但「阿連」仍作「阿憐」，這就證明不是偶然的筆誤，而是借用謝惠連之典，並不實指，依舊稱其子字，因此，將「阿連」與「阿憐」相混淆是不妥當的。

「藤枝引酒」

白居易《春至》詩云：

若為南國春還至，爭向東樓日又長。白片落梅浮澗水，黃梢新柳出城牆。閑拈蕉葉題詩詠，悶取藤枝引酒嘗。樂事漸無身漸老，從此始似負風光。

考白居易元和十四年三月末才抵忠州刺史任所，所以，此詩當作於到忠州的第二年初春時節。和詩人其他許多作品一樣，這首詩採用了白描手法，可以說是明白如話，無須作注。但頸聯中的「悶取藤枝引酒嘗」一句卻頗爲費解，宋人黃澈曾對這句詩作過解釋，他的《碧溪詩話》（卷八）云：「辰人以藤代篘，酒名勾藤。俗傳他處即不可用。或謂，但恐釀造之法異耳，所在皆可。樂天忠州《春至》詩云：『閑拈蕉葉題詩詠，悶取藤枝引酒嘗。』則巴蜀亦有之。」黃氏認爲白居易詩中的「藤枝引酒」是指一種用藤代篘漉酒而製成的酒，即「勾藤酒」。其實不然，從詩的對仗中便可看出黃氏的理解是錯誤的。且看，上聯中的「題」是動詞，那麼，下聯中的「引」字也必須是動詞，無論如何也不會組成一個名詞，謂「藤枝引酒」。

「藤枝」和「引酒」是什麼關係呢？據《方輿勝覽》卷六一《咸淳府》記載：「引藤山在龍渠縣東十五里，山出引藤枝，俗用以取酒。」同書又云：「蜀地多山，多種黍爲酒，民家亦飲粟酒。地產藤枝，長十餘丈，其大如指，中空可吸，謂之引藤。」《明統志·重慶府》也記載云：「引藤山在忠州南四里，山出引藤，可以吸酒。」這就證明白居易詩中的「藤枝」是一種可以用作吸酒器具的植物，類似於今天人們常用以吸飲汽水的吸管。這種引藤也叫勾藤。屬於茜草科，除蜀地外，其他地方也有。清陳淏子《秘傳花鏡》卷四云：「勾藤產自梁州，今秦、楚、江南、江西皆有。葉細長而青，其莖間有刺，儼若釣勾，對節而生，其色紫赤，卷曲而堅利。長一二丈，大如指，中空。用致酒瓮封口，插入取酒，以氣吸之，涓涓不絕。」不過蜀地恐怕更普遍。如白居易在忠州所作的另一首《郡中春宴因贈諸客》詩，也提到用引藤吸酒：「薰草席鋪座，藤枝酒注樽。」

又杜甫《送從弟亞赴河西判官》詩有「蘆管多還醉」句，仇兆鰲注引楊愼語曰：「蘆酒以蘆爲筒，吸而飲之，今天咂酒也。又名勾藤酒。見《溪蠻叢笑》。」此處以蘆酒爲勾藤酒，恐有誤，疑乃形似而非一物也。

讀白居易詩札記(二)

釋「停燈」

唐人朱慶餘有一首很著名的七絕《近試上張水部》，詩云：

洞房昨夜停紅燭，待曉堂前拜舅姑，妝罷低聲問夫婿，畫眉深淺入時無？

對於詩中「停燈」一詞的解釋，各家注本說法不一：中國社會科學院文學研究所的《唐詩選》注云：「『停』，停留，不吹滅，通夜長明之意。」上海古籍出版社的《唐詩一百首》注云：「停——放置著。」上海古籍出版社的《唐詩三百首新注》注云：「停，停放。」沈祖芬《唐人七絕詩淺釋》則解釋說：「停，停留。停紅燭，即讓紅燭點著，通夜不滅。」這些注釋，不外都是根據「停」字的字義來推斷的。其實，「停燭」或「停燈」一類的詞乃唐人的習用之語，不能完全按字面來解釋。

白居易的詩中常有「停燈」一詞，如《歲暮夜長病中燈下，聞盧尹夜宴，以詩戲之，且爲來日張本也》詩云：

　　榮鬧興多嫌晝短，衰閑睡夜覺明遲。當君乘燭銜杯夜，是我停燈服藥時。枕上愁吟堪發病，府中歡笑勝尋醫。明朝強出須謀樂，不詑車公更詑誰？

又如《衰病》詩云：

　　老與病相乃，華簪髮不勝。行多朝散藥，睡少夜停燈。祿食分供鶴，朝衣減施僧。性多移不得，郡政謾如繩。

　　根據詩來看，這裏的「停燈」顯然不能作「停留」或「放置」解，而是「點起燈」或「點著燈」的意思。

　　敦煌曲中也有類似的用法，但任二北《敦煌曲初探·雜考與臆說》一文卻解釋爲「停——有兩兩對稱之意。『六二四』：『停燭焚香告天地』。朱慶餘詩『洞房昨夜停紅燭』。」這種解釋很難說得通，因爲「停燭」和「焚香」都是動賓詞組，表示「點燃」的動作和對象；此外，白居易的詩中也沒有「兩兩對稱」的含義，而「停燭焚香告天地」一句恰好證明了「停燭」就是點燃蠟燭。可以想像，祝告天地的人決不可能讓蠟燭留著通夜不滅，然後再來焚香祈禱。

　　「停燭」或「停燈」的說法，約在六朝時已很普遍，徐陵《和王舍人送客未還閨中有望》詩云：「綺燈停不滅，高扉掩朱關。」唐以後，這些詞也常出現在詩中，如文同的《織婦詞》：「不敢輒下機，連宵停火燭。」據說，直到今天，某些方言中「點燈」仍稱「停燈」。因此，白居易、朱慶餘詩中之

「停燈」、「停燭」應當解釋爲「點燈」或「點燭」。

關盼盼與張仲素的《燕子樓》詩

白居易《感故張僕射諸妓》詩云：

黃金不惜買娥眉，揀得如花三四枝。歌舞教成心力盡，一朝身去不相隨。

明蔣一葵《堯山堂外紀》、郎瑛《七修類稿》等都認爲這首詩是諷張愔的歌妓關盼盼（一作眄眄）於張愔亡故後不能以死相隨之作，後來也有人據此責備居易，說這首詩逼死了一位不幸的婦女。

白居易與關盼盼的故事最早見於《唐詩紀事》。《唐詩紀事》中「張建封妓」條下云：

樂天有《和燕子樓》詩，其序云：徐州故張尚書有愛妓盼盼，善歌舞，雅多風態。予為校書郎，遊淮泗間，張尚書宴予，酒酣，出盼盼佐歡，予因贈詩，落句云：「醉嬌勝不得，風弱牡丹花。」一歡而去，爾後絕不復知，茲一紀矣。昨日司勳員外郎張仲素繪之（按：繪同繢）訪余，因吟新詩，有《燕子樓》詩三首，辭甚婉麗，詰其由，為盼盼所作也。繪之從事武寧軍累年，頗知盼盼始末，云：「張尚書既歿，歸葬東洛，而彭城有張氏舊第，中有小樓名燕子，盼盼念舊愛而不嫁，居是樓十餘年，今尚在。」盼盼詩云：「樓上殘燈伴曉霜，獨眠人起合歡床。相思一夜情多少，地角天涯不是長。」又云：「北邙松柏鎮愁煙，燕子樓中思悄然。

自埋劍履歌塵散，紅袖香銷一十年。」又云：「適看鴻雁岳陽回，又睹玄禽逼社來。瑤瑟玉簫無意緒，任從蛛網任從灰。」余嘗愛其新作，乃和之云：「滿窗月明滿帘霜，被冷燈殘拂臥床。燕子樓中寒月夜，秋來只為一人長。」又云：「鈿暈羅衫色似煙，幾回欲著即潸然。自從不舞霓裳曲，疊在空箱十一年。」又云：「今春有客洛陽回，曾到尚書墓上來。見說白楊堪作柱，爭教紅粉不成灰。」又贈之絕句：「黃金不惜買娥眉，揀得如花四五枝。歌舞教成心力盡，一朝身去不相隨。」後仲素以余詩示盼盼，乃反覆讀之，泣曰：「自公薨背，妾非不能死，恐百載之後，人以我公重色，有從死之妾，是玷我公清範也，所以偷生爾。」乃和白公詩云：「自守空樓斂恨眉，形同春後牡丹枝。舍人不會人深意，訝道泉台不去隨。」盼盼得詩後，怏怏旬日不食而卒，但吟詩云：「兒童不識沖霄物，謾把春泥污雪毫。」

這段記載頗有趣味，但其中卻存在著幾個與史實不符、需要澄清的問題：

一、張尚書不是張建封。《唐詩紀事》云關盼盼為張建封妓。據《新唐書·張建封傳》、《舊唐書·憲宗紀》等記載，張建封卒於貞元十六年（八〇〇），而白居易書判拔登科授校書郎在貞元十九年（八〇三），因此，詩中的「張尚書」不可能是徐泗濠節度使張建封。白居易詩中的「張尚書」、「張僕射」都是指建封之子張愔。建封死後，張愔爲留後，繼任武寧軍節度使。元和元年，以疾求代，召爲工部尚書，同年十二月卒。死後贈尚書右僕射（參見《舊唐書》本傳）。首先糾正張尚書即張建封之誤的是宋陳振孫，他的《白文公年譜》云：「燕子樓事，世傳爲張建封。按建封死在貞元十六年，且其官爲司空，非尚書也。尚書乃子愔，《麗情集》誤以為建封耳。此雖細事，亦可以正千載傳聞之謬。」清張宗泰《質疑刪存》云：「汪立名《白公年譜》辨《麗情集》，以為張建封有誤，良是。然謂建封未為尚書，亦非。建封於貞元七年進位檢校禮部尚書，十二年加檢校右僕射，不過加僕射後不可仍稱尚書耳。」張氏所說的「汪立名《白公年譜》」實際上即陳振孫《白文公年譜》，並不是汪氏新譜，他的「加僕射後不可仍稱尚書」的看法缺少根據，但是，他肯定陳氏的辨正並加以補充修正，應該說是有價值的。由此可見，關盼盼不是張建封，而是張愔的歌妓。關於這個問題，《文學評論》一九八二年第四期已刊有吳汝煜的文章專門論述，此處不再詞費。

二、《燕子樓》原詩乃張仲素所作。《唐詩紀事》言居易愛盼盼新作，遂和之。考白氏《燕子樓》詩三首並序，可知《唐詩紀事》與白序有不合之處。居易序云「昨日司勛員外郎張仲素績之訪予，因吟新詩，《有燕子樓》三首，詞甚婉麗。詰其由，為盼盼作也。……予愛績之新咏，感彭城舊遊，因同其題作三絕句。」這段話，已經說明《燕子樓》詩是張仲素為盼盼寫的新詩，但由於這三首詩托盼盼的口吻，所以引起了《唐詩紀事》作者的誤解。張仲素字績之，據居易的詩序，可知他「從事武寧軍累年」，所以「頗知盼盼始末」。張愔死後，「盼盼念舊愛不嫁，居燕子樓十餘年」。引起張仲素的同情，他的《燕子樓》詩著意刻劃了盼盼孤獨寂寞的獨居生活。居易於貞元二十年（八〇四）春遊徐州時，曾在張愔為他舉行的宴會上見過佐歡的盼盼，並有詩贈於她。事隔十年，當居易讀張仲素為盼盼所作的《燕子樓》詩，獲悉盼盼近況，十分感慨，便和了三首。《全唐詩》張仲素名下收有《燕子樓》詩，但題下小注云：「一作關盼盼詩。」從當時唱和的情況看，此詩不可能是盼盼的作品，因爲如果將《燕子樓》當作盼盼詩，那麼，居易讀後，便已知盼盼依然在世，而張仲素所說的「盼盼念舊愛而不嫁，居是樓十餘年，幽獨塊然，於今尚在」則成了一句多餘的廢話。另外，原詩雖以盼盼口吻寫來，但不免留下代盼盼抒發孤寂心緒的痕跡。沈祖芬《唐人七絕詩淺釋》分析這三首詩時說：「詩中展現的盼盼的精神活動，乃是以張愔在她心裏所占有的巨大位置爲依據的。」盼盼是一個歌妓，她對於張愔這樣的官僚來說，不過是一件玩偶而已，她的身份地位，年齡等都不可能使她對張愔產生這樣深厚、眞摯的愛情，可以說，她爲張愔居樓十年而不嫁，主要原因是受封建禮教的毒害。《燕子樓》詩竭力渲染了盼盼對張愔的懷念，只能出於張仲素的手筆。

三、盼盼和白公詩疑是後人僞作。《唐詩紀事》云盼盼有和居易詩，詩云：「舍人不會人深意，訝道泉臺不去隨。」《全唐詩》關盼盼名下也收了這首詩和另兩首詩。考白居易以主客郎中知制誥是元和十五年（八二〇）十二月末的事，而正拜中書舍人則在長慶元年（八二一）十月。根據唐人的習慣，知制誥即可稱舍人，所以，稱居易爲舍人，最早必須是元和十五年十二月末。張仲素《燕子樓》詩有「自埋劍履歌塵散，紅袖香銷一十年」（一作已十年）句，自張愔去世的元和元年（八〇六）起算，其後十年，當爲元和十一年（八一六），白居易和《燕子樓》詩序云：「予爲校書郎時，游徐、泗間。張尚書宴予。酒酣，出盼盼以佐歡。因贈詩云：……爾後絕不相聞，迨茲一紀矣。」居易游徐州在貞元二十年（八〇四），距元和十年，正合一紀，與仲素詩相符。又據《舊唐書·楊於陵傳》、丁居晦《重修承旨學上壁記》、勞格《唐郎官石柱題名考》等記載，張仲素元和七年時爲屯田員外郎，元和十一年八月十五日自禮部郎中充翰林學士，由此可推知他任司勛員外郎應在屯田員外郎之後、禮部郎中之前，即元和七年（八一二）至元和十一年（八一六）之間。但居易於元和十年（八一五）八月謫貶江州，不可能有與張仲素唱和的機會，所以和《燕子樓》詩必作於元和十年（八一五），至於白氏詩中的「疊在空箱十一年」句或作「疊在空箱一十年」，實際上是約指大數而言，不需過分拘泥。如果盼盼此時有和白公詩，則絕不可能稱白居易爲舍人。盼盼的另兩句詩云：「兒童不識沖霄物，謾把青泥污雪毫」，據說是對白居易和詩諷她偷生所表示的憤慨，但語句卻不合情理。清張宗泰《質疑刪存》云：「白生大歷七年壬子，至長慶元年辛丑年五十矣，焉有杖家之年之人尙謂之『兒童』耶？張氏的分析很有道理，居易於貞元二十年赴張愔宴時已三十三歲，而盼盼爲歌舞妓佐歡，不過是十幾歲的少女，要比居易年輕近二十歲，當然不可能把自己年長近二十歲的人稱爲「兒童」。所謂「盼盼之詩」很可能是後人根據燕子樓這段趣事而僞造的。

《唐詩紀事》云盼盼讀居易詩之後，以爲居易諷她偷生，「怏怏旬日不食而卒」。細玩白居易《燕子樓》，並不能體會出這種諷刺之意，相反覺得字裏行間處處流露出詩人對這位歌妓的同情和感嘆，催人淚下。特別是第三首，詩人通過描寫故尙書張愔墓上的白楊已經成材，暗喻盼盼獨守空樓的時間是如何的漫長，引出「爭教紅粉不成灰」一句，表達了對這位守節婦人境遇的無限同情。這裏與其說諷盼盼偷生，還不如說是微責她不該如此犧牲自己的青春。

從白居易對生活的態度來看，他是贊成年青的歌妓爲官僚們守節或殉節的。他在一定程度上同情那些受封建禮教、宗法制度殘害的婦女，也寫過這一類的作品。居易暮年時將自己的歌妓全部遣散，並作有《病中詩·別柳枝》：「兩枝楊柳小樓中，嫋娜多年伴醉翁。明日放歸歸去後，世間應不要春風！」這樣對待自己歌妓的人，難道會去責怪一位「念舊愛」十年不嫁而憔悴不堪的歌妓「不能以死相隨」嗎？

至於盼盼讀「黃金不惜買蛾眉」一詩，遂「不食而卒」的記載，似乎更顯得牽強附會。居易在此詩題中已說明「感故張僕射諸妓」，詩中也云「揀得如花三四枝」（《唐詩紀事》作「四五枝」），這就是說，居易此詩並非對盼盼之事有所感觸，而是對張愔的其他歌妓有所感觸。「一朝身去不相隨」一句是居易對蓄妓生活的根本看法，結合詩人放歸二「楊柳」的事，可以看出他對張愔生前不能遣散歌妓是不滿的，如果說，詩裏含有諷刺的意味，那麼這種諷刺不是針對諸歌妓，而是針對張愔的蓄妓生活。清張宗泰《質疑刪存》對這首詩有一段精闢的分析，他說：「陳彥之有詩云：『僕射新阡狐兔游，美人猶住水邊樓。樂天才思如春雨，斷送殘花一夜休。』今按樂天所贈之詩，即『黃金不惜買蛾眉，揀得如花三四枝。歌舞教成心力盡，一朝身去不相隨』一絕，而此詩在《長慶集》中次《燕子樓》詩後，其題云《感故張僕射諸妓》，或樂天和《燕子樓》詩時，僕射諸妓有不得其所者，並感而賦之，故有名花三四之句。味其語意，乃是惜張公不於心力未盡時早爲散遣之，而致身後不能相隨，只爲蓄妓者感慨，非以責諸妓也。」由此看來，盼盼之死和居易之詩是不相干的，《唐詩紀事》的紀載是錯誤的。

讀白居易詩札記㈢

白沙堤

白居易《錢塘湖春行》詩云：

孤山寺北賈亭西，水面初平雲腳低。幾處早鶯爭暖樹，誰家新燕啄春泥。亂花漸欲迷人眼，淺草才能沒馬蹄。最愛湖東行不足，綠楊陰裏白沙堤。

白沙堤即今杭州西湖白堤。非白居易所築，其爲刺史前已有之。乾隆《浙江通志》卷五二《水利》一云：「白沙堤，一名孤山路，北有斷橋，南有西泠橋，其西爲里湖。」然舊志多誤以爲樂天爲杭州刺史時所築。《古圖書集成》卷二八五《山川典·西湖部匯考》云：「十錦塘本名樂天堤，唐刺史白樂天所築，因與橋聯，又名斷橋堤。堤因湖水剝削，日久殆盡，萬歷十七年司禮東瀛孫隆捐貲修築，……故杭之人名之曰『孫堤』」清人多辨正此說之誤。汪立名云：「按：西湖蘇、白堤，相傳二公始築。

《新書》亦云：『居易爲杭州刺史，始築堤捍錢塘湖。』凡公初到杭州詩已有『十里沙堤』句。又《錢塘湖石出記》但云：『修築河堤，加高數尺。』《別杭民》詩云：『增築湖堤。』築不自公始明矣。我以公詩有『綠楊陰裏白沙堤』爲白堤所自來。然公詩如『護江堤白踏晴沙』，亦用白沙，不獨湖堤也。況公所修湖堤在湖之東北，接連下湖，陽志『近昭慶有石函橋、溜水橋』，是其故址，即李泌開洩水引灌六井處。今杭人率指蘇堤之西爲白堤，蓋不相涉。又有指石徑塘爲白堤者，不知張祜已有『斷橋荒蘚合』之句矣。白詩『誰開湖寺西南路，草綠裙腰一道斜』自注云：『孤山寺在湖洲中，草綠時望如裙腰。』正指今石徑塘也。」

《西河文集·詩話》三云：「杭州錢塘湖中，有一堤穿於湖心，作志者初稱白堤，後稱白公堤，謂白樂天爲刺史時所築，及讀樂天《杭州春望》詩有云：『誰開湖寺西南路？草綠裙腰一道斜。』則并非白築，未有己所開堤而反問誰開者。且詩下注云：『孤山寺在湖洲中，草綠時望如裙腰。』是必先有此堤，而故注以證己詩，其非初開可知也。是以張祐（城按：祐當作祜，下同）詩云：『樓臺映碧岑，一徑入湖心。』其詩不知何時作，但樂天出刺杭州在長慶末，而陸魯望每推祐爲元和詩人，則此堤非長慶後始築斷可知者。嘗考此堤名白沙堤，樂天《錢塘湖春行》有云：『最愛湖東行不足，綠楊陰裏白沙堤。』則意此題本名白沙，或有時去沙字，單稱白堤，而不幸白字恰與樂天姓合，遂誤白公。觀有時去『白』字，單稱『沙堤』，如樂天又有詩云：『十里沙堤明月中』，是一沙一白，遂多誤稱。而不知白堤不得稱『白公堤』，猶沙堤不得稱『宰相堤』也。《杭志》極荒唐，至錢塘湖諸志則尤荒唐之至者。此

第一節耳。」

汪、毛兩氏之說是也。杭世駿《訂僞類編》卷五亦引《金壺字考》云：「《咸淳臨安志》無白公堤。所謂白公築之堤在上湖與下湖有隔處，公自著《錢塘湖石記》可證。今人所指之白堤即白詩所云『綠楊陰裏白沙堤』，白公前已有之。」又沈德潛《唐詩別裁》卷十五云：「今之白堤即白沙堤，白公時已有之，非白公築也。」

春明門小考

白居易《村中留李三宿》詩云：

平生早游宦，不道無親故。如我與君心，相知應有數。春明門前別，金氏陂中遇。村酒兩三杯，相留寒日暮。勿嫌村酒薄，聊酌論心素。請君少踟躕，繫馬門前樹。明年身若健，便擬江湖去。他日縱相思，知君無覓處。後會既茫茫，今宵君且住。

又《送張上人歸嵩陽》云：「春明門，門前便是嵩山路。」詩中所云之春明門，乃唐代長安外郭城東面三門之正中一門，《兩京城坊考》卷二云：「東面三門：北通化門，中春明門，南延興門。」

春明門即漢霸城門，又名青綺門、霸城門。《三輔黃圖》卷一記載云：「長安城東出南頭第一門曰霸城門。民見門色青，名白青城門，或曰青門。門外舊出佳瓜，廣陵人邵平爲秦東陵侯，秦破爲布衣，種瓜青門外，瓜美，故時人謂之東陵瓜。《宙記》曰：霸城門亦曰青綺門。」日本石田幹之助氏以爲即唐之春明門。」其說甚是。唐人記載春明門較詳者如《東城老父傳》云：「建中三年，僧運平人壽盡，(昌)服禮畢，奉舍利塔於長安東門外鎭國寺東偏，手植松柏百株。構小舍，居於塔下，朝夕焚香洒掃，事師如生。……元和中，穎川陳鴻祖攜友出春明門，見竹柏森然，香煙聞於道，下馬覿昌於塔下。」此乃春明門爲唐長安東門之第一手旁證材料。

唐人詩中涉及春明門者尤夥，舍白氏此詩外，如李白《相逢行》云：「朝騎五花馬，謁帝出銀臺。秀色誰家子？雲車珠箔開。金鞭遙指點，玉勒近遲回。夾轂相借問，疑從天上來。蹙入青綺門，當歌共銜杯。……」此詩蓋李白供奉翰林下直時出宮城銀臺門向東至春明門所作。又李白《送裴十八圖南歸嵩山二首》詩之一云：「何處可爲別？長安青綺門。」劉禹錫亦有《和令狐相公別牡丹》詩云：「莫道兩京非遠別，春明門外即天涯。」《別友人後得書因以贈》云：「前時送君去，揮手青門路。」可知唐人離長安東行，多出春明門，故爲送別之所也。

栽松

白氏《栽松》詩二首云：

小松未盈尺，心愛手自移。蒼然澗底色，雲濕煙霏霏。栽植我年晚，長成君性遲。如何過四十，種此數寸枝？得見成陰否？人生七十稀。

愛君抱晚節，憐君含直文。欲得朝朝見，階前故種君。知君死則已，不死會凌雲。

居易極喜種竹，集中詠竹詩亦頗多，而詠松之作不多見，此詩作時已年過四十，然壯志仍不減當年，可謂言淺而意深矣。《容齋續筆》卷二云：「白樂天《栽松》詩云：『小松未盈尺，……人生七十稀。』予治圃於鄉里，乾道己丑歲，正年四十七矣。自伯兄山居，手移松數十本，其高僅四五寸，植之雲壑石上，擁土以爲固，不能保其必活也。過二十五年，蔚然成林，皆有干霄之勢。偶閱白集，感而書之。」洪氏之語尤較居易多幾分感慨也。

《咸淳臨安志》及《夢粱錄》載白詩之誤

白居易《宿樟亭驛》詩云：

夜半梓亭驛，愁人起望鄉。月明何所見？潮水白茫茫。

《咸淳臨安志》及吳自牧《夢粱錄》均載此詩。《夢粱錄》卷十云：「梓亭驛即浙江亭也。在跨浦橋南江岸，凡宰執辭免各出居此驛待報矣。向有樂天先生往驛訪楊舊曾賦詩曰：『往恨今愁應不殊，題詩粱下又踟躕。羨君獨夢見兄弟，我到天明睡亦無。』『夜半樟亭驛，愁人起望鄉。月明何處見？潮水白茫茫。』」

「往恨今愁應不殊」一絕乃居易長慶二年赴杭州途中所作，題作《赴杭州重宿棣華驛見楊八舊詩》，前此又有《棣華驛見楊八題夢兄弟詩》云：「遙開旅宿夢兄弟，應爲郵亭名棣華。名作棣華來早晚，自題詩後屬楊家。」此詩作於元和十五年自忠州返長安途中，兩次行程往返，均經由長安至襄陽之商山路。《棣華驛見楊八題夢兄弟詩》編次後有《商山路有感》詩云：「萬里路長在，六年身始歸。所經多舊館，太半主人非。」棣華驛雖無考，但可確知商山路途中無疑。詩中之「楊八」爲楊虞卿，字師皐，乃居易妻楊氏之從兄。《舊唐書》及《新唐書》俱有傳。《夢粱錄》載《赴杭州重宿棣華驛見楊八舊詩》一詩於「樟亭驛」條下，乃係沿襲《咸淳臨安志》之誤。

駱山人

白居易《過駱山人野居小池》詩云：

茅覆環堵亭，泉添方丈沼。紅芳照水荷，白頸觀魚鳥。韋石苔蒼翠，尺波煙杳渺。但問有意無，勿論池大小。門前車馬路，奔走無昏曉。名利驅人心，賢愚同擾擾。善哉駱處士，安置身心了。何乃獨多君，丘園居者少。

此詩中之「駱山人」爲駱峻。馮浩《玉溪生詩注》卷一《宿駱氏亭寄懷崔袞》詩注云：「《白氏長慶集·過駱山人野居小池》詩自注云：『駱生棄官居此二十年。』是爲長慶二年出守杭州，初由京城東南次藍溪而過之也。杜牧《駱處士墓志》：「駱處士峻，揚州士曹參軍。元和初，母喪去職，於灞陵東阪下得水樹居之。朝之名士，多造其廬。栖退超脫三十六年，會昌元年卒。」此與白所詠或一或二必有此題合者。朱氏引《唐語林》：駱浚度支司書手，李吉甫擢之，後典名郡，於春明門外築臺榭，似不符也。朱氏又引《唐年補錄》王廷湊爲駱山人構亭事，時地尤謬矣。」

馮氏說甚詳，而白氏又有《授駱峻太子司儀郎梧州刺史賜緋魚袋兼改名玄休制》，其中「駱峻」蓋即此人。考《樊川文集》卷九《駱處士墓志》云：「長慶初，桂府觀察使樊公凡兩拜章，乞爲梧州刺史，詔因授之……處士慘而讓，只以疾辭，訖不言其他。爾後人知其堅不可復動矣。」可知峻授梧州刺史辭官不就。《唐語林》所載之「駱峻」，當非一人。

紅藤杖

白氏《紅藤杖》詩云：「交親過滻別，車馬到江回。唯有紅藤杖，相隨萬里來。」紅藤杖即赤藤杖，產自南詔，爲唐代朝士所珍賞之物。白氏《蠻子朝》詩云：「清平官持赤藤杖，大軍將繫金呿嵯。」

居易詩中曾屢次提到紅藤杖。如《朱藤杖紫驄吟》詩云：「江州去日朱藤杖，忠州歸時紫驄馬。」《紅藤杖》云：「南詔紅藤杖，西江白首人。」同詩自注云：「杖出南蠻。」《三謠序》云：「予廬山草堂中有朱藤杖一、蟠木機一、素屏風二，時多杖藤而行，隱机而坐，掩屏而臥。」其中之《朱藤謠》云：

「朱藤朱藤，溫如紅玉，直如朱繩。自我得爾以爲杖，大有裨於股肱。」可知朱藤杖與白氏的生活有密切的關係。又韓愈《和虞部盧四汀酬翰林錢七徽赤藤杖歌》云：「赤藤爲杖世未窺，臺郎始攜自滇池。」張籍《和李僕射秋日病中作》云：「……獨倚紅藤杖，時時階上行。」裴夷直《南詔朱藤杖詩》云：「六節南藤色似朱，拄行階砌勝人扶。」又白氏詩云「交親過滻別」，滻水在長安萬年縣東北流四十里入渭。唐人送行多至滻水爲別。白氏《朱藤謠》（卷三九）云：「前年左遷，東南萬里，交遊別我於國門，親友送我於滻水。」《與楊虞卿書》：「及僕左降詔下，明日而東。足下從城西來，抵昭國坊，已不及矣。走馬至滻水，才及一執手，憫然而訣，言不及他。」均可證滻水爲送別之處。

庾樓

白居易元和十年作《初到江州》詩云

潯陽欲到思無窮，庾亮樓南湓口東。樹木凋疏山雨後，人家低濕水煙中。菰蔣餧馬行無力，蘆荻編房卧有風。遥見朱輪來出郭，相迎勞動使君公。

庾亮樓即庾樓。《清統志·九江府》記載云：「庾樓在府治後，濱大江，其磯石突出江干百許步。相傳晉庾亮鎮江州時所建。按：此因《晉書·庾亮傳》有『秋夜登南樓』之事而傅會也。亮時江州自鎮武昌，不在湓城，史傳甚明。李白詩：『清景南樓夜，風流在武昌。』亦未嘗誤。白居易詩：『潯陽欲到思無窮，庾亮樓南溢水東。』自後遂爾傳訛。」《清統志》所辯良是。考晉惠帝元康初始置江州，傳綜爲刺史，治武昌。東晉初，王敦領荆州，移鎮武，昌後，謝尙、庾亮、庾翼、陶侃、桓溫並鎮此。見《讀史方輿紀要》卷七六《武昌縣》。

居易作此詩時，蓋承誤已久，至張芸叟謂庾亮鎮潯陽，其誤蓋甚。陸游《入蜀記》卷三辯之云：「庾亮嘗爲江、荆、豫州刺史，其實則治武昌。若武昌南樓名庾樓猶有理，今江州治所，在晉特柴桑縣之溢口關耳。此樓附會甚明。然白樂天詩固已云：『潯陽欲到思無窮，庾亮樓南溢口東』，則承誤已久矣。張芸叟《南遷錄》云：『庾亮鎮潯陽，經始此樓。』其誤尤甚。」范成大《吳船錄》卷下云：「甲午，泊江州，登庾樓。前臨大江，後對康廬，背面皆登臨奇絕。又名山大川悉萃此樓，他處不得兼有，此獨擅之。庾元亮故事本是武昌南樓，後人以元亮嘗刺江州，故云以庾名此樓，然景物則有南樓不逮者。」范氏蓋亦失考。清洪亮吉《北江詩話》卷四復詳考之云：「九江府署後距城有樓三楹，人傳爲晉庾亮殷浩等登眺之所，不知非也。亮鎮荆州（按當作江州）時，治所實在今湖北武昌縣，土人呼爲小武昌，以別於今。武昌府在江之北，樓正面江，故名南樓。若九江府在江南，有樓面江，乃北樓耳。何得云亮與浩等所登？余同年方太守體以爲亮弟翼鎮江州時所築樓近之。余有《庾樓詩》一篇云：『吳楚山川此上游，茲樓剛對武昌樓。南宋傑閣推章郡，東下雄藩是石頭。頻歲舳艫趨海道，全家棣蕚領江州。憑欄一望眞無際，千點飛帆雜諸鷗。』蓋訂向來文誤也（《文選》注以此爲溢口南樓）。」庾翼鎮江州在咸康六年，時已移治柴桑，洪氏所考當亦可信，清胡虔《柿葉軒筆記》云：「南樓有三，皆以庾太尉得名，一在德化：按庾以咸和五年鎭江州，治武昌（今武昌縣）。九年督江、荆等六州，以武昌爲鎭。咸康六年，江州乃移治柴桑，而庾之鎭武昌至薨未嘗改莅柴桑也，亮本傳載亮秋夜登南樓爲在武昌時事，則德化有庾樓妄矣。其一在武昌。一在江夏（唐建，在黃鶴山。明圮。乾隆壬子又改布政司前鼓樓爲南樓）。陸務觀《入蜀記》言鄂州南樓甚悉（宋鄂州治江夏）。考江夏，晉沙羨縣也。《吳志》：黃初二年，權自公安都鄂（漢縣），改名武昌（宋地理志以武昌山爲名），以武昌、下雉、潯陽、陽新、柴桑、沙羨六縣爲武昌郡。郡治武昌，而沙羨爲屬邑。晉因吳舊，庾鎭武昌，即今之武昌縣。《水經》『江之右岸有鄂縣故城』注：晉惠帝永平（城按：晉惠帝元永平年號，疑爲元康之誤）中始置江州，傳綜爲刺史治此，後太尉庾亮所鎭也，庾鎭武昌決無在沙羨之事。《通雅》謂都督必居形勝之地，武昌乃山僻邑。然考其他實處江湖之沖，孫吳再都於此，以太子重臣鎭守之。其在晉咸康中庾欲移鎭石城，以石虎陷邾城而止，一江南北，險與敵分。及宋嘉定以武昌縣爲江西上流沖要隘口，升爲壽昌軍。元升爲府。武昌形要尤重於江夏，非古今時勢之殊耶？故南樓之跡，以在武昌者爲確，而在江夏者誤也。昔樂天謫江州，山谷知鄂州，皆有詠南樓詩，蓋二公有不能知其失矣。」則知山谷詩亦失考，固不獨樂天也。白氏又有《庾樓曉望》、《三月三日登庾樓寄庾三十二》等詩，均可參看。

白居易寫景詩初探

寫景詩在我國詩歌發展上有著重要的地位，這不僅因爲詩歌所描寫的日月星雲、山水花鳥、草木魚蟲、園林田野等景物富有突出的自然美，是人的生活的一個組成部分，更主要的是，通過這些自然景物，詩人可以更深刻、更含蓄地表現複雜多變的思想情感。在詩歌發展的最初階段，寫景就已成爲詩的內容之一，從《詩經》、《楚辭》裏都可以找到寫景的名句。但是，山水田園詩的形成是在魏晉之際。東晉時，玄學盛行，嚴重影響到詩歌的創作。山水田園詩的出現，給詩帶來了生氣，從而使詩歌重新向著反映現實的道路發展。當時的田園詩人陶淵明詩風自然純樸，給後世留下了深遠的影響，南北朝時，山水詩已達到成熟的境地，特別是謝靈運、謝朓等人的作品，能細膩而逼眞地描摹山水景物，歷來被認爲是山水詩的典範。唐詩是我國古代詩歌最高成就的標誌，無論是詩歌的內容和題材都得到廣泛的開拓，儘管如此，山水田園詩仍然占有重要地位，不僅出現了王維、孟浩然、儲光羲、韋應物這樣的山水、田園詩人，而且大多數詩人都有寫景的作品。例如李白和杜甫，就有許多寫景名作，至今仍在人們的口頭流傳。元和時期，唐詩出現了一個繼往開來的新局面——「詩到元和體變新」。經過白居易、元稹等人的大力提倡，詩歌在表現現實生活方面得到了加強，詩的格律變化也更加豐富，描寫山水景物的詩並未因此而衰落，相反，在體裁和內容上都有了擴大，這一時期的著名詩人幾乎都是寫景的好手：

天街小雨潤如酥，草色遙看近卻無。
最是一年春好處，絕勝煙柳滿皇都。
韓愈《早春呈水部張十八員外》

千山鳥飛絕，萬徑人蹤滅。
孤舟蓑笠翁，獨釣寒江雪。
柳宗元《江雪》

山圍故國周遭在，潮打空城寂寞回。
淮水東邊舊時月，夜深還過女牆來。
劉禹錫《石頭城》

東方風來滿眼春，花城柳暗愁殺人。
複宮深殿竹風起，新翠舞衿淨如水。
光風轉蕙百餘里，暖霧驅雲撲天地。
軍裝宮妓掃蛾淺，搖搖錦旗夾城暖。

曲水漂香去不歸，朵花落盡成秋苑。

李賀《三月》

從上面這些例子可以看出，當時的寫景詩已不再局限於山水和田園等題材，描寫的範圍有所擴大，表現手法也不再是單純的寫實、寫眞，而是採用虛實相生，對比誇張等各種藝術技巧，特別是後兩首，詩中蘊含的諷刺意義通過景色的描繪恰如其分地表達出來，令人耳目一新。另一方面，這一時期的詩人的寫景詩，格調常與自己主要風格不完全一致。如韓愈的詩以奇倔爲特點，而他的《早春呈水部張十八員外》詩卻寫的清新明快。婉轉流暢。又如白居易，他的寫景詩的風格和意境與《新樂府》完全不同，這就很値得我們重視和硏究。

白居易的寫景作品，基本上編排在閑適詩和雜律詩內，也有少量屬諷諭詩或傷感詩。這些作品描寫的對象很廣泛，除了山水田園風光外，還善於刻畫眼前的靜物、周圍的氣氛、季節的變化……表現手法也各有不同：有對大自然的純樸描摹，有物我同一的抒情，也有意在景外的啓示。許多詩詐一見以爲是信手拈來，不費力氣，反覆吟詠，則覺得韻味醇厚，極見功力。眞可謂「前不照古人様，後不照來者議。意致筆隨，景到意隨，世間一切都並包囊括入我詩內」（江進之《雪濤小書》）。下面我們就來談談白白居易寫景詩的特點。

白居易寫景詩大致可分爲三類。第一類是單純的景物觀賞，摹山水之秀，繪眼前之景，平淡自然、逼眞而富有情韻，給人以自然美和藝術美的雙重享受。如《暮江吟》就是這樣一首很有代表性的作品：

一道殘陽鋪水中，半江瑟瑟半江紅。
可憐九月初三夜，露似真珠月似弓。

《唐宋詩醇》評論說：「寫景奇麗，是幅暮色秋江圖。」但仔細分析，詩中的景致發生在兩個不同的時間裏：前半首是夕陽西下時的暮色，後半首則是新月初生時夜景。可這兩幅畫面卻如此自然而眞實地融合在一起，不能不承認詩人藝術手段的高明。寫秋江夜色，一般將月和江水放在一起，如李白的《峨眉山月歌》：「峨眉山月半輪秋，影入平羌江水流。」居易則不同，他將月和水分別寫，無形中延長了觀賞景色的時間。寫暮色時，突出了奇——夕陽西下江面上光怪陸離的景象，寫月夜時，給人一種清澈、高峻的感覺，兩個畫面拼接在一起，十分協調，所以讀者並不覺得有時間上的差異。

德國美學家萊辛曾說過：「詩所選擇的那一種特徵應該能使人從詩所用的那個角度，看到那一物體最生動的感性形象。」（《拉奧孔》）《暮江吟》詩從生活中攝取的，正是這種「最生動的感性形象」。寫景詩如果缺乏形象，那是很難設想的。而形象如果不典型，不生動，那麼詩人就無法進行加工提煉，做出來的詩也就淡而無味。要達到淡而有味的境地，所謂「不著一字，盡得風流」，必須在形象的鮮明性和生動性上下功夫，《暮江吟》的藝術性也正體現在此。「半江瑟瑟半江紅」一句，用簡潔、形象的語言將秋江暮色作了概括，讀後有臨其境之感，不過，詩中之景又不同於眞景，它要比現實很富於典型性，反映的畫面更集中，所以甚至比眞景更美。

白居易很善於對眼前的景物進行提煉和藝術加工，許多平常的景物在他的筆下常常顯得活潑精神，動人可愛。

小娃撐小艇，偷採白蓮回。
不解藏蹤跡，浮萍一道開。

《池上二絕》之一

這首詩描繪的不是靜景，而是用幾個畫面構成一組電影鏡頭：平靜的水面上，鋪滿了綠色的浮萍，田田的翠葉上，盛開著潔白的蓮花，一個小女娃悄悄地摘下蓮花，駕著小舟輕駛而過，她的身後開出了一條水路。短短二十字，寫出了一件完整的事，繪成了一幅精巧的畫，全詩樸素無華，口吻親切，語言流便。「小娃撐小艇」一句重了「小」字，不但沒有繁複的感覺，而且巧妙地勾勒出一個天眞頑皮的少女形象，並通過她的舉動，寫出了優美如畫的池畔景色，整首詩似寫人又似寫景，似寫景又似寫人。大約從謝靈運起，山水詩中已經可以體會到人物的形象了，但是，以人物形象來襯托和展現自然風景，中唐以前是少見的。柳宗元的《漁翁》採用的也是以人襯景的手法，「煙銷日出不見人，欸乃一聲山水綠」，與居易的《池上二絕》有異曲同工之妙。當然，兩者的風格是不同的。

王國維說：「昔人論詩詞，有景語，情語之別。不知一切景語皆情語也。」(《人間詞話》) 白居易的寫景詩中有相當一部分是屬於這一類的。這類詩與前所說的不同，景和情是交織一起的。詩人寫景是爲了寫情，或是觸景生情，或是以景抒情，產生一種情景交融，物我同一的境界。

湖上春來似畫圖，亂峰圍繞水平鋪。

松排山面千重翠，月點波心一顆珠。
碧毯線頭抽早稻，青歲裙帶展新蒲。
未能拋得杭州去，一半勾留是此湖。

《春題湖上》

這首詩前六句寫景，最後兩句寫情。寫景的處理很別致，首句將西湖風景納入畫圖之中，語詞已飽含感情色彩；接著細細刻畫圖中的山水：群峰四圍，水平如鏡，排排青松裝點著山巒一片蒼翠，皓月映入湖心猶如晶潔的珍珠。腹聯兩句寫農作物。白居易長慶二年起除杭州刺史，任職期間，他重視水利建設，關心人民生活，做了不少好事。因此，他喜歡以農作物入山水詩。碧毯代指稻田，青羅裙帶是說一種可以編席的蒲草在路邊長得十分茂盛，遠遠望去，仿佛一條綠色的裙帶。這些比喻形象鮮明，充滿著濃郁的生活氣息。整個畫面構思精巧，布局恰當，字裏行間洋溢著詩人對餘杭的熱戀之情。最後「以不舍意作結，而曰『一半勾留』，言外正有餘情」（《唐宋詩醇》）。

不僅結構上曲折委宛，而且借景深化了詩旨。

《新小灘》也是一首這樣的作品：

石淺沙平流水寒，水邊斜插一漁竿。
江南客見生鄉思，道似嚴陵七里灘。

這首詩是晚年在洛陽時所作，平平寫來，景也常，語也常，但第三句一經轉折，卻顯露出很深的情感，給北地的淺灘添上了幾分江南水鄉的風光。羅丹曾經說過：「美麗的風景所以使人感動，不是由於它給人或多或少的舒適感覺，而是由於它引起了人的思想。」（《羅丹藝術論》）小灘的景色也正是這樣，它使江南的客人動了思鄉之情。不過我們不難看出，詩人是借江南客之口，抒發自己對江南的懷念。觸景生情，本是一種聯想的表現，這種聯想不僅是創作過程中的一個環節，而且是藝術欣賞中的一個重要步驟，詩人充分適用了聯想，恰當地表達出自己的思想感情，並且傳達給了讀者，雖詩中沒有直接的抒懷，但感情的深度並不亞於以議論作結的作品。

劉勰在《文心雕龍·物色》中早就論述過文學作品中客觀事物與主觀感受的關係，認爲「情以物遷，辭以情發」，「詩人感物，聯類不窮」。寫景自然也必須服從於這個規律，但除了觸景生情的作品外，更多的是寓情於景，這時，詩中的一切景物都隨著詩人的情緒發生變化：

孤山寺北賈亭西，水面初平雲腳低。
幾處早鶯爭暖樹，誰家新燕啄春泥？
亂花漸欲迷人眼，淺草才能沒馬蹄。
最愛湖東行不足，綠楊陰裏白沙堤。

《錢塘湖春行》

風回云斷雨初晴，反照湖邊暖復明。
亂點碎紅山杏發，平鋪新綠水萍生。

翅低白雁飛仍重，舌澀黃鸝語未成。
不道江南春不好，年年衰病減心情。

《南湖早春》

兩首詩同是寫春色，色彩截然不同，前一首作於杭州刺史時，筆觸舒展流暢，風格清新明快，中間兩聯以早鶯、新燕、亂花、淺草等景物勾勒出一幅生機盎然的江南早春圖，顯示了詩人愉快的心境和悠然自得的情調。後一首作於江州司馬任上，雖然仍是江南之春，但作者的心緒已不大一樣，儘管這首詩的寫法與前一首相似，中間兩聯的山杏、水苹、白雁、黃鸝等都籠罩著一層愁霧，難怪詩人自己也不得不嘆息說：「不道江南春不好，年年衰病減心情！」

白居易寫景詩，常用議論作結，這些議論對突出詩旨有很大的作用，但議論的側重點不同，感情色彩不同，採用的方法也就不同：

白藕新花照水開，紅窗小舫信風回。
誰教一片江南興，逐我殷勤萬里來？

《白蓮池泛舟》

白蓮原是江南的植物，居易分司東都後，將從吳地帶來的白蓮移種在洛陽的家中，並且寫過好幾首詠物的詩，如《感白蓮花》「白白芙蓉花，本生吳江濆。不與紅者雜，色類自區分。誰移爾至此？姑蘇白使君。」詩人一生喜愛樹木花草，晚年在洛陽，對白蓮花的感情則更有一層深意，《白蓮池泛舟》詩正抒發了他懷念江南的心緒。詩的開頭寫白蓮花開在池上裊娜多姿，詩人坐在精致的畫舫中隨風蕩漾，這景色仿佛江南水鄉，似乎又回到了當年觀賞白蓮的蘇杭二州，思念之情油然而生。但是詩人卻不直寫自己的思念，而用擬人的手法，說當年在江南的游興，不遠千里追逐他一同到了洛陽。把主觀情感附著在景物上，從景物的角度來表達自己的心情，能達到物我同一的效果。在唐詩中，這種藝術手法運用得很普遍，不過移情的對象往往很具體，如「感時花濺淚，恨別鳥驚心」、「相看兩不厭，只有敬亭山」。居易詩中的移情對象是不具體的，「江南興」只是一種抽象的感覺，但這種興致只能在觀賞江南景物時才會產生，所以，「江南興」的來到，實際上暗示洛陽也出現了江南的景色，這樣的表現手法要比直接以物的姿態移注於我多一層曲折，從而顯得別有情致。

白居易還有一類寫景詩，從字面上看，似乎句句寫景，但實際上表達了詩人難以直言的感情，所謂「意在興象之外」。這類作品，比起前面那種直抒胸臆的寫法更加委宛，也更富有藝術感染力。

江城寒角動，沙洲夕鳥還。
獨在高高上，西南望遠山。
《晚望》

早蛩啼復歇，殘燈滅又明。
隔窗知夜雨，芭蕉先有聲。
《夜雨》

這兩首乍一見似乎都寫景，細讀則知語盡而意未盡。前一首描寫江州的暮色，空曠淒清，詩人獨自眺望遠處的高山。後一詩寫下雨前後周圍景物的變化：蟋蟀鳴聲斷斷續續，屋內燈火忽明忽暗；後來隔著窗欞聽到了點點滴滴的雨珠打在芭蕉葉上。這兩首詩中的寫景都採用寫實的手法，也沒有主觀的議論，但是，通過詩人描繪的景物，讀者卻很深刻地體會他的情緒變化。《晚望》作於元和十一年。居易已被貶爲江州司馬，詩中的江城夕景的開闊，沙鳥的晚歸，都襯出了詩人的盼望重回長安而不得的惆悵心情。《夜雨》也是江州之作，由於心情不好，詩人難以入夢，聽雨的經過恰好反映出他的這種孤寂和愁悶。

我國古代文學理論中有「意境」之說，認爲寫詩要達到「廢言尚意」、「情在言外」、「境生象外」的境界，因爲曲折地表現思想情感能給讀者留下回味的餘地。寫景詩也是這樣，不僅自然景物要描寫得眞切，感情要描寫得眞摯，而且在藝術處理上則要顯得「深文隱蔚，餘味曲包」。居易的一些作品在這方面是很成功的。如《送客回晚興》詩：

城上雲霧開，沙頭風浪定。參美亂山出，澹濘平江淨。行客舟已還，居人酒初醒，娟娟秋竹梢，巴蟬聲似磬。

況周頤說：「塡詞景中有情，此難以言傳也。」「善讀者約略身入景中，便知其妙。」（《蕙風詞話》）居易此詩並無一個愁字，但江城的景色，逐層寫得十分淒涼，讀者猶如身臨其境，於筆墨之外，嘗到詩人愁苦的心情。

白居易的這三類寫景詩，在內容和形式上都有創造性的發展，從以上所舉的例子中，我們可看到，他寫景所涉及的對象是廣泛的，表現手法也是多種多樣的，而這種創造性體現在形式上卻更爲突出。

白居易寫景詩在體裁和格律上極富於變化，他能寫《池上二絕》、《暮江吟》之類的小詩，也有不少五、七言律，而他的長篇排律和古詩，更是別具一格。《游悟眞寺》詩就是這樣一首著名作品，這首詩洋洋灑灑，共有一百三十韻，「一氣讀去，幾於千岩競秀，萬壑爭流，目不給賞」，「就其中細尋之，則步驟井然，一絲不紊」（《唐宋詩醇》）。首四句點出遊寺登山之事，接著寫寺外之景，曲折靈異，如入仙境；然後步步向前，細寫遊覽過程次序，景到意隨，虛實相錯，首尾照應。

後人認爲此詩「以作記序手筆用之於詩」，「謝靈運遊山詩、柳宗元山水記，素稱奇構，以彼方此，不無廣狹之別」（《唐宋詩醇》）。這些評論很有見地。《游悟眞寺》的藝特點與詩的體裁有關，如用絕句形式，則是另一番景象了：

> 獨到山下宿，靜向月中行。
> 何處水邊碓？夜春雲母聲。
>
> 《山下宿》

絕句限於字數，不可能作大量細致的刻畫，詩人便採用粗線條的勾勒，以少概多，以偏見全，然後略作點飾，突出主題。如《山下宿》寫了山、月、水以及春雲母的聲響，景色和人物的行爲都是不具體的，但靜中有動，巧妙地渲染出人間寧靜的氣氛，起到畫龍點睛的作用。

居易的許多寫景詩，都可以用「詩中有畫」一語來評價。他講究佈局和構思，能將各種景物納入他的畫圖中，寫西湖的一些律絕句，幾乎都是和諧優美的淡墨山水畫：

半醉閑行湖岸東，馬鞭敲鐙轡瓏璁。
萬株松樹青山上，十里沙堤明月中。
樓角漸移當路影，潮頭欲過滿江風。
歸來未放笙歌散，畫戟門開蠟燭紅。

《夜歸》

這首詩的寫法既不同於《游悟眞寺》，也不同於《山下宿》，結構縝密，格調超逸，起句平點，叙述夜歸之事；中間兩聯寫歸途景色，先從遠景落筆，漸漸推至眼前；最後兩句陳師道以爲「非富貴語，看人富貴也」（《後山詩話》），所以仍是寫景，點出了歸來的時間。整首詩「往復一氣中，層次情事，有如一幅畫圖，令人一一可按而見，固非小才能辨」（方東樹《續昭昧詹言》）。

白居易詩的語言以平易通俗著稱，他的寫景詩很能體現這一風格，多用白描，詞語淺近，明白如話，不露半點斧鑿之痕。《暮江吟》、《池上二絕》等詩都是極好的例證。

山僧對棋坐，局上竹陰清。
映竹無人見，時聞下子聲。

《池上二絕》之一

王維的《鹿柴》詩「空山不見人，但聞人語響，返景入深林，復照青苔上」，無論語言或詩的意境都受到後人的稱頌，但這首詩尙不及《池上》那樣回旋往復，富於變化。《鹿柴》詩寫山中之景有人在，但人並沒有出現；而《池上》寫人是從有寫到無，再從無寫到有，最後自然地回到山僧對奕的主題。全詩詞語極淺，無一奇字，而山僧的形象、周圍的景致、氣氛都刻畫得十分傳神。這首詩對後代影響很大，蘇軾的《觀棋》詩在取材、選詞、鑄句等方面都摹仿了白居易。

劉熙載《藝概》說：「常語易，奇語難，此詩之初關也；奇語易，常語難，此詩之重關也。香山用常得奇，此境良非易到。」居易的詩，看似平易，其實精純，貌似淺近，功夫極深，他寫作的時候，「塗改甚多，竟有終篇不留一字者」。所以，他崇尙淺切平易，是以煉字和煉句爲基礎的，許多寫景的作品講究韻律，對仗工穩，而留給人們的印象則是「仙人衣裳棄刀尺，郢人斤斲無痕跡」，如《西湖留別》：

征途行色慘風煙，祖帳離聲咽管弦。
翠黛不須留五馬，皇恩只許住三年。
綠藤陰下鋪歌席，紅藕花中泊妓船。
處處回頭盡堪戀，就中難別是湖邊。

方東樹對這首詩贊口不絕，認爲「字字錘煉而出」，不僅中間兩聯對得警妙，而且首聯也用對起，但又毫無雕飾的痕跡，語句依然平暢自然。嚴格地說，留別不能算寫景詩，因爲眞正寫景只有首聯，腹聯是追憶舊景，中間還夾雜著議論，而詩人都能使景因情而現，情依景而生，情景相隨，一氣呵成，確實具有很高的藝術性。

有人認爲，居易之詩太直太露，缺少含蓄，而詩則「惡淺露而貴含蓄，淺露則陋，含蓄則旨，令人再三吟咀而有餘味」（吳景旭《歷代詩話》）。事實上，這只是一種偏見，居易寫景詩常常是直中含曲，平中見奇，語似平淡，讀起來卻宛轉有致，含蓄有味：

柳湖松島蓮花寺，晚動歸橈出道場。
盧橘子低山雨重，栟櫚葉戰水風涼。
煙波澹蕩搖空碧，樓殿參差倚夕陽。
到岸請君回首望，蓬萊宮在海中央。

《西湖晚歸回望孤山寺贈諸客》

這首詩是遊湖之作。起二句點題，中間四句寫景：大小遠近交錯，層層剝析，絲絲緊扣，雖是平鋪直敘，卻能引人入勝。末兩句則回首將視線移向湖面。寫湖中的倒影，巧妙地點出詩題，首尾呼應，耐人回味。所以胡應麟《詩藪》對居易詩評價極高：「樂天詩，世謂淺近，以意與語合也。若語淺意深，語近意遠，則最上一乘，何得以此爲嫌！」

居易還有一首《浦中夜泊》詩：

闇上江堤還獨立，水風霜氣夜棱棱。

回看深浦停舟處，蘆荻花中一點燈。

這是寫詩人乘舟夜泊，登岸觀景的情形。前兩句描繪了詩人獨自登上江堤，觀賞江畔夜色，江風習習，夜色茫茫；後兩句則寫詩人轉回身去，看到停泊著的孤舟中亮著一星燈火。短短四句，句句換景，忽而寫人，忽而寫景，曲折地表達出孤寂的情緒。特別是最後兩句，桂馥認爲「自家泊舟之景，卻是自家從堤上回看得之，船中人不知也。此意最婉曲」。由此看來，居易的「直」和「露」只相對而言，他晚年信奉佛教，也影響了詩歌創作。他的寫景詩講究意境，風格冲淡，都與佛教思想有關，而他的「極煉如不煉，出色而本色，人籟悉歸天籟」的藝術境界的形成，則有多方面的原因。

白居易很喜歡陶淵明等人的田園山水詩，陶淵明的穩居思想與他有共通之處，田園山水詩的藝術風格和創作方法也對詩人產生很大的影響。可以說，白居易那種平淡的風格，是對陶淵明的直接繼承。除此之外，他還廣泛學習前代和同代詩人的創作經驗，如王維、韋應物等人都對白居易的寫景詩風格有一定的影響。在學習前人的基礎上，他勇於創新，大膽改革，具有獨特的藝術風格。秦朝釪《消寒詩話》曾說：「樂天詩極清淺可愛，往往以眼前事爲見得語，皆他人所未發。」這是很有見地的。白居易的寫景詩除了繼承傳統田園山水的寫作方法，還善於運用俚語、俗語，並且適當地參雜一些議論的成分，對山水詩的發展作出了貢獻。

長期以來，許多評論者在分析白居易詩歌創作時，充分肯定其新樂府的傑出成就，而對他的諷諭詩以外的作品重視不夠。尤其對他的閑適詩指摘頗多，認爲這些詩旨在閑適，思想意義比較消極，並以詩人自己話來證明，這些詩大都是作者「獨善其身」思想占上風時的作品，反映了他悲觀失望、意志消沈的一面。雖然大家對白居易的山水田園詩的藝術成就有所肯定，但給予它們的地位與詩人的成就很不相稱。我們應當承認，描寫大自然景物的文學作品同樣也是反映現實生活，是滿足人民精神生活所不可缺少的。這些作品同樣具有認識作用、教育作用和美感作用。所以寫景詩應該有自己的地位。文學作品的三個社會功用歷來是不等的，而每一篇作品所具有的作用也是不等的，思想情緒健康的寫景詩不僅讓人獲得美的享受，而且還能陶冶人的性情，提高人們的審美能力。同時，寫景詩也包含著詩人的美學觀點，能夠從各個角度反映詩人的思想感情和對生活的態度。對於全面了解一個作家的思想狀況，評價他的文學成就很有幫助，一些好的作品，還有很高的藝術價值，對今天的創作有借鑒作用。對於寫景詩的思想性也要作具體分析，如白居易的寫景詩中就有一部分描寫農村風光的作品，從側面反映了鄉村生活以及詩人與農民的關係，流露出對人民的同情和熱愛。他在描繪山川景物時，常常顯示出一種樂觀向上的精神，充滿了對祖國錦鏽河山的熱愛之情。讀到他的寫景詩，有時會不知不覺地爲他詩中的情緒所激動，從而得到精神上的鼓舞和快樂。又如「未能抛得杭州去，一半勾留是此湖」的含意也不僅僅是對風景的留戀，還有對杭州人民的依依不捨之情，所以他在《別州民》一詩中寫道：「唯留一湖水，爲汝救凶年。」樂天的寫景詩中還有許多借景抒情的作品，是反映詩人政治理想不得實現，感到愁苦和迷茫的情緒。這些作品雖有消極悲觀的一面，但不能脫離歷史背景孤立地來看這個問題。白居易在政治上受到打擊和迫害後，「獨善其身」的思想確實占了主導地位，但這並不等於

「兼濟天下」的思想從此消聲匿跡，「兼濟天下」和「獨善其身」實際上是儒家處世哲學在不同情況下的兩種體現方式。居易晚年在洛陽開鑿龍門八節石灘時，早已皈依佛教而「獨善其身」，但他卻依然想著要替人民做點好事：「七十三翁旦暮身，誓開險路作通津。夜舟過此無須覆，朝脛從今免苦辛。」這難道不是「兼濟」之心？相反地，居易早年寫作《新樂府》、《秦中吟》的同時，卻有一些意志消沈的作品，如《自題寫眞》詩：

我貌不自識，李放寫我真。靜觀神與骨，合是山中人。蒲柳質易朽，麋鹿心難馴。何事赤墀上，五年為侍臣？況多剛狷性，難與世同塵。不惟非貴相，但恐生禍因。宜當早罷去，收取雲泉身。

這首詩作於元和五年，居易官京兆府盧曹參軍、充翰林學士，正是「兼濟」之時，但詩中的情緒很低沈。此外，詩人早期還有一些山水詩，也沒有什麼積極的思想意義。由此可見，即使在「兼濟」思想占主導地位時，詩人也不可能每首詩都是諷諭詩，每首詩都要體現人民性，遇到不遂意之事發發牢騷，空暇之時欣賞一下山水風景，消除案牘之勞，也是人之常情。而晚年詩人不再用「卒章顯其志」的方法來寫詩，山水田園也多起來了，這與他遠離政治鬥爭中心的處境有很大關係，但並不意味著白居易的詩中只有「獨善」的成分。因此，對於他的寫景詩的思想內容，應該作全面的、歷史的、具體的分析，而不能籠統地輕易地扣上一頂「意志消沈，縱情於山水」的帽子。

趙翼《甌北詩話》在論及白居易的詩時曾認爲：「（香山詩）分諷諭、閑適、感傷三類。蓋其少年欲有濟天下，而托之諷諭，冀以流聞宮禁，裨益時政。閑適、感傷，則隨時寫景，述懷贈答之作，故次之。其自序謂志在兼濟，行在獨善。諷諭者，兼濟之義也；閑適、感傷者，獨善之義也。大指如此。至後集，則長慶以後，無復當世之志，惟以安分知足，玩景適情爲事，故不復分類，但分格詩、律詩兩種，隨年編次而已。」後人一般都認爲白居易對自己詩歌的分類不甚科學，「諷諭」、「閑適」、「感傷」三類根據內容，而「雜律」則根據體裁，其實不然。居易的分類完全是按照內容分的，他在《與元九書》中曾說：「謂之諷諭詩，兼濟之志也。謂之閑適詩，獨善之義也。」「其餘雜律詩，或誘於一時一物，發於一笑一哈，率然成章，非平生所尙者，但以親朋合散之際，取其釋恨佐歡，今銓次之間，未能刪去，他時有爲我編集斯文者，略之可也。」可見，居易的「雜律詩」是一些不能鮮明地體現他的「兼濟」與「獨善」思想的作品，因而無類可入，才編在一起，稱爲「雜律」。白居易之所以要這樣分類，目的在於突出「諷諭詩」，這和他在《與元九書》所闡述的文學理論是一致的。《與元九書》寫於元和十年，居易被貶江州，他的政治理想尙未破滅，仍以「補察時政、泄導人情」爲己任，十分強調詩歌的美刺作用。認爲一切都應以政治需要爲標準，所以不免有些偏急之詞。如果完全按照《與元九書》的觀點來對待詩人的作品，就會犯片面性的錯誤。事實上，詩人自己的觀點也是有矛盾的，如他在《與元九書》中說：「今僕之詩，人所愛者，悉不過雜律詩與《長恨歌》以下耳。時之所重，僕之所輕。」而幾乎作於同時的《編集拙詩成一十五卷因題卷末戲贈元九李二十》詩卻說：「一篇《長恨》有風情，十首《秦吟》近正聲。每被老元偸格律，苦教短李伏歌行。」詩人將《長恨歌》與《秦中吟》

並提，說明他自己對這首詩是很得意的，所謂「時之所重，僕之所輕」的看法是有針對性的。另外，詩人在掌握分類標準上也沒有明確的界限，如他在下邽丁憂時的一些詩歌，流露出對農民同情，也被編在雜律詩中。長慶以後的詩歌，居易不再以此分類編排，除去政治上的原因，可能還認識到這種分類的不合理。

白居易的詩歌近三千首，諷諭詩僅有一百七十多首，而雜律詩的數量大大超諷諭詩，因此，要研究白居易及其作品，僅著重於新樂府這類詩歌是遠遠不夠的。由於白居易闡述文學批評主張時，側重內容和文學與政治的關係等問題，而對藝術規律的研究，除了內容和形式的關係外則很少涉及，所以，後代研究往往受其影響，偏重作品的現實意義，卻沒有注意到白居易本人在創作實踐中是十分重視詩歌的藝術性，即使是政治色彩很強的新樂府，也很注意形式美的問題。不過新樂府等詩並不能代表白居易的全部藝術成就，詩人對後世的影響也決不僅限於新樂府。因此，我們應當本著實事求是的態度，正確地評價屬於「閑適」、「感傷」、「雜律」詩的那一部分作品，不僅要分析這些作品的思想意義，而且要研究它們的藝術價值，重新評價它們在白居易作品中所處的地位。只有這樣，才能全面地了解並認識詩人和他的作品，從而作出公正的結論。